Onverschrokken

'Onverschrokken' is het tweede deel van de serie
'Ongewone helden'

Eerder verscheen: 'Toewijding'

Dee Henderson

Onverschrokken

Ongewone helden

Deel 2

BARNABAS

Onverschrokken
Dee Henderson
Vert. van: True Valor – Multnomah Publishers, Sisters, Oregon,
2002
ISBN [10] 90-8520-012-1
ISBN [13] 978-90-8520-012-3
NUR 330
Trefw.: spanning

Vertaling: Dorienke de Vries-Sytsma
Foto omslag: Getty Images
Ontwerp omslag: Theresia Koelewijn

Vertaald in het Nederlands (Dutch)
Originally published in English under the title: True Valor by Dee
Henderson
Copyright © 2002 by Dee Henderson. Published by Multnomah
Publishers, Inc. 601 N. Larch Street – Sisters, Oregon 97759 USA

All non-English rights are contracted through: Gospel Literature
International, PO Box 4060, Ontario, CA 91761-1003, USA

Bijbelteksten worden geciteerd uit De Nieuwe Bijbelvertaling

Uitgeverij Barnabas is onderdeel van Uitgeversgroep Jongbloed te
Heerenveen

www.jongbloed.com

Ik laat jullie vrede na; mijn vrede geef ik jullie, zoals de wereld die niet geven kan. Maak je niet ongerust en verlies de moed niet.

Johannes 14:27

Begrippenlijst

Angels
: Hoogtemaat, gemeten in eenheden van duizend voet. Een voet is ongeveer dertig centimeter. 'Angels 10' geeft dus een hoogte aan
van drie kilometer.

AWACS
: Airborne Warning And Control System.
Vliegtuig dat is uitgerust met lange-afstandsradar en informatie doorgeeft over tactieken
en doelwitten aan de controle-eenheden in
de lucht en op de grond.

C-130
: Transportvliegtuig van de luchtmacht, geschikt voor lange afstanden.

Chaff
: Antiradarfolie; strips aluminiumfolie die uit
een vliegtuig worden gedropt om de vijandelijke radar te storen of de koers van een
radargestuurd projectiel te verleggen.

EA-6B Prowler
: Vliegtuig dat gebruikt wordt om de vijandelijke radar in kaart te brengen en uit te schakelen.

F/A-18 Hornet
: Gevechtsvliegtuig dat gebruikt wordt voor
aanvallen in de lucht en op de grond.

G
: eenheid van acceleratie, gebaseerd op de
zwaartekracht.

IFF
: Identification Friend or Foe; een gecodeerd
bericht dat wordt verstuurd naar de IFF-ontvanger van een bepaald doelwit om te bepalen of het een bevriend of vijandelijk doelwit
betreft.

Mig	Gevechtsvliegtuig van Russische makelij, dat door veel landen over de hele wereld wordt gebruikt.
Missile lock	Hiervan is sprake zodra een te lanceren raket het beoogde doelwit in de zoekkop heeft ingeprogrammeerd.
Naverbrander	Extra brandstof die geïnjecteerd wordt in de hete uitlaatgassen van het vliegtuig voor extra aandrijfkracht.
PJ	Pararescue Jumper, iemand die neergeschoten piloten redt.
Roger	Een bevestiging of toestemming bij een bevel of opmerking.
SLAM	Standoff Land Attack Missile; een wapen ontworpen voor het gebruik bij dag, nacht en ongunstige weersomstandigheden, met precisie-aanvalscapaciteit tegen landdoelen en schepen.

Proloog

'Hij vliegt niet!'

Grace raapte het vliegtuigje van haar neefje van de tegels rond het zwembad in de achtertuin, waar het was neergestort. Ze streek de verkreukelde neus glad en zag meteen waar het probleem zat. 'Er zit niet genoeg hefkracht onder de vleugels', zei ze en vouwde zorgvuldig twee stabilisators aan de vleugeluiteinden. 'Probeer het nu nog eens.'

Tom pakte het vliegtuigje aan. Ze beet op haar lip, toen hij zichzelf met een zwaai omhoog hees, de oude eikenboom in. Het lenteloof onttrok hem aan het gezicht. Even later kwam hij weer tevoorschijn, schrijlings gezeten op de grote tak waaraan de schommel hing. Hij was er zo op gebrand dat zijn vliegtuigje verder zou komen dan het hare dat hij veel te veel kracht achter zijn worp zette; het dook eerst in volle vaart naar de grond, voordat de wetten van de aërodynamica de overhand kregen; toen richtte het zich op en schoot plotseling omhoog. 'Yes!'

Glimlachend draaide Grace zich om en keek het vliegtuigje na. Het was slim van hem om het vanaf een hoog punt te lanceren. Het hare was rakelings over het zwembad gezeild en nog net niet in het ondiepe terechtgekomen; uiteindelijk was het tot stilstand gekomen onder de plantenbak naast de tuintafel. Toms vliegtuigje was al dicht bij de schutting; het kantelde iets naar rechts. Ze fronste. Waarschijnlijk had ze de ene vleugel langer gemaakt dan de andere.

'Vond je moeder het goed, van die lessen?'

Grace keek omhoog en legde haar hoofd in de nek om haar neefje te kunnen aankijken; hij hing als een aap ondersteboven. 'Ze zei misschien.'

Hij stopte met schommelen en keek haar even aan. 'Dat is beter dan nee.'

Dat was ook zo, maar toch bleef het frustrerend. Ze probeerde al een tijd haar moeder over te halen om haar deze zomer vlieglessen te laten volgen. Ze was bijna veertien; ze kwam ervoor in aanmerking. Haar vader had toestemming gegeven, maar haar moeder bleef dwarsliggen.

Pa was haar favoriet. Toen hij ja had gezegd, had ze hem lelijk in verlegenheid gebracht door haar gezicht te verbergen aan zijn brede borst. Hij praatte vaak over vliegen, vertelde oorlogsverhalen over zijn tijd in Vietnam, waar hij had gediend als piloot van een transportvliegtuig. De verhalen gingen over luchtaanvallen en over hoe hij zijn vliegtuig met de grootste voorzichtigheid had moeten terugvliegen naar de basis, de vleugels vol kogelgaten. Hij lachte nu om de risico's die hij had gelopen en om de illusie van onkwetsbaarheid die hij had gekoesterd.

Grace wilde net zo worden als haar vader. De marine zou haar nooit een straaljager laten vliegen, waar ze eigenlijk van droomde, maar wel de grote transporttoestellen, de luchtkastelen waarmee ze in ieder geval op interessante vliegvelden zou kunnen landen: korte, oneffen landingsbanen in de Derde Wereld. Het zou haar de kans bieden naar de brandhaarden van de wereld te vliegen. Daarom wilde ze heel graag leren vliegen. En hoewel je niet solo mocht vliegen voor je zestien was, waren verscheidene van haar vriendinnen toch al met hun lessen begonnen. Ze moest alleen haar moeder nog overtuigen.

'Je mag mijn zakgeld wel hebben voor het lesgeld.'

'Jij bent veel te gul met je zakgeld.'

Tom kwam uit de boom. 'Je zou het fantastisch vinden. Heb je zin om vliegtuigen te gaan kijken bij het vliegveld?'

'Natuurlijk.'

'Ik haal wel wat boterhammen, zeg jij dan even tegen je moeder waar we heen gaan.'

Tom zou wel weer boterhammen met pindakaas en banaan klaarmaken, maar ze mocht hem graag en zou de hare daarom zonder mopperen opeten. Haar neefje nam de plaats in van het broertje dat ze niet had.

Ze ging haar moeder zoeken. Op vrijdagmiddag oefende de pilotenklas altijd met landen. Als ze goed oplette, kon ze ontdekken wat de vliegers bij hun landing verkeerd deden en wat er goed ging. Als ze dan geen lessen kon nemen, kon ze in ieder geval haar best doen om al het mogelijke op te steken door nauwkeurige observatie.

Tom had maar geluk dat hij een jongen was. Hij bracht zichzelf voortdurend in moeilijkheden (en redde zich er ook weer uit), doordat hij alles uitprobeerde wat maar enigszins leuk leek te zijn. Een dergelijke vrijheid zou zij ook wel graag willen hebben. Waarschijnlijk zou hij later basketbalspeler worden, of sportcoach, of skydiver; als het maar buiten was en plezier opleverde. Ook al was hij twee jaar jonger dan zij, toch zag ze hem als haar voorbeeld. Tom had ontdekt hoe je van het leven kon genieten. En al was zij een meisje, toch wilde zij ook graag een fikse portie van de taart.

'Kom je?' schreeuwde Tom naar haar.

'Ik kom eraan!'

'Je durft vast niet.'

Bruce keek naar zijn vriend en daarna weer naar het water rond het uiteinde van de pier. Het was modderig. De storm die de afgelopen nacht in de baai had gewoed, had het slib opgewoeld en zijn gereedschapskist, die op de pier stond, het water in gespoeld. Als hij hem wilde vinden, zou hij met ingehouden adem op de tast moeten zoeken, terwijl de golven hem ondertussen tegen de pijlers dreigden te smijten.

'Waarom probeer je het niet gewoon?' Scott smeet een kiezelsteen in het water en keek toe hoe die zonk. 'pj's doen dit soort dingen elke dag.'

'Niet elke dag', sputterde Bruce; hij wou maar dat Scott zijn helden erbuiten liet. Omdat hij naast een kazerne woonde, had hij al meer dan achttien van dergelijke mannen ontmoet en hij bewonderde hen mateloos. Ze werden opgeleid om uit de lucht geschoten piloten te redden. Zelf wilde hij ooit ook zo'n pararedder worden, maar daarom hoefde hij nog niet van water te houden. Hij moest alleen wel uitvinden hoe hij zijn angst ervoor kon overwinnen.

De gereedschapskist was bij het neerkomen op de zeebodem vast opengesprongen en al hun favoriete aas lag nu verspreid. Het tij had alles natuurlijk overal heen gespoeld en als hij in het rond tastte, zouden de vishaken in zijn handen blijven steken. Aan de andere kant: in de kist zat waardevol aas dat ze in de afgelopen jaren allemaal zelf hadden gemaakt. Het was wel de moeite waard om dat terug te krijgen.

'Ik moet een onderwaterlantaarn hebben', besloot hij. PJ's gingen er ook altijd goed voorbereid op af. Zonder voorbereiding ging hij niet dat kolkende water in.

Zijn vriend keek teleurgesteld. 'Ik zei niet dat ik niet zou gaan zoeken. Ik heb alleen een lantaarn nodig.' Hun fietsen stonden aan het einde van de pier. 'Kom mee. Mijn vader heeft er wel een.'

Scott liep terug naar de fietsen. Bruce stond nog even naar het schuimende water te kijken. Scott daagde hem altijd uit om moeilijke dingen te doen. Hij wou maar dat hij alles kon doen wat gedaan moest worden, net zoals de PJ's. Het viel alleen niet mee om dapper te zijn.

Een

Ook al viel hij in zijn flanellen overhemd en spijkerbroek wel op tussen de overige gasten, toch had nog niemand van de matrozen hem bij vergissing voor een burger aangezien. Een beetje op zijn hoede stond luchtmachtmajoor Bruce Stanton, alias Striker, de toeloop gade te slaan van de menigte die samendromde in de achtertuin van zijn zus. Hij vroeg zich af hoeveel bemanningsleden van het vliegdekschip USS *George Washington* Jill wel niet voor het afscheidsfeest had uitgenodigd. Het zou net iets voor haar zijn om ze allemaal te vragen, zodat niemand zich gepasseerd zou hoeven voelen – ook al waren het er dan meer dan vijfduizend.

Hij voelde zich alsof hij vijandelijk gebied was binnengedrongen. De matrozen, gemiddeld zo'n eenentwintig jaar oud, zagen eruit als kinderen. Ze werden elk jaar jonger. De jongens voor wie dit de eerste zesmaandse zeereis zou worden, verplaatsten zich in kleine groepjes, net als pinguïns. Er waren ook een paar van zijn vrienden in luchtmachtuniform, maar die waren al lang geleden in de witte mensenzee verzwolgen.

Striker laveerde tussen de gasten door naar de stoel die hij op de patio had klaargezet. De pijn die bij elke stap door zijn rechterknie schoot, probeerde hij te negeren. Onder de stoel lag zijn hond opgerold te slapen. Met zijn voet duwde Bruce de staart van het beest er verder onder, zodat niemand er bovenop kon gaan staan. Een feest, eten, en veel bereidwilligheid om haar eens lekker te verwennen, en wat deed die

13

hond? Slapen. Hij had de goudgele labrador twee maanden geleden uit het asiel gehaald, maar had haar nog steeds niet helemaal door.

Met een knikje groette Bruce een van de luchtmachtcommando's die hij hier kende. Hij maakte het zich gemakkelijk in de stoel, vast van plan het hier een tijdje uit te houden. Her en der tussen de jonge matrozen bevonden zich enkele volwassenen. De scheepsofficieren, commando's en luchtmachtpiloten vielen op door de zelfverzekerde houding waarmee zij hun plaats innamen.

Wat het feest betreft, dat paste precies in de traditie. De frisdrank was zo koud dat er ijskristallen op het blikje ontstonden toen hij het openmaakte, en de hotdogs waren zwartgeblakerd, omdat zijn zus erop gestaan had zelf de barbecue te bedienen. De mensen kwamen dan ook voor de traditie, niet voor het eten.

Zelf was hij van Pensacola in Florida, waar hij gelegerd was, naar Norfolk gereden. In Norfolk bevond zich het zwaartepunt van alle militaire operaties in de staat; het gebied rond Hampton Road bevatte negen militaire bases, zowel van de luchtmacht en de marine als van de zeestrijdkrachten. Hij was voor het weekend overgekomen omdat zijn zus hem had uitgenodigd. Bovendien had hij nieuws dat hij haar het beste in levenden lijve kon vertellen. En hij wilde Grace weer zien.

Hij hoefde niet naar haar te zoeken; de hele middag had hij haar vanuit zijn ooghoeken in de gaten gehouden, als een vast ankerpunt in zijn gezichtsveld. In het rood gekleed was ze een opvallende verschijning. De trui die ze op haar spijkerbroek droeg, was een gedurfde kleurige vlek in de zee van wit. Ze was de beste vriendin van zijn zus en medegastvrouw op dit feest, en behoorde al jaren tot zijn kennissenkring. Jill had hen indertijd aan elkaar voorgesteld. Luitenant Grace Yates was een van die zelfverzekerde luchtmachtpiloten. De komende zes maanden zou ze met enige regelmaat in een F/A-18 Hornet worden afgeschoten van het dek van de USS *George Washington*.

Hij zag hoe ze zich al babbelend bewoog tussen de andere piloten van het squadron, die al lang geleden hun norma-liter gesloten gelederen voor haar hadden geopend. Sinds de nieuwe regelgeving van 1993, die vrouwen toestond om gevechtshandelingen te verrichten, had ze bewezen uit het juiste hout gesneden te zijn. Niet opschepperig of eerzuchtig, gewoon een van de beste piloten die hij ooit had ontmoet. Onder druk was ze een toonbeeld van gratie.

Hij had grote bewondering voor haar prestaties en de manier waarop ze die had bereikt. Ze was dol op vliegen en had die passie vormgegeven in een doelgericht streven om de beste te zijn. Haar codenaam was Gracie geworden. Hoewel ze nooit veel zei over het pionierswerk dat ze in haar vak had moeten verrichten, had ze over die bijnaam heel wat te melden gehad. Ze vond hem veel te lief voor een code-naam.

Was Jill voor iedereen een open boek, Grace was het type van de 'stille wateren'. Ze praatte bijna nooit over zichzelf. Hoeveel lagen zou het mysterie tellen dat haar maakte tot wie ze was? Hij was vastbesloten dat te ontdekken. Dit was zijn missie, waarbij Grace het doelwit was. In zijn beroep had hij wel geleerd hoeveel een grondige verkenning waard was. Hij kende haar al jaren, maar pas de laatste paar maanden was hij tot het besluit gekomen om het mysterie te ontrafelen.

Wat hij tot nu toe had ontdekt, stond hem wel aan. Ze was trouw in haar vriendschappen en had een goede band met haar familie. Ze zong in het kerkkoor, zij het behoorlijk vals (vond hij). Ze hield van vanille-ijs, griezelfilms, skiën en alles wat met vliegen te maken had. Bij het sporten was ze strijd-lustig, ze was lang, slank en snelvoetig, en had voldoende kracht in haar armen en polsen om bij een tenniswedstrijd de ene na de andere tegenstander van de baan te slaan. Ooit had ze bij het skydiven haar arm gebroken, op zeventienjarige leeftijd had ze haar auto in de prak gereden, waarna ze over-gehaald had moeten worden om opnieuw in een auto te stap-pen, en als huisdier had ze nooit meer dan een goudvis beze-ten. Als ze boos was, stond haar mond strak en in het gezel-schap van haar vrienden was ze goedlachs. Hij had van de verkenningstocht genoten.

Ze had jarenlang verkering gehad met Ben Grossel, een voormalig luchtmachtpiloot die astronaut was geworden. Bruce had hem een aantal keren ontmoet en vond hem bijzonder sympathiek. Twee jaar geleden was Ben bij een verkeersongeluk om het leven gekomen, net in de tijd dat Grace haar tweede zeereis maakte. Bruce vermoedde dat dit haar leven behoorlijk ondersteboven had gekeerd, ook al had ze er nooit veel over gesproken.

Een jongetje in een blauw truitje botste tegen de achterkant van haar benen aan en pakte ze beet in een stevige omhelzing. Ze draaide zich lachend om, tilde hem op en zette hem op haar heup. Bij feestjes als dit werd ze altijd gevolgd door een eigen fanclub. Vorig jaar was ze met hulp van Jill een vliegclub voor kinderen begonnen, en de kinderen beschouwden haar zo'n beetje als een heldin. Ze was een van die zeldzame personen die niet alleen een goed piloot zijn, maar ook nog eens goed kunnen lesgeven.

Zijn hond bewoog en Bruce reikte onder zijn stoel om haar over de oren te strijken. Vandaag was voor de komende zes maanden de laatste gelegenheid om Grace te zien. Hij kon geduld oefenen. Deze bijeenkomst zou om zeven uur afgelopen zijn. Zijn plan was simpel, en hij hoefde vandaag maar één ding bij haar te bereiken. Daarbij had hij het voordeel dat hij het juiste moment kon kiezen.

'Heb je Jill het nieuws al verteld?'

Bruce keek naar de marinier die het zich met moeite gemakkelijk probeerde te maken in de stoel naast hem, die veel te klein was voor zijn gestalte. Het leven zelf leek ook vaak te klein voor de neef van Grace, Tom Yates, alias Wolf, zijn rivaal en concurrent in de traditionele wedijver tussen luchtmacht en marine. De vrouwen in hun leven waren al jaren hartsvriendinnen en op grond daarvan hadden ook zij al lang geleden een hechte vriendschap gesloten. 'Ik was zo laf om te hopen dat jij het als eerste zou aankaarten.'

Wolf grimaste. 'We zijn een armzalig stel.'

'Heb je al gehoord hoe lang je wegblijft?'

'Twaalf weken. En jij?'

'Zestien.'

Het werd even stil toen de betekenis daarvan tot hen doordrong. Ze zouden allebei de verjaardag van Jill op 19 mei mislopen. En dat was niet zomaar een verjaardag: ze werd dertig. Bruce keek naar zijn zus die de hamburgers op de barbecue stond te keren en grapjes maakte met de matroos die haar gezelschap hield. De jonge man stond er ontspannen bij, met de handen op de rug, en gedroeg zich vriendelijk beleefd. Hij was niet gek. Jill hoorde bij Wolf; op dit terrein kon hij zich dus maar beter niet wagen.

'We moeten iets speciaals doen.' Bruce was van plan geweest nog een weekend als dit te organiseren, en dan Jill mee uit eten te nemen en misschien nog een mooie ketting voor haar te kopen. Ze was dol op sieraden. Maar om dat nu overhaast te doen voordat hij vertrok – dan was het toch niet hetzelfde. Jill zou haar verjaardag zonder haar familie moeten vieren, zonder haar beste vriendin, zonder haar vriend. Het zou een bittere pil voor haar zijn.

'Ik heb die ingelegde sieradendoos voor haar gekocht waar ze zo weg van was, maar dat zal een schrale troost zijn. Ze zal het gevoel hebben dat ik met het cadeau iets goed wil maken.'

'Ze zal huilen ook', voorspelde Bruce. Hij kende zijn zus. Ze zou in tranen uitbarsten, daarna de teleurstelling verwerken en hen met een glimlach uitzwaaien. Maar in eerste instantie zou het bericht haar verdriet doen. Mijlpalen waren belangrijk, en door de jaren heen had ze al zoveel van die belangrijke dagen in haar eentje moeten doorbrengen.

Jill had zeer gemengde gevoelens bij een relatie met iemand die haar op de derde plaats in zijn leven zette, achter God en de marine. Bruce begreep wel hoe dat kwam. Het was één ding om met opgeheven hand de eed van toewijding af te leggen, ook al wist je dat langdurige scheiding van je geliefden hoorde bij de prijs die je daarvoor moest betalen; het was iets heel anders als je zelf geen andere keuze had dan dat maar te accepteren.

'Tot overmaat van ramp ben ik waarschijnlijk ook ergens waar ze geen telefoon hebben.'

'Ze zal je hierom heus niet laten vallen; ze geeft veel te veel om je.'

Alleen al de suggestie ontlokte Wolf een dreigend gebrom. Bruce schoot in de lach en vroeg zich voor de zoveelste keer af hoe het zou zijn om Wolf als zwager te hebben. Wolf was een geschikte man voor zijn zus. Hij was degelijk en had een groot geloof; hij was niet gauw van zijn stuk gebracht door allerlei gebeurtenissen, maar loste eenvoudigweg het probleem op. Net als de meeste andere commando's was hij verslaafd aan adrenaline en beschikte hij over een enorme strijdlust. Toch was hij volwassener dan je op grond van zijn leeftijd zou denken en Bruce kende zijn hart. Hij kon ervan op aan dat deze man zijn zus met zachtheid zou behandelen. Jill was een en al energie en lachlust, een vrouw die het heerlijk vond om het de mensen naar de zin te maken en een tweede en derde mijl zou gaan om een vriend te helpen.

Hij hoopte dat het voor beiden een goede keus zou blijken. Jill ging met Wolf uit, omdat ze bewondering had voor hem en voor wat hij deed; er zat bij haar alleen nog veel oud zeer uit haar kindertijd, vanwege een vader die altijd de marine de voorrang gaf boven zijn gezin.

Het viel niet mee om een oudere broer te zijn. Toen hun ouders drie jaar geleden overleden, had hij zich plotseling gerealiseerd dat hij zijn zus daarvoor vier maanden niet had gezien en zeker een maand niet had gesproken. Hij had zich diep geschaamd en zich voorgenomen vanaf nu geen enkele belangrijke gebeurtenis in Jills leven meer te missen, voorzover het aan hem lag. Zijn prioriteiten waren dus wel veranderd, maar deze uitzending kwam op een slecht moment. Hij had liever nog zes maanden aan de wal doorgebracht voor zijn volgende tijdelijke uitzending.

Haar verjaardagsfeest was hiermee in het water gevallen, en ze zou gedwongen zijn haar vakantieplannen te wijzigen; ze was van plan geweest bij hem te komen logeren om het huis te bekijken dat hij aan het verbouwen was. Ook zou hij een nieuwe datum moeten prikken om haar te komen helpen met het opknappen van de nieuwe kantoorruimte die ze zou gaan leasen. *Heer, hoe moet ik het haar zeggen?* Kon hij de juiste woorden maar vinden. Ze kon niet goed tegen die lange afwezigheid, en Bruce wist maar al te goed dat dit deels zijn schuld was, vanwege de manier waarop hij daar in het verleden mee om was gegaan.

Ze zou het druk hebben als hij weg was. Haar zaak liep uitstekend: Stateside Support, Inc. had meer dan honderd klanten. Terwijl de matrozen overzee gestuurd werden om de belangen van de Verenigde Staten te behartigen, deed Jill op het thuisfront alles wat er gedaan moest worden. Ze gaf de planten water, verzorgde de huisdieren, betaalde de rekeningen en hield toezicht op de tuinman. De gelukkige klanten van Stateside, Inc. kregen eersteklas zorg. Grace en Wolf behoorden ook tot de klantenkring. Hijzelf zou zich aanmelden zodra zijn zus een kantoor in Pensacola opende.

Bruce kon Jill natuurlijk rozen sturen voor haar verjaardag, of kaartjes voor een concert – iets wat hij voor zijn vertrek in orde kon maken. Voor Jill was het feit dat iemand op de dag zelf aan haar dacht even belangrijk als het cadeau. Toch waren het deprimerende opties. Hij had het zelf even hard nodig om die dag bij Jill te zijn als zij.

Bruce schrok op; een hand gleed over zijn rechterschouder. Grace liep achter hem langs en leunde op de rug van Wolfs stoel. 'We hebben meer ijs nodig.'

Tom legde zijn hoofd in de nek om haar aan te kunnen kijken. 'Ik heb vier zakken meegenomen.'

Ze glimlachte naar hem. 'Cougar wil zelf ijs maken. Hij heeft de ijsmachine en het klipzout ontdekt en op het fornuis staat een of ander prutje te borrelen. Ik zou maar eens een oogje in het zeil gaan houden als ik jou was, voor hij er een potje van maakt.'

'Tot uw dienst, mevrouw.'

Wolf stond op. Nu torende hij hoog boven haar uit. Ze stonden elkaar nader dan voor een neef en nicht gebruikelijk is. Gracie gaf hem haar lege glas. 'Bovendien, Jill voelt zich een beetje eenzaam.'

'O ja?'

'Vooruit, wegwezen.'

'Het is je alleen maar om je lievelingsstoel begonnen.'

'En jij bent normaal gesproken vlugger van begrip. Ik heb gewoon geen voeten meer. We hebben veel te veel vrienden.'

Wolf moest lachen. 'Als het eetbaar wordt, breng ik je wel een portie ijs.'

'Dat zou fijn zijn.' Met een tevreden zucht nestelde Grace zich in de stoel waar Wolf had gezeten. 'Ik ben blij dat je kon komen, Bruce.'

Een vreemde spanning trok door hem heen, terwijl hij zich even daarvoor nog zo ontspannen had gevoeld. Begin dertig, een brunette, een fotogenieke glimlach en blauwe ogen vol leven – ze was de droom van elke fotograaf. Hij had maanden geleden al een van de pasfoto's uit Wolfs portefeuille geleend.

'Leuk feest.'

'Heb je het naar je zin?' Ze liet haar hand hangen en de hond dook op om haar gedag te zeggen.

'Altijd', zei hij naar waarheid.

'Jill zei al dat je een huisdier had gekocht. Ze is mooi, zeg.'

'Een beetje schuw.'

'Ze is al oud', verbeterde Grace en glimlachte naar het dier.

Bruce zag hoe ze alle aandacht aan het dier schonk; haar stem werd zachter toen ze de hond begroette. Het zou niet zo moeilijk moeten zijn om haar beter te leren kennen. Hij werkte al meer dan tien jaar met piloten samen. Alles wat hij tot nu toe van haar gezien had, wees erop dat hij hier zat te praten met de toekomstige eerste vrouwelijke squadroncommandant. Het probleem zat diep. Achter die glimlach en die vriendelijke begroeting zat een ondoordringbare muur die haar gedachten afschermde van de buitenwereld. Wat speelde zich af achter die blauwe ogen? Was ze tevreden met haar leven? Eenzaam misschien? Ging het haar op dit moment goed, of maakte ze juist een moeilijk jaar door? Ze had de neiging ontwijkend te antwoorden op vragen en dat deed vermoeden dat er veel in haar schuilging. Het was een uitdaging om toch achter die antwoorden te komen; en hij hield wel van een uitdaging.

'Vertel eens, waar ga je heen?' vroeg ze, terwijl haar ogen over de menigte dwaalden.

Ze had haar oren goed opengehouden, of ze had zijn partner Rich al uitgehoord; die scharrelde ook ergens op dit feest rond.

'Naar Turkije.' Operatie Northern Watch, gericht op het noorden van Irak, had zijn hoofdkwartier op de luchtmachtbasis van Incirlik in Turkije. Het sluimerende conflict over de no-fly zone sleepte zich er al jarenlang voort. Het drieëntwintigste Squadron Speciale Tactieken zou gaan als aflossing voor de PJ's die hier de afgelopen drie maanden gelegerd waren geweest.

Nu gaf ze hem haar volle aandacht. 'De GW gaat richting Middellandse Zee om aan deze operatie deel te nemen.'

'Dat weet ik.' Het USS *George Washington* zou zorg dragen voor enkele vluchtmissies van Operatie Northern Watch. 'Als jij in moeilijkheden raakt, kom ik je wel oprapen', plaagde hij haar. Al twaalf jaar lang haalde hij piloten en militairen van de Speciale Eenheden achter de vijandelijke linies vandaan. Als zij in de problemen kwam, zou zijn onderdeel worden opgeroepen.

'Het is interessant vliegen daar, maar kom nou zeg', plaagde ze terug. 'Luchtafweergeschut en luchtdoelraketten? Dat is rommel waar ik met mijn ogen dicht doorheen vlieg. Ik ben meer benieuwd naar wat Wolf daar zal gaan doen.'

Er waren slechts 313 PJ's en een paar duizend commando's in actieve dienst. Hun training bestond uit dezelfde onderdelen: ze leerden vechten achter de vijandelijke linies, zij werden experts in nachtelijke infiltratiepogingen door de lucht of over het water, en waren onovertroffen in onconventionele oorlogsvoering. Hun taken waren echter heel verschillend. De commando's trokken erop uit om hun missie koste wat kost te volbrengen. Vaak moesten zij zich in situaties begeven waar ze al hun militaire kunnen uit de kast moesten halen, met uitzondering van directe oorlogshandelingen. De PJ's hadden maar één missie: reddingswerk. Bruce kende zijn vriend langer dan vandaag. Wolf zou luchtig over zijn opdracht spreken, maar een overplaatsing naar Turkije hield wel in dat de commando's waarschijnlijk actief zouden zijn in Irak zelf.

'Die raakt in moeilijkheden', voorspelde hij.

'Volgens mij is hij geboren om moeilijke dingen op zich te nemen', gaf ze toe. 'Ik heb je trouwens op het journaal gezien.' De luchthartigheid in haar stem maakte plaats voor nauwelijks merkbare bezorgdheid.

Bruce hoefde niet te vragen welk fragment ze had gezien; het had het landelijke journaal gehaald. De reddingsoperatie in de Golf van afgelopen week was een interessante klus geweest, maar de media bliezen de zaak wel weer erg op. Door een plotseling opstekende storm was een flink aantal schepen in moeilijkheden geraakt; in zulke situaties boden de PJ's altijd assistentie aan de kustwacht. Bruce klopte Grace op de arm. Als hij haar toestond om over hem in te zitten, zou dat de teneur van hun relatie compleet veranderen. Hij was degene die zich zorgen moest maken om haar. Daarvoor werd hij per slot van rekening betaald. 'Zo indrukwekkend was het niet.'

'Maar je liep kreupel. En je zit al de hele dag muurvast in die stoel.'

Het was nou weer net iets voor haar om dat op te merken. Waar de mast van de zeilboot zijn dij had geraakt, zat nu een blauwe plek ter grootte van een meloen. 'Ik ben oud. Ik word al snel moe', antwoordde hij met een lachje.

'Ik had tegen Wolf moeten zeggen dat hij je ijs moest brengen.'

'Laat maar zitten, Grace. Jill zou me alleen maar gaan betuttelen.'

'Hoe gaat het met de jongen die je gered hebt?'

'Hij is vanmorgen door het ziekenhuis naar huis gestuurd.'

'Ik ben blij dat te horen.'

Er viel een stilte tussen hen. Bruce probeerde niet die te verbreken. De waarde van woorden werd zo vaak overschat. Het leven was een geschenk en hij had er genoeg van om te jagen en te jachten. Na een paar keer beschoten te zijn, had hij zich gerealiseerd dat het een zegen was om te leven en daardoor was hij anders tegen de dingen gaan aankijken. Er was geen enkele aanleiding om de zaak te overhaasten.

Bovendien vond hij het prettig om gewoon naar haar te kijken. Ze was een lust voor het oog.

Het was hard werken geweest om dit feest te organiseren, en achter haar glimlach zag hij sporen van vermoeidheid. Haar haren waren verwaaid door de wind. Het korte model was nieuw, wat getuigde van praktische zin: op een vliegdekschip werd geen enkele voorraad zo zorgvuldig gekoesterd als het verse water. Je kon altijd maar heel kort douchen. Hij herkende haar ketting; het gouden hangertje, een halfopen rozenknop, had hij zelf in Frankrijk gekocht. Blijkbaar hadden Grace en Jill weer eens van sieraad geruild. Het stond haar goed.

'Ik bedenk ineens dat ik de Berenwelpen zonder toezicht in de keuken heb losgelaten. Ik denk dat ik maar eens een kijkje moet gaan nemen', zei Grace, maar ze maakte geen aanstalten.

'Ik kan nog steeds niet geloven dat ze die bijnaam van jou gepikt hebben.' Wolfs baas, de marinecommando Joe Baker, werd ook wel Beer genoemd en Grace had Wolf en zijn partner daarom al lang geleden de benaming Berenwelpen gegeven.

'Joe vindt het wel schattig. Hij noemt ze nu ook zo.'

Schattig. Bruce kromp in elkaar. De bijnaam was een blijvertje. Hij had met Wolf te doen, maar als je even nadacht over de betekenis van de naam, was het eigenlijk zo gek nog niet. Beer was legendarisch onder de commando's.

Grace ging verzitten en haalde een hand door haar haren. 'Ik heb je brief gekregen, trouwens.'

Hij verstijfde.

'Dacht je dat hij verloren was gegaan?'

Hij dwong zichzelf om adem te halen. 'Dat hoopte ik.'

'Hij is me acht maanden lang over de hele wereld achterna gereisd en dook twee weken geleden op.'

Twee weken geleden. Dat was in het weekend dat hij zijn huis aan het verbouwen was en een lang gesprek met de Heer had gevoerd over zijn toekomst. Hij was iemand die plannen maakte en ze vervolgens ook uitvoerde. Het viel niet mee om eindeloos te moeten wachten tot er deuren opengingen of nieuwe aanwijzingen werden gegeven. Het had hem pijn gedaan dat het in antwoord op zijn gebed stil was gebleven, maar dat nu die brief boven water was gekomen... Hij had die geschreven op een moment dat hij verwachtte nog voor de avond dood te zijn. *Heer, dit is niet het antwoord dat ik in gedachten had.*

De brief was verstuurd vanuit de jungle van Ecuador; een collega-PJ die het gebied verliet, had hem meegenomen. 'De helikopter stortte neer. Ik had me niet gerealiseerd dat de brief gevonden en doorgestuurd was.' Hij had een vriend moeten begraven, terwijl hij had verwacht zelf in de kist te komen liggen.

'De brief voor Jill is nog steeds dicht.'

Ook al zei ze het niet, dit betekende dus dat die van haar geopend was. 'Omdat Wolf bij mij was, was er niemand anders die hem bij haar kon bezorgen, en ik kon je niet even bellen om te vragen of jij dat op je wilde nemen.'

'Bruce, ik begrijp het heus wel.'

Brieven die je onder grote druk had geschreven, konden je blijven achtervolgen. Hadden die twee fatale woorden er nu in gestaan of had hij ze toch doorgestreept? Hij was zo vaak van gedachten veranderd over wat hij zeggen wilde, en in die chaotische omstandigheden had hij ieder vrij moment benut om te schrijven. Hij keek naar haar en een intense moeheid overviel hem. 'Echt waar?'

Ze keek hem alleen maar aan. Ze had wijze ogen, zo omschreef hij ze al lange tijd. 'Je kunt goed brieven schrijven. Dat is een kunst die verloren is gegaan.'

'Grace...'

'Je zei dat je terugkijkend op je leven maar van weinig dingen spijt had. Als ik ooit zo'n brief zou proberen te schrijven, zou ik dat niet kunnen zeggen.'

Zijn ogen vernauwden zich. Als zij eenmaal de deur opende, ging die ook wijd open. 'Waar heb jij dan spijt van?'

Ze schudde haar hoofd en richtte haar aandacht weer op de hond. 'Het ziet ernaar uit dat je die paar spijtpunten hebt rechtgezet. Je hebt je hond en Jill vertelde dat je je huis aan het verbouwen was.'

Het derde punt van de lijst noemde ze niet. Hij bleef zich afvragen of hij de woorden nu had doorgekrast of dat ze gewoon fijngevoelig was. 'Ik doe mijn best.' Sinds Ecuador was hij een nieuwe richting ingeslagen. Voor die tijd had hij slechts aandacht voor één doel; nu had hij al vier prioriteiten.

'De brief voor je zus ligt bij mij thuis. Ik zal hem je terugsturen.'

'Bedankt.'

'Gracie, we hebben even je mening nodig.' Op het geroep van Wolf draaide ze zich om. 'Ik kom eraan!'

Ze stond op, maar Bruce raakte haar hand aan om haar nog even tegen te houden. 'Als ik je niet meer zie voor we vertrekken – pas goed op en zorg dat je de derde vangkabel niet mist, oké?' Ze beantwoordde zijn greep. 'Dat zal ik doen.' Haar glimlach was vriendelijk. 'Ik bid dat je een saaie missie zult hebben.' Ze trok haar hand uit de zijne en liep in de richting van het huis.

'Hé Grace!'

Ze keek over haar schouder.

'Vind je het leuk om brieven te krijgen?'

Ze draaide zich om en liep achteruit verder. 'Wolf schrijft me trouw elke maandag, woensdag en vrijdag een achterhaald weerbericht.'

'Misschien schrijf ik je af en toe.'

'Misschien zal de legerpost me kunnen traceren.'

'Kun je mijn handschrift wel lezen?'

Ze lachte. 'Het is verschrikkelijk, maar het mijne is erger.' Toen verdween ze in het huis.

Bruce haalde een pepermuntje uit zijn broekzak en trok het papiertje eraf. Zes maanden zou ze weg zijn. Hij zou haar missen. Een uitzending van zes maanden betekende 27 weken, 182 dagen, 4468 uren. Tijdens de rit hierheen had hij dat op de achterkant van een envelop uitgerekend. Hij sloot zijn ogen en plotseling deed iedere kneuzing die hij aan de recente reddingsoperatie had overgehouden hem hevige pijn.

Grace was de eerste vrouw van wie hij dacht dat ze wel tegen zijn beroep zou zijn opgewassen. Zelf was ze ook altijd onderweg naar de andere kant van de wereld. De dienst ging voor. Plicht. Eergevoel. Het vaderland. Hij zag wel hoeveel strijd het Wolf en Jill kostte om een relatie tussen een militair en een burger inhoud te geven. Een relatie waarin beiden bij het leger zaten – hij had in zijn leven voor wel meer hete vuren gestaan, maar dit zou een regelrechte uitdaging worden.

Die brief uit Ecuador was toch wel een ernstig probleem. Hij kon die eerste indruk niet wegnemen; hooguit kon hij proberen ervan te herstellen. Ze had die brief nu al twee weken. Zijn beroep had hem geleerd het terrein grondig te verkennen, allerlei mogelijkheden te elimineren en de kans op verrassingen zo klein mogelijk te maken. Bruce slaakte een diepe zucht; de spanning die hem bij het horen van het nieuws had bevangen ebde weg.

Heer, was het nu echt nodig om haar eerst die brief te bezorgen? Hij bevatte alleen maar de rauwe emotie van iemand die in de val zit en had alleen gelezen mogen worden als ik daar was omgekomen. Dat had betekend dat ook Wolf daar om het leven was gekomen en Grace moest horen wat hij had gedaan. Hij had zich die dag als een held gedragen. Nu maakt die brief de hele situatie alleen maar verwarrend en vreselijk ingewikkeld.

Maar de brief was nu eenmaal bezorgd. Het zou even tijd kosten om te bedenken hoe hij zijn plannen nu moest aanpassen. De indruk die door de brief werd gewekt was een heel andere dan hoe hij zich eigenlijk had willen presenteren.

Bruce pakte zijn lege glas en stond op. Het werd tijd om zijn zus te gaan zoeken en het slechte nieuws te vertellen. Hij was het aan Wolf verplicht om dat te doen. Zoals het er nu voor stond zou hij in de kwestie Grace de hulp van Wolf meer dan nodig hebben.

ECUADOR

Grace,

Wolf is hier bij mij. We zitten hier al zes uur vast en de ammunitie raakt op. We waren achter een neergehaalde helikopter aan gesprongen, maar werden op onze beurt door het weer en de rebellen te pakken genomen. Voor het donker kan er nog maar één reddingsvlucht worden uitgevoerd. Ik heb gezien hoe Wolf drie mariniers redde. Hij is echt een held. Er zal iemand met de gewonden mee moeten gaan, terwijl de ander dekking geeft; dan brengt een van ons beiden het er tenminste nog levend vanaf. Ik stuur Wolf. Je moet hem dwingen zichzelf over het verdriet heen te zetten.

Mijn excuses dat ik dit van je vraag. Ik sluit een brief aan Jill hierbij in. Zeg haar dat ik van haar houd. Ze moet het van iemand horen, niet lezen. Het doet me verdriet om haar zo zonder een enkel familielid achter te laten, maar daar is nu niet veel meer aan te doen. Over het algemeen zijn er weinig dingen waar ik spijt van heb. Dat ik geen hond had, geen eigen huis, geen vrouw.

Ik wil graag leven, maar misschien krijg ik niet wat ik graag wil.

God zegene je, Grace. Tot ziens in de hemel.

Bruce

Twee

Het opruimen was bijna klaar. Grace smeet de vaatdoek in de gootsteen en liep terug naar de keukentafel die ze aan het leegruimen was, haar mobiel tussen haar schouder en haar oor geklemd, terwijl ze ondertussen haar handen afdroogde. De handgemaakte mahoniehouten vitrinekast die ze voor Jills verjaardag had besteld, was aangekomen. Terwijl ze de boodschap afluisterde, trok ze een stoel onder de tafel uit, pakte een pen en bladerde in haar agenda.

Hoe kreeg ze voor haar vertrek dat reisje nog ingepland in haar schema, zonder dat Jill iets zou merken? De kast was perfect voor Jills verzameling mondgeblazen glasminiaturen, en een te kostbaar cadeau om beschadiging tijdens het vervoer te riskeren. De eerstvolgende week was al helemaal volgeboekt; ze sloeg de bladzij om en de rode kadertjes sprongen haar tegemoet. De vertrekdatum stond onwrikbaar vast.

'Mag ik er even bij komen zitten?'

Grace wenkte haar neef verder de keuken in. Ze sloeg de boodschap op en klapte haar telefoontje dicht. 'Als je er maar niet te veel van verwacht. Ik kan geen woord meer uitbrengen', fluisterde ze, vechtend tegen de heesheid die het laatste stuk van de dag in de war had geschopt. Ze beet op haar lip om niet te lachen – iemand, Jill waarschijnlijk, had Wolf een van de witte papieren matrozenpetjes opgezet. Er stond een groot aantal handtekeningen op en Wolf had er ook nog een versierde partyprikker in gestoken.

Hij ging naast haar aan tafel zitten. Grace schonk haar glas nog eens vol met ijswater uit de kan en steunde haar kin in de hand. De ring die ze droeg sneed in haar wang en ze

draaide hem rond met haar duim. Het feest was een dave-
rend succes geweest. Als ze weer een beetje energie had verzameld, zou ze naar huis gaan en nog eens profiteren van een
echt bed. Op de lijst van alles waar ze tijdens de periode van
uitzending naar zou verlangen, stond een echt bed met een
zacht kussen toch wel bovenaan.

'Leuk feest.'

'Dank je. Ik wist wel dat je zou genieten.' Zijn definitie
van een leuk feest was vrij breed: de belangrijkste criteria
waren 'normale mensen' en 'eetbaar voedsel'. 'Hoe vatte Jill
het nieuws op?'

'Viel stil. Zei o.'

Grace las wel tussen de regels door dat de boodschap
hard aangekomen was. 'Het is ook een lange tijd.'

Wolf knikte alleen maar. Hij zette de peper- en zoutvaatjes
terug in de houder, trok een servet tevoorschijn en schudde
het uit. Ze schoof haar glas ijswater naar hem toe. Hij maakte het servet nat en wreef over een vlek opdrogende chocola-
deglazuur die zij had overgeslagen. Haar keel werd dik, terwijl ze naar hem keek. Ze hield zoveel van deze man; het jongetje dat hij diep in zijn hart nog steeds was, had zoiets ver-
tederends. Ze was twee jaar ouder dan hij en hij was voor
haar de broer die ze nooit had gehad. 'Wil je me vertellen wat
ze verder nog gezegd heeft?'

'Nee.'

'Ik wil wel een vaatdoek voor je pakken.'

Hij propte het servet in elkaar. Grace begreep wel wat het
probleem was. Voor het eerst van zijn leven had haar neef
zijn hart helemaal opengesteld. Zijn aanstaande vertrek
maakte hem bang. Hij had geen controle over de ontwikke-
ling van zijn relatie met Jill in de tijd dat hij weg was. Grace
had dit zelf ook meegemaakt; ze wist precies hoe het voelde
om uitgezonden te worden, terwijl op het thuisfront onzekerheid heerste. De spanningen van haar eerste periode
waren nog verergerd door de reactie van Ben op haar afwezigheid.

Ze kon haar beste vrienden op de vingers van een hand
tellen. Jill stond boven aan de lijst. Ze hadden elkaar ontmoet,

nadat ze naar Norfolk was gevlogen om in een weekend een appartement te vinden, een toegangspasje voor de basis te bemachtigen en de inscheping voor haar meubilair te regelen. In de vierentwintig uur van stormachtige beslissingen was Jill een echte vriendin geworden. Wolf zou hard moeten werken om de relatie met Jill in stand te houden, maar toch had Grace geen van beiden ooit het advies gegeven ervan af te zien. Uiteindelijk had zij hen drie jaar geleden met elkaar in contact gebracht. De man verdiende geluk. En ze wist wel dat ze allebei te koppig waren om het op te geven. 'Waarom neem je haar niet mee naar de film?'

'Wat, vanavond?'

'Doe je voordeel met de tijd die je nog aan wal bent. Geloof me, ze zal meegaan.'

Die jongen had ook echt niks in de gaten. Jill had het er al tien jaar over, dat ze zo rond haar dertigste toch wel getrouwd wilde zijn. Dat Wolf zo tegenspartelde maakte haar beste vriendin diep ongelukkig. Grace vreesde dat Jill genoeg zou krijgen van het wachten tot hij eindelijk toe was aan een geregeld leven.

Omdat ze nooit een burgerbestaan had gekend en dus nooit degene was geweest die aan de wal moest achterblijven, was het moeilijk in deze kwestie goede raad te geven. Niet dat ze het niet begreep; ze had alleen geen idee wat ze moest adviseren. Wolf zou nooit bij de marine weggaan, en bij tijden was dat de enige oplossing die Jill kon bedenken voor de langdurige perioden van scheiding. De afwezigheid van communicatie was fnuikend voor een relatie, en Wolf werd vaak uitgezonden naar plaatsen waar het heel gewoon was als er wekenlang geen telefoon- of e-mailverkeer mogelijk was.

'Ze zit nog steeds met Bruce te praten en op de gebruikelijke uitvoerige manier afscheid van hem te nemen', zei Wolf.

'Ze ziet hem ook niet vaak.'

'O, ik klaag niet. Ik weet hoe het voelt. Ik heb jou ook veel te weinig kunnen zien.'

'Bedoel je dat je me nog niet zat bent?' plaagde ze en hij lachte, wat ze al had voorzien. Ze wist wel dat hij de overplaatsing van de west- naar de oostkust onder andere had geaccepteerd, omdat hij haar dan vaker kon bezoeken; al was Jill de hoofdreden geweest. Meestal kreeg hij opdrachten in de regio van de Stille Oceaan, maar de toename van militaire operaties in de afgelopen twee jaar had ertoe geleid, dat er nogal met de commandoteams was geschoven, mede om tegemoet te komen aan de groeiende vraag uit Europa. En toch, ook al woonden ze nu in dezelfde regio, nog steeds moesten ze hun agenda's op elkaar afstemmen als ze elkaar wilden zien.

'Ben je klaar voor het komende halfjaar?'

Blijkbaar had ze hem aanleiding gegeven voor deze vraag en dat maakte haar verdrietig. 'Ja, hoor. Het is me hier veel te rustig. Ik wil terug naar zee.' Ze wilde maar al te graag weg van de onderstroom van verdriet, waar ze aan wal altijd last van had. In haar werk vond ze rust en dat had ze nodig. Aan de wal waren veel te veel plaatsen waar ze samen met Ben was geweest, en voortdurend liep ze aan tegen de herinnering aan wat ze verloren was.

Er zijn maar weinig dingen waar ik spijt van heb. De woorden van Bruce klonken na in haar gedachten. De brief was gekomen op een moeilijk moment en had haar van haar stuk gebracht. Ze had hem de afgelopen twee weken steeds opnieuw gelezen. Zij had spijt van heel veel dingen, en dat bleef haar achtervolgen. *Had ik maar...* De woorden hadden haar tijdens dit verlof geen moment losgelaten en ze maakten haar doodmoe. Ze benijdde Bruce om de vrede die hij blijkbaar met zijn leven had. Daarom had ze een belangrijke beslissing genomen: geen spijtgevoelens meer. Het was tijd om betere en wijzere keuzes te gaan maken.

'Je kunt niet eindeloos in je werk blijven vluchten.'

Ze glimlachte naar Wolf, blij dat hij voldoende om haar gaf om aan te dringen. 'Nog zes maanden. Na deze trip mag je preken dat het leven doorgaat.'

Wolf deed zijn armen over elkaar; zijn T-shirt spande om zijn goedgevormde spierbundels en hij wipte zijn stoel achterover om haar eens goed te bestuderen. 'Beloof me dat je voorzichtig zult zijn. Ik heb geen zin om die brief open te maken die ik per se van je moest aannemen.'

'Het getuigt alleen maar van volwassenheid om zo'n brief te schrijven.'

'Ik schrijf jou er anders geen.'

Ze gaf hem een kneepje in zijn nek. Dat hoefde hij ook niet; ze wist zo ook wel dat hij van haar hield. 'Schrijf er dan een voor Jill. Gewoon voor het geval dat.'

'Grace…'

'*Lieve schat* is een goede aanhef.'

'Bah, wat zoetig.'

'Relaties zijn ook bedoeld om kerels met lieve woordjes in verlegenheid te brengen. Vooruit, ga Jill zoeken.'

'Heb je zin om mee te gaan naar de film?'

'Nee, bedankt. Ik hoor mijn kussen roepen.' Als Ben er nu nog bij geweest was, had ze de energie nog wel op kunnen brengen, maar om nou als vijfde wiel aan de wagen meegesleept te worden… Aan dit soort kleine verschuivingen in haar prioriteiten merkte ze dat ze ouder werd. 'Doen we het met de telefoontjes net zo als de vorige keer?'

'Goed. Ik spoor je wel op.'

'Prima. Het valt niet mee om jou te vinden. Jouw peloton heeft de neiging zich te verbergen.'

'Je moet gewoon goed luisteren of je ergens hoort schieten.'

Ze lachte. 'Als je maar heel terugkomt; dat ben je me na Ecuador wel verplicht.'

Hij stond op en woelde door haar haren. 'Beloofd. Een goede missie gewenst, Grace.'

'Van hetzelfde, Wolf.'

'Vind je het echt niet erg om op die sul te passen?' vroeg Bruce.

Jill leunde door het autoraam naar binnen om de hond, die op de stoel naast de chauffeur lag opgerold, een klopje op de rug te geven. 'Je kwetst haar gevoelens, hoor. Ik vind het juist fijn om Emily in huis te hebben als jij weg bent.'

'Ik zal haar mand en voer en kauwspeelgoed meegeven. En ook reservesleutels voor de auto. En mijn chequeboekje. Nog meer?'

Jill grinnikte. 'Tot nu toe staat de lijst me wel aan. Zit er maar niet over in. Als ik nog meer nodig heb, dan heeft Beth altijd nog je huissleutels; zij kan het me wel sturen.' Ze deed een stap terug; de lichten van het voorportaal gingen aan en Wolf kwam naar buiten. 'Bel even als je in Charlotte bent.'

'Zal ik doen.'

Bruce reed de oprit af en Jill zwaaide hem na. Hij had een leuke dag gehad; daarom had ze hem durven vragen nog eens de tocht van Florida naar Virginia te maken. Soms kon hij weliswaar een vliegtuig nemen naar het marinevliegveld in Oceana, maar deze keer had hij moeten rijden om de oude wastobbe uit het ouderlijk huis voor haar mee te nemen. Ze had hem zien praten met Grace. Door deze uitzending kwamen zo veel dingen in de ijskast te staan, niet het minst de ontluikende vriendschap tussen haar broer en Grace. Het viel niet mee om de koppelaarster uit te hangen als die twee voor vier en zes maanden vertrokken.

Wolf sloeg van achteren zijn armen om haar heen en ze leunde tegen hem aan, genietend van zijn kracht.

'Leuk feest.'

'Geweldig feest', verbeterde ze en legde haar handen over de zijne.

'Grace stelde voor dat ik je mee zou nemen naar de film.'

Ze giechelde. 'Heb je het haar dan niet verteld?'

'Lieverd, ik kijk wel uit om mijn nicht aan de neus te hangen dat wij naar ringen gaan kijken.'

'Ik heb alleen gezegd dat we gaan kijken, hoor, niet dat ik er een zou aannemen.'

'Ik haal je wel over.'

'Dat heb je al geprobeerd.' Ze wist heel goed hoe ellendig ze zich onder zijn afwezigheid zou voelen. Nog steeds probeerde ze zichzelf te laten wennen aan een relatie waarin slecht nieuws onvermijdelijk was, maar het viel niet mee.

'We komen heus wel weer door deze periode heen. Ik zal je op z'n minst om de andere dag schrijven.'

'Dat weet ik.' Ze draaide zich om. Wolf zou er alles aan doen om de relatie goed te houden. Ze gaf hem een tikje op zijn vierkante kaak. Hij was een echte commando, met de bouw van een bokser en een brede glimlach op zijn gezicht. Wat hield ze toch van hem. 'Laten we op ringenjacht gaan.' Na deze zomer zou ze weten of ze alles aankon wat het accepteren van zo'n ring met zich meebracht.

Drie

10 MEI

USS *GEORGE WASHINGTON*

MIDDELLANDSE ZEE, TER HOOGTE VAN DE TURKSE WESTKUST

Na al die maanden op zee waren haar laarzen wit uitgeslagen van het zout, en onder het witte zwemvest zat haar vliegenierspak vol smeer, het resultaat van een lange dag werken op het dek van het vliegdekschip. Haar ogen tot spleetjes geknepen tegen de zon, volgde Grace het vliegtuig dat op het punt stond te landen.

Haar ogen waren beschermd door een vliegbril met donkere glazen, en haar lippen door een flinke laag lippenbalsem. Verder droeg ze dikke, schuimrubberen oorbeschermers tegen de herrie van de vliegtuigen die een paar meter verderop landden. In haar linkerhand had ze de mobilofoon waarmee ze voortdurend radiocontact met het naderende toestel kon houden. Op dit ogenblik was zij de belangrijkste persoon in het leven van de piloot.

Het vliegdekschip was voor de wind gaan liggen om de vliegtuigen, die terugkeerden van de tweede vliegoperatie van die dag, de gelegenheid te geven te landen. Tijdens de eerste operatie had Grace zelf gevlogen; een trainingsvlucht voor wat de komende nacht bittere ernst zou zijn. Na de debriefing was ze hierheen gekomen om de dienstdoende landingsofficier af te lossen. Het vliegtuig dat nu in aantocht was, was het elfde in deze cyclus. De toestellen arriveerden met tussenpozen van een minuut, maar ondanks de druk wist ze haar kalmte en nauwkeurigheid te bewaren.

In haar rechterhand had Grace de handschakelaar voor de navigatielichten. Ze hield die hoog boven haar hoofd om alle andere landingsofficieren te laten weten dat het dek niet vrij was. De Hornet die even daarvoor was geland, stond er nog. Ze weerstond de neiging om over haar schouder te kijken en te zien waardoor het oponthoud werd veroorzaakt. Voor haar bevond zich een groter probleem. De naderende EA-6B Prowler werd gevlogen door een groentje, een nieuwe piloot op zijn eerste zeereis.

De USS *George Washington* had er inmiddels twee van de zes maanden op zitten en Grace maakte zich zorgen over onderluitenant Ellis Patrick Jones. In plaats van erin te groeien, leek hij het vertrouwen in zijn vliegvaardigheid steeds meer te verliezen. In gedachten noemde ze hem de zenuwpees, omdat hij snel opgefokt raakte. Al bij hun eerste ontmoeting was het haar duidelijk dat de overplaatsing naar het vliegdekschip hem eigenlijk teveel was. Heel anders dan bij operaties aan de wal, verliep het leven aan boord van een vliegdekschip in een razend tempo met slechts af en toe een pauze. Ieder groentje moest daaraan wennen en wel zo snel mogelijk. Deze jongen was geblokkeerd geraakt. Dat bleek uit zijn landingen en als hij niet binnen afzienbare tijd flinke vorderingen maakte, kon hij zijn carrière wel vergeten. De marine had niet veel aan een piloot die zijn vliegtuig niet veilig aan dek kon zetten.

Als hij bij het landen op te grote hoogte aan zou komen vliegen, zou de vanghaak van de Prowler de kabels missen. Daardoor zou de piloot gedwongen zijn in volle vaart weer van het dek af te vliegen, om niet halsoverkop in zee te duiken. Week hij af naar rechts, dan zou hij een hele rij toestellen van een miljoen dollar per stuk overhoop vliegen. Dreef hij naar links, dan gleed hij van het schip af. En als hij te laag vloog… In marinejargon heette het een ramp strike, wanneer een piloot zijn toestel te pletter vloog tegen de achterkant van het schip. Bij een snelheid van meer dan honderd knopen leverde dat een spectaculaire vuurbal op… en Grace stond op slechts een paar meter afstand van de plaats waar die botsing zou plaatsvinden.

Het was haar taak om hem zonder ongelukken door de landing heen te praten. Zij zou zorgen dat hij het er levend vanaf bracht; dat was haar baan, en ze was er goed in.

'Dek vrij!'

'Roger, dek vrij. Lichten en materiaal gereed voor een Prowler', schreeuwde Grace terug naar de landingsofficier rechts van haar. Ze liet de schakeldoos zakken. Nu had ze alleen nog de mobilofoon en de rij enorme navigatielichten achter haar. Met dit materiaal zou ze een klein wonder moeten verrichten. Vandaag was ze haar salaris meer dan waard. Patricks vliegtuig had nummer 774 en Grace luisterde naar het radioverkeer dat de landing begeleidde.

'774, twaalfhonderd meter, geef balsein', zei de verkeersleider.

'774, Prowler bal, 4.5', antwoordde Patrick gespannen.

Hij kon de enorme lichtbal achter Grace dus inmiddels zien. Nu was het vliegtuig recht voor haar. De lichtbal bewoog op en neer, al naar gelang de koers van het vliegtuig. Zo lang zijn koplampen de horizontale rij groene lichten kruisten, was zijn aanvliegroute perfect. Zat hij te hoog, dan zou hij de gele lichtbal zien bewegen boven die groene lijn. Dook het licht daaronder, dan zat hij te laag. Werd het rood, dan dreigde een ramp strike. Hij was getraind om op de lichtbal te vliegen en zij stond hier om hem daaraan te helpen herinneren.

Een goede landing was helemaal niet zo ingewikkeld. Let op de middellijn, de landingshoek en de snelheid. Land vervolgens op de middellijn, grijp de kabels met de vanghaak en je staat met een schok stil. Dit proces was dag en nacht hetzelfde. Weliswaar stond je hart er 's nachts bij stil, maar toch was het een routineonderdeel van je werk als luchtmachtpiloot.

'Rechts voor het midden', corrigeerde Grace, toen ze zag dat het vliegtuig naar links week. De witte middellijn was bijna weggesleten na al die maanden van intensieve vliegoperaties. Of Patrick kon hem niet zien, of het lukte hem niet in een rechte lijn te komen.

Zijn vleugels gingen omlaag en hij corrigeerde te ver. Ze wachtte twee seconden of hij zijn vergissing zou opmerken. 'Een beetje naar links', waarschuwde ze toen.

De Prowler dook omlaag. Haar spieren spanden zich. 'Je verliest hoogte.' Doordat hij zoveel moeite deed om niet naar rechts of links af te wijken, merkte hij niet dat hij uit de lucht aan het vallen was. Hij bevond zich al lager dan de vastgestelde aanvlieghoogte en de afstand tot het schip werd in hoog tempo kleiner.

Vooruit, corrigeer nou. 'Power! Power!'

Hij gaf heftig gas om niet tegen de steven te pletter te slaan en week naar links.

Ze gaf een klap op de lichtschakelaar. 'Afbreken! Afbreken!' Op haar bevel begon de rij lichten rood te knipperen. Ze dook weg en het vliegtuig vloog brullend rakelings over haar heen. Het windscherm op het platform schudde onder het geweld.

Grace dwong haar wit geworden knokkels zich te ontspannen. Niemand van de aanwezige landingsofficieren was over de rand van het schip in de veiligheidsmand gesprongen in een poging de gevolgen van een eventuele ramp strike te ontlopen. Zelf zou ze gesprongen zijn, als ze de schakelaar niet in haar hand had gehad.

Vlieg nooit en te nimmer te laag. Door de spanningen die het werk van een landingsofficier met zich meebracht, leerde ze meer over landingen dan wanneer ze zelf achter het controlepaneel van een vliegtuig zat en volgens de richtlijnen moest vliegen.

'Goed gedaan', zei de senior landingsofficier. Hij stond achter haar met een tweede handset en lichtschakelaar om haar te ondersteunen. Ooit zou ze graag zijn baan hebben, maar op dit moment betekende zijn aanwezigheid een opluchting voor haar. Met een knikje om te bedanken voor zijn eenvoudige compliment draaide ze zich om en zag Patrick opnieuw de lucht in klimmen. De verkeersleiding gaf hem toestemming te draaien en het nog eens te proberen. Hij had ongeveer twee minuten om zich hier mentaal op voor te bereiden. Zelf zou ze wel meer tijd nodig hebben. Die laatste dertig meter was hij recht op haar af gevlogen.

Ze schudde de adrenaline van zich af en vroeg zich af wat de driekoppige bemanning van Patrick op dit moment dacht.

Ze was blij dat zij een eenpersoonstoestel vloog en niet bang hoefde te zijn dat een verkeerde landingsmanoeuvre haar bemanning het leven zou kosten.

Ze keerde zich naar de landingsofficier die de gegevens van deze landingsoperatie moest noteren en dicteerde een beoordeling. 'Afgeblazen landing. Afwijking naar links bij nadering, overcorrectie, hoogteverlies, niet voldoende vermogen.' Dit zou hard aankomen. Patricks beoordelingen tijdens deze uitzendingsperiode waren over het algemeen redelijk, maar toch nog te vaak onder het gemiddelde. Het zou niet lang meer duren of hij zou voor een beoordelingscommissie moeten verschijnen.

Naast hen op het platform rinkelde de telefoon. De senior landingsofficier nam op. Uit de vele 'Yes, sirs' maakte ze op dat de grote baas vanuit zijn hoge positie in de toren boven het dek de gebeurtenissen nauwlettend had gevolgd.

De senior landingsofficier legde de hoorn weer neer. 'Nog één poging, en anders wordt hij naar Incirlik gedirigeerd. We kunnen ons geen vertraging in het schema veroorloven.'

Grace knikte. Ze stak de lichtschakelaar weer in de hoogte om aan te geven dat het dek niet vrij was. Het grondpersoneel gebruikte de vrije minuten om een F-14 Tomcat aan de rand van het dek te parkeren. De roodjassen waren al begonnen met het laden van het geschut voor de missies van de komende nacht. Het zou een grote operatie worden en je kon een compleet luchtmachtonderdeel niet zo lang laten wachten omwille van één enkele piloot.

'Dek vrij.'

Ze liet haar hand zakken. 'Dek vrij. Roger. Lichten en materiaal voor een Prowler.' Bij deze landingspoging zou Patricks vliegtuig lichter zijn, omdat hij bij de afgeblazen landingspoging en het extra rondje natuurlijk brandstof had verbruikt. Hoogstwaarschijnlijk zou hij daardoor extra hoog en snel vliegen. En gezien het feit dat zijn vorige poging bijna op een ramp strike was uitgelopen, zou hij nog eens extra geneigd zijn om hoog te gaan zitten.

'774, twaalfhonderd meter, geef balsein', klonk de verkeersleider weer.

'774, Prowler bal, 3.7', antwoordde Patrick. Zijn stem beefde.

'Terugzakken naar negenentwintig knopen, horizontale ligging', zei ze, blij dat het schip niet aan het stampen was om de zaak nog ingewikkelder te maken.

Deze keer lag Patrick beter op koers. Zoals ze al had voorzien, zat hij boven de vereiste aanvlieghoogte. 'Je zit te hoog.' Ze zag hoe hij de landingshoek wat scherper maakte. Zo kwam hij op een goede manier aanvliegen. De kleine vergissingen die niet levensbedreigend waren, liet ze stilzwijgend passeren.

Ze draaide zich om en keek hem na tot in het vangnet. De Prowler kwam hard op het dek neer; de vanghaak miste de derde kabel en deed de vonken van het dek spatten, tot hij in de vierde kabel bleef haken. Die rekte uit met een gemene ruk en bracht het vliegtuig met een schok tot stilstand. Zodra de motoren tot zwijgen waren gebracht, trok Patrick de vanghaak weer op. Een landingsleider in een geel jack beduidde hem van de landingsbaan te taxiën en het leven op het dek hernam zijn normale loop.

Grace zette haar spullen op de grond. 'Dat was het laatste vliegtuig van deze cyclus. Controleposten afsluiten, dan gaan we rapport uitbrengen.' Alle piloten zouden van haarzelf een beoordeling krijgen, met een gedetailleerde beschrijving van alles wat er mis was gegaan. Een intensievere leermethode was niet denkbaar.

Midden op het landingsdek bevond zich een camera, en iedere landing werd aan boord live uitgezonden in de readyrooms en in de hutten. Het commentaar van de collega's was nooit mals. Voeg daarbij de officiële beoordeling door de landingsofficieren en het feit dat de rapporten in de readyroom van ieder squadron op het prikbord werden gehangen, en het was wel te begrijpen dat de piloten aan hun landingsvaardigheden werkten met een verbetenheid die je nergens anders vond. Iedere piloot wilde na de missie naar huis met de prijs voor de beste landing op zak.

Grace vette haar lippen nog eens in. Iedereen die hier open en bloot stond, had te lijden van het mengsel van brandstof, persvloeistof en vochtige zoute lucht, dat door de harde wind over het dek werd geblazen. Haar vliegenierspak was overdekt met schilfertjes van de stroeve deklaag, die onder de landende Prowler waren opgespat. De onophoudelijke landingen deden een behoorlijke aanslag op de deklaag en hadden er zo langzamerhand een stoflaag van gemaakt. Binnen afzienbare tijd zou het schip de vliegoperaties voor een aantal dagen moeten opschorten, zodat er een nieuwe laag aangebracht kon worden. De dagelijkse opknapbeurten waren niet voldoende om de schade te herstellen.

Grace was nu wel aan een pauze toe. De verantwoordelijkheid voor andere piloten putte haar meer uit dan zelf achter het bedieningspaneel van een landend vliegtuig zitten.

'Luitenant Yates.'

Ze draaide zich om. Het was de uitvoerend officier van het squadron, die zich op het platform bij haar gevoegd had. 'Zoeloe-7 wordt toegevoegd aan de vlucht van vannacht. Briefing om vijf uur.'

Het was een simpele boodschap, maar met een verstrekkende betekenis. Blijkbaar werd vannacht een van de vele mogelijke opties ten uitvoer gebracht waarop ze zich in het kader van Operatie Northern Watch hadden voorbereid. Dat de wijziging op het laatste ogenblik was doorgevoerd, wekte de indruk dat er sprake was van een gelegenheidsdoelwit. Voor haar betekende het een heel lange nacht.

Vier

Bruce ritste de tas met medische artikelen dicht en richtte zijn aandacht op de bijgewerkte kaarten van Noord-Irak, die op de tafel onder plexiglas lagen uitgespreid. Gedurende de dag waren er verscheidene Prowlers in de lucht geweest om de laatste signalen op te pikken. De zones waaruit de dreiging kwam, zagen er met elkaar uit als een Zwitserse gatenkaas. Hij kon zien welke minieme troepenbewegingen de Irakezen vandaag hadden uitgevoerd. Blijkbaar voelden ze dat er iets te gebeuren stond.

In de afgelopen maanden hadden de Iraakse troepen alles in het werk gesteld om een vliegtuig van Operatie Northern Watch uit de lucht te halen. Gisteren waren ze daar bijna in geslaagd. Een verkenningsvliegtuig was door afweergeschut geraakt en had ternauwernood de luchtmachtbasis Incirlik in Turkije kunnen halen. Vannacht zou het menens worden.

Achtendertig piloten zouden de lucht in gaan, met als opdracht het uitschakelen van radarinstallaties, afweergeschut en radiozendstations rond de stad Mosul en ten zuiden van het Saddammeer. Dit waren de orders die waren afgegeven; zelf was hij echter voorbereid op andere, geheime missies.

Om een conflict in geval van mislukking te vermijden, zou deze operatie niet plaatsvinden vanaf de luchtmachtbases in Turkije. Turkije moest er immers rekening mee houden dat niet alleen Irak, maar ook Syrië een buurland was.

Daarom zou tachtig procent van de vliegtuigen die bij deze missie betrokken waren, worden gelanceerd vanaf het USS *George Washington.*

Hij had de afgelopen weken veel aan Grace gedacht en zich afgevraagd hoe het haar in deze periode van uitzending verging, maar nog nooit had hij zo over haar in spanning gezeten als nu. Welke opdracht zou zij hebben gekregen? Het was wel zeker dat ze zou vliegen. Ze was een te goede piloot om niet een van de moeilijker missies toegewezen te krijgen. *Heer, wilt U haar alstublieft bewaren bij de vlucht van vannacht.* Hij had een hekel aan dit soort bezorgdheid, maar in onzekerheid verkeren was nog veel erger.

Bruce hees de zware dokterstas van de geïmproviseerde tafel, een triplex plaat op twee schragen. Het zat er dik in dat hij vannacht eveneens zou vliegen.

Met zijn uitrusting verliet hij de tent en liep over het veld naar de standplaats van de vliegtuigen. Acht weken geleden graasden er nog schapen op dit plateau. Nu had het drieëntwintigste Squadron Speciale Tactieken uit Hurlbert Field, Florida, er zijn thuis van gemaakt.

Van het eigenlijke Turkije had Bruce nog niet veel gezien. De PJ's waren met een lijnvlucht naar Istanbul gevlogen, daarna met een shuttlevlucht naar de luchtmachtbasis Incirlik overgebracht en binnen een paar dagen na hun aankomst in het land doorgevlogen naar deze vooruitgeschoven legerpost.

De piloten van de Brits-Amerikaanse coalitie in dit gebied rekenden op hem. Juist omdat ze wisten dat de PJ's een in moeilijkheden geraakte piloot zonder twijfel zouden komen redden, konden ze zich in de lucht een agressieve aanvalshouding permitteren.

In de zak van zijn uniform hoorde hij de naamplaatjes tegen elkaar klikken. Behalve zijn eigen plaatje had hij inmiddels drie andere exemplaren. Twee weken geleden had hij een helikopterbemanning uit de brand geholpen, toen een trainingsvlucht door de nauwe bergpassen van Noord-Turkije bijna op een tragedie was uitgelopen. De reddingsoperatie had de bemanningsleden hun naamplaatje gekost;

deze traditie onder de PJ's dateerde al van voor zijn geboorte. Voor deze missie ten einde was, zou hij er zeker nog meer bij hebben gekregen.

Bruce borg zijn uitrusting in de eerste van de geparkeerde Pave Low III helikopters; de dreigende, zwarte machine was een van de redenen waarom hij redding durfde te beloven. Het werk van een PJ draaide om een goede voorbereiding. Als ze er vannacht op uitgingen, zouden ze klaar zijn om hard toe te slaan.

Het was nu tien over twee lokale tijd. Het zou wel twee uur 's nachts worden voor hij opdracht kreeg om zich gereed te houden. Hij dacht even na en besloot dat er nog wel tijd was voor een verlate lunch en een dutje, voordat de avonddienst begon.

'Hé, Striker!'

Hij keerde zich om en zag Wolf van de officierstent naar zich toe komen. De Berenwelpen waren drie weken geleden op het toneel verschenen. Joe Baker en zijn team commando's werkten in deze regio en Beer had de Welpen aangesteld voor het organiseren van de briefings, de instructiebijeenkomsten.

'Heb je even?'

'Natuurlijk.'

Wolf bood hem een van de sandwiches aan die hij bij zich had en Bruce accepteerde die met een stilzwijgend bedankje. Het was weer een van Toms beruchte boterhammen met pindakaas en banaan. Striker had al lang geleden ontdekt dat ze behoorden tot zijn voorbereidingsritueel.

'Nog nieuws over vannacht?' vroeg Bruce.

'Wij hebben opdracht gekregen om stand-by te staan.'

Wat de commando's vannacht precies te doen zouden krijgen als ze op pad werden gestuurd, was Bruce nog niet volledig meegedeeld. Dat zou pas gebeuren als er groen licht was gegeven. Eén ding wist hij wel: op de stafkaart stond de Iraaks-Syrische grens gemarkeerd met een felrode lijn, en dat was de lijn die de commando's zouden oversteken.

'Heb je Jill nog te pakken kunnen krijgen?' vroeg Bruce. Wolf was deze morgen naar Incirlik geweest, waar telefoons beschikbaar waren. Vanaf hier kon je alleen per e-mail communiceren.

'Ik kreeg haar antwoordapparaat. Ik kon de telefoon wel het raam uit smijten.'

'Ze had toch vier uur gezegd?'

'Dat is ook zo. Ik weet niet of dit betekent dat ze mijn laatste brief heeft ontvangen en dus niet meer met me wil praten, of dat er iets gebeurd is.'

'En nu gaan er natuurlijk weer een paar dagen overheen tot de volgende gelegenheid om te bellen.'

'Precies.'

'Ik heb met je te doen.'

'Ik zou er meer aan hebben als je hulp aanbood.'

Bruce lachte. 'Ik sta mijn zus al toe dat ze omgaat met een marinier. Je moet de zaken nu ook weer niet op de spits drijven.' Hij wist alles van de onzekerheid die mislukte telefoontjes met zich meebrachten en de twijfel over al dan niet aangekomen brieven. Hij had erg zijn best gedaan om in de eerste brief aan Grace de juiste toon te vinden, en nog steeds had hij geen antwoord gehad. Had ze de brief wel ontvangen? Die stilte viel niet mee en was moeilijker dan elke denkbare reactie van haar kant.

'Ben je klaar voor vannacht?'

Wat nu, was Wolf bezorgd? Bruce keek zijn vriend onderzoekend aan, en glimlachte toen hij het plagerijtje doorkreeg. 'Het valt niet mee om dapper te zijn, maar ik zal mijn reputatie eer aandoen. En jij?'

'Wat is het leven zonder een beetje risico?'

'Vredig', antwoordde Bruce geamuseerd. 'Bovendien word je niet onkwetsbaar van boterhammen met pindakaas en banaan.'

Wolf haalde zijn schouders op. 'Iemand moet Beer nu eenmaal rugdekking geven.'

Bruce wist dat met deze eenvoudige opmerking alles gezegd was. Zowel voor de commando's als voor de PJ's betekende vriendschap veel meer dan loyaliteit tussen personen; het was tevens een tactisch voordeel. De vijand had niet te maken met één man, maar moest het opnemen tegen een team. En als iedere man bereid was zonder nadenken zijn leven te geven voor een vriend, dan kon het team voor elkaar krijgen wat een man in zijn eentje niet zou lukken: iedereen veilig thuis afleveren. Bruce wist uit eigen ervaring hoe waar dit was. Hij had aan zijn partner Rich al vaker zijn leven te danken dan hij eigenlijk wilde toegeven. 'Genoeg munitie bij je?'

'Hou op met je gezeur, zeg. We hebben in Ecuador ons lesje wel geleerd. We zijn er klaar voor.'

STATESIDE SUPPORT, INC.
NORFOLK, VIRGINIA

'Wat denk jij ervan, Scott?' Staande temidden van de troep in de woonkamer van matroos Tyler Jones probeerde Jill Stanton haar stem kalm te laten klinken. De stereoluidsprekers die zijn trots en vreugde waren geweest, waren verdwenen, evenals de helft van zijn cd's en een videocamera. De inbreker was weloverwogen te werk gegaan en had alleen dingen meegenomen die gemakkelijk te dragen en door te verkopen waren. De schok die ze bij het aantreffen van dit misdaadtoneel had gekregen, ebde langzaam weg. Nog steeds was ze een beetje beverig, maar dat gevoel begon nu plaats te maken voor een groeiende boosheid.

Rechercheur Scott Reece liep de hal door om een kijkje in de slaapkamer te nemen. Hij was al van jongs af aan de vriend van haar broer, en tegenwoordig politiefunctionaris in de wijk Hampton Roads. Op haar telefoontje was hij onmiddellijk gekomen. 'Vijf inbraken in twee maanden, en drie daarvan bij klanten van jou. Dat is niet vreemd, als je bedenkt dat jouw klanten over het algemeen alleenstaand zijn en dure stereoapparatuur verzamelen. Bovendien wordt het nieuws over hun uitzending in de plaatselijke kranten gepubliceerd. Wanneer ben je hier voor het laatst geweest?'

Ze volgde hem de slaapkamer in. De laden van de nachtkastjes hingen half open, ruw van de rails getrokken en scheef teruggeduwd. 'Twee dagen geleden, halverwege de middag. Ik heb de planten water gegeven en de schildpad gevoerd.' De inbreker had niet de moeite genomen om ook de schildpad mee te nemen.

'Heb je een lijst van de inboedel en foto's van het appartement?'

'Terri is het dossier gaan halen op kantoor.' Jill was bij iedere klant op dergelijke crises voorbereid, of het nu ging om inbraak, brand of stormschade. Als ze een nieuwe klant inschreef, controleerde ze altijd of er een inventaris van de eigendommen was opgesteld en een goed dekkende verzekering was afgesloten.

Tyler had besloten dat hij in gevallen als deze niet op de hoogte gesteld wilde worden, maar dat zij zijn zaakjes maar moest regelen. Ze kon het hem niet kwalijk nemen. Hij werkte op het vluchtdek van de GW en kon het zich niet permitteren te worden afgeleid door iets wat aan de wal was gebeurd en waar hij toch niets aan kon doen. Zijn verzekering was in orde. Zodra ze de hoogte van het uit te keren bedrag wist, zou ze zorgen voor de vervanging van zijn spullen en het herstel van de schade, zodat ze bij zijn terugkeer het best mogelijke nieuws had. Maar waar zou ze nieuwe luidsprekerboxen kunnen vinden?

'We hanteren dezelfde aanpak als de vorige keer: zoeken naar vingerafdrukken, praten met de buren en inventariseren wat er weg is.' Buiten waren twee agenten al bezig met de ondervraging van de overige bewoners van het appartementencomplex, om uit te zoeken of iemand iets vreemds had opgemerkt. 'We krijgen hem wel te pakken, Jill', zei Scott. 'Iets van de gestolen goederen duikt wel op als aanwijzing. Het zou nergens op slaan als hij alles zou houden. Het kan niet anders of hij verkoopt het ergens.'

Jill wilde dat ze hem kon geloven. Na de vorige twee inbraken bij klanten van haar had hij hetzelfde gezegd. Ze wist dat hij hard aan de zaak werkte, maar zij was verantwoordelijk voor de woningen van haar klanten. Die man moest vandaag worden opgepakt, niet morgen pas.

Scott liep voor haar uit terug naar de woonkamer. De inbreker had een scherp voorwerp langs de halmuur getrokken en zo een kras in de verf veroorzaakt. Misschien autosleutels; het leek dezelfde vorm van vandalisme als die waarin iemand op een parkeerplaats uit pure verveling kon vervallen. 'Dezelfde man?' vroeg ze.

'Daar lijkt het wel op.' Hij liep naar de tijdklok die de verlichting regelde. 'Aan om zes uur, uit om tien uur?'

'Een paar minuten na het hele uur; en de radio in de slaapkamer gaat aan om half elf.'

'Is het bij al je klanten zo geregeld?'

'Ja. Ik heb de sloten dubbel gecontroleerd, de verlichting op een tijdschakelaar aangesloten en ervoor gezorgd dat de gordijnen dicht waren.' Ze liep naar het raam. Net als altijd had ze bij haar aankomst de voordeur opengeduwd, haar aktetas in de ene hand en de andere vrij om Tylers post op te rapen. Bij de eerste blik in de woonkamer had ze het gevoel gehad of ze een stomp in haar maag kreeg. 'Weet je zeker dat er geen verband bestaat met mijn klanten?'

'Ik heb alle adressen door de computer gehaald en geen patroon kunnen ontdekken. Dit lijkt gewoon de zoveelste gelegenheidsinbraak. Heb je de verzekering al gebeld?'

'Er is een mannetje onderweg hierheen.'

'Dan ga jij even een kop koffie drinken bij het café op de hoek en een eindje lopen om stoom af te blazen, zodat ik hier mijn werk verder kan doen. Je had niets kunnen doen om dit te voorkomen.'

Ze kwam bij het raam vandaan. 'Je zult wel gelijk hebben.'

'Waarom vertel je het niet aan Bruce?'

Ze zou het nog eerder aan Wolf vertellen dan aan haar broer; Bruce zou er maar een overdreven heisa van maken. 'Nee.'

'Hij heeft er recht op te weten wat er speelt.'

'Hij zit aan de andere kant van de wereld. Hij kan er niets aan doen en hij heeft al genoeg op zijn bordje zonder dat ik er nog iets aan toevoeg.'

'Broers zijn ervoor om iets op hun bordje te hebben.' Scott trok zijn notitieboekje en een pen tevoorschijn. 'Je zou er goed aan doen wat voorzorgsmaatregelen te nemen. Neem de labrador van Bruce mee, als je de huizen van je klanten langs gaat.'

'Is dat nou echt nodig?'

'Honden voelen het aan als er problemen dreigen. Doe dit gewoon een paar weken, zolang wij met het onderzoek naar die vent bezig zijn.'

Ze knikte, ten teken dat ze het ermee eens was. Drie inbraken waren er drie teveel, zeker als zij elke keer degene was die ze ontdekte. Ze miste Bruce; ze miste Grace. En Wolf natuurlijk – ze had niet gedacht dat zijn afwezigheid zo'n vacuüm in haar leven teweeg zou brengen.

Vijf

Het was bloedheet in de hut. Grace trok haar vliegeroverall
uit en verkleedde zich in een T-shirt en korte broek. Het vertrek was maar klein, zeker als je bedacht dat het bedoeld was
voor zes vrouwen. Tegen de ene muur stonden drie stapel-
bedden, tegen de andere kasten en bureautjes. Ze deelde de
hut met twee andere piloten en drie elektronicaspecialisten,
die vanaf de achterbank van de Prowlers zorg droegen voor
de ingewikkelde navigatie en de bediening van de vele com-
plexe apparatuur. Door gezamenlijke inspanning hadden ze
nog wat extra ruimte weten te creëren voor een soort boekenplank en een verzameling cd's.

Grace strekte zich uit op de onderste helft van het middelste bed; het enige plekje dat gedurende deze zes maanden
alleen van haarzelf was. Boven zich had ze een ruimte van
ongeveer zestig centimeter, net genoeg om zich voorzichtig te
kunnen omdraaien zonder haar hoofd te stoten. Haar bed
was zo smal, dat ze op de vloer zou rollen als ze zich bij het
wakker worden ooit zou omdraaien zonder te bedenken
waar ze was. Het matras was nauwelijks comfortabel te noemen, maar de uitputting had haar inmiddels wel van gedachten doen veranderen over wat aanvaardbaar was en wat niet.
Zoveel mogelijk probeerde ze voor een missie een paar minuten rust te nemen om alle gebeurtenissen van de dag achter
zich te laten en zich te concentreren op wat voor haar lag.

Uit een diepgewortelde gewoonte zette ze het alarm van haar horloge op twintig minuten, voordat ze haar hoofd neerlegde. De veronderstelling dat ze niet in slaap zou vallen zodra haar lichaam zich ontspande, was in dit stadium van de zeereis een grote vergissing. Er zat een nieuw sloop om het kussen, dat nog vaag naar de winkel rook. Ze had in totaal zes kussenslopen meegenomen, elk apart verpakt in een dichtgeplakte plastic zak, zodat ze iedere maand een nieuw sloop zou hebben en niet eentje uit de scheepswasserij.

Tegen de onderkant van het bovenste bed had ze een twee centimeter breed rood lint gespannen. Links onder het lint zat een nog onvoltooide brief aan Jill en rechts een witte envelop, geadresseerd aan haarzelf met een handgeschreven B in het hoekje voor de afzender. Die was van Bruce. De brief had drie weken over de reis gedaan: eerst van zijn standplaats naar de VS en vervolgens via allerlei kanalen achter het vliegdekschip aan. Ze had de brief al zo vaak gelezen dat hij bijna uit elkaar viel. Ze frutselde aan de envelop en trok hem los om de brief nog eens te lezen.

Gracie,

Volgens Wolf word je liever Gracie genoemd en heb je hoogtevrees. Mijn instinct zegt me dat hij dat laatste waarschijnlijk iets overdrijft, en dat het wat die naam betreft over zijn eigen voorkeur gaat. Voel je vrij om beide praatjes te corrigeren.

Met dit briefje wil ik je laten weten dat het goed gaat met Wolf. Ik wil niet dat je je zorgen maakt, wanneer je te horen krijgt wat er gebeurd is. Ik heb wel gezien hoe je op je lip staat te bijten als Wolf zijn 'Ik-ben-onoverwinnelijk-toneelstukje' opvoert.

Hij is niet onoverwinnelijk.

De een of andere idioot (ik dus) maakte de denkfout dat Wolf als een verstandig man naar links zou duiken in plaats van naar rechts. We waren basketbal aan het spelen en – nou ja, het is een lang verhaal. Zijn oog ziet er nu zeer indrukwekkend uit. De zwelling valt mee en hij kan goed zien, hoor; het is alleen nogal kleurrijk. Twee commando's tegen twee

PJ's, dat was ook niet de slimste manier om de tijd te doden, maar uiteindelijk was het maar basketbal en niet iets interessanters.

Wist je dat Wolf jouw pasfoto bij zich heeft? Hij haalde hem tot voor kort altijd tevoorschijn als hij moest zeggen dat er al een vrouw in zijn leven was. Persoonlijk denk ik dat hij het alleen doet om te laten merken dat hij een goede smaak heeft. Hij is dol op je, Grace. (Overigens trekt hij tegenwoordig de foto van Jill tevoorschijn om de monden te snoeren. Daar kan ik wat minder goed tegen, maar ik doe mijn best.) De commando's hebben de wedstrijd gewonnen, trouwens. Wolf werkt me nu flink op de zenuwen met zijn opschepperij en gepoch. Kun jij me niet iets over hem verklappen, waarmee ik de rekening een beetje kan vereffenen? Je zou me er een groot plezier mee doen.

Groeten,
Bruce

Bruce schreef leuk; ze moest erom glimlachen. Bij voorgaande zeereizen had het leven aan boord haar altijd volledig opgeslokt, zodat er voor heimwee eigenlijk nooit tijd was. Nu was ze ouder en vermoeider, en het leven op zee begon een sleur te worden. Voor het eerst voelde ze zich eenzaam op de momenten dat ze even tot zichzelf kon komen. Dan vroeg ze zich af hoe het met Jill ging en maakte ze zich zorgen om Wolf. De laatste tijd had ze ook veel aan Bruce gedacht. Die brief was echt een zegen.

Zou hij haar antwoord hebben gekregen? Ze had niet precies geweten wat voor brief ze moest schrijven en uiteindelijk had ze maar gewoon haar pen gepakt en wat eerste indrukken neergekrabbeld.

Haar alarm ging af. Grace controleerde de tijd. Over vijftien minuten had ze een briefing. Des te beter. Anders lag ze hier toch maar op haar brits over Bruce te piekeren. Hij worstelde met hetzelfde dilemma als zij: hoe je het leven aan wal en de lange perioden van afwezigheid kon combineren. Toch leek het erop dat hij een manier had gevonden om het evenwicht in zijn leven te bewaren. Hij was naar het afscheidsfeest gekomen en had daar tevreden en op zijn dooie gemak bij het zwembad gezeten. Ze benijdde hem erom.

Heer, ik had me voorgenomen geen spijtgevoelens meer te koesteren, en in plaats daarvan verstandige beslissingen te nemen. Bruce is een leuke vent. Al die jaren dat ik hem samen met Jill heb geobserveerd, hebben me alleen maar in die gedachte bevestigd. Ik heb besloten zijn briefje te beantwoorden met meer openheid dan ik normaal zou hebben gedaan. Heb ik daarin verkeerd gehandeld?

NAVO-GRENSPOST
TURKS-IRAAKSE GRENS

Iemand had hem chocolaatjes gestuurd. Spijtig keek Bruce naar de smurrie van gesmolten chocola met stukjes noot en caramel. De suiker was niet gekristalliseerd, dus het was nieuwe chocola. Het was allemaal in een hoekje van het doosje gelopen en daar opnieuw hard geworden. Dwars er doorheen liep een groen sliertje van een bonbon met mintsmaak.

Hij bekeek de verpakking. Het doosje was afkomstig van een snoepwinkel in Indiana. Het had de halve wereld rondgereisd om bij hem terecht te komen.

'Alweer een?'

Bruce schoof een eindje op in de kleine tent, zodat zijn partner langs hem heen kon. 'Ik zei toch dat we beter naar Alaska uitgezonden hadden kunnen worden.' Hij brak de chocolademassa in stukken om de envelop los te maken die ook in het doosje zat, gelukkig in een plastic zakje. Het snoepgoed gaf hij aan Rich.

Striker maakte de brief open. Het handschrift was beverig en vertoonde de elegantie van de vorige generatie, die nog schoonschrijven had geleerd. Geen brief dus van een bruisende, blauwogige, blonde twintigjarige die niet eens een fatsoenlijke alinea-indeling kon maken. Hij legde het kattebelletje apart om het later te beantwoorden. Wat betreft de bruisende blondines van wie de laatste tijd het grootste deel van zijn post afkomstig was, daarover had hij met zichzelf een afspraak gemaakt: hij schreef niet terug. Dat moedigde hen alleen maar aan.

Rich haalde zijn zakmes tevoorschijn. 'We kunnen het in eetbare plakjes schaven.'

'Ontsmet dat ding dan eerst.'

Rich trok de zak van zijn uniform open en viste zijn aansteker eruit, waarmee hij het lemmet steriliseerde.

Voor de meeste soldaten was post van levensbelang. Voor Bruce was het echter zo langzamerhand een heel probleem aan het worden. 'Ik wou dat ze jou eens gingen schrijven.' Rich was rijk, knap, een Amerikaan van de eerste generatie, geboren uit Europese immigranten. Die stortvloed van brieven zou aan zijn partner beter besteed zijn dan aan hem.

Het verhitte mes gleed door de chocola en sneed er een stuk af. 'Jij bent de legende', zei Rich.

'Jij was net zo goed bij die reddingsoperatie betrokken.' Die klus in de Golf begon hem te achtervolgen. Natuurlijk, hij had die jongen gered en dat had behoorlijk dramatische filmbeelden opgeleverd. Maar terwijl hij met die jongen aan de reddingskabel door de lucht tolde, was zijn partner beneden op het dek bezig de kapitein in veiligheid te brengen.

'Ik ben slim. Jij bent een sufferd. Jij hebt je op de foto laten zetten', antwoordde Rich en hij bukte zich om te zien hoeveel post er nog was achtergebleven in de jutezak met de waarschuwende opdruk *Eigendom van de Postmeester van de Luchtmacht.* 'Je zou denken dat ze aan de kerstman schrijven.'

'Als ik die journalist nog eens te pakken krijg, dan laat ik hem zijn woordenboek opeten, omdat hij me een begerenswaardige vrijgezel durfde te noemen.' Bruce duwde de zak met zijn voet opzij. 'Hou op met dat gelach en help eens.'

De bewuste foto, waarop te zien was hoe hij pal onder de enorme Seahawk-helikopter bungelde met de jongen vastgeklemd tegen zijn uniform, was niet alleen in de kranten verschenen, maar inmiddels ook in de populaire tijdschriften. Bij iedere volgende versie nam het reddingsverhaal groteskere vormen aan.

Het minste wat de postmeester kon doen, was zijn adres een aantal weken kwijt zijn, zodat deze vloed kon ophouden.

'Jij dook weg voor die journalist en liet mij recht in zijn schootsveld zitten. Ik dacht dat we partners waren.'

'Alleen in dingen die van belang zijn. Je had een vreselijk saai leven. Dat heb ik toch maar voor je opgelost.'

'Je hebt een interessante taakopvatting.'

Rich zwaaide met een brief. 'Dit is een goeie. Je bent uitgenodigd om volgende maand te komen eten.' Rich hield het velletje vlak voor zijn ogen om het handschrift te ontcijferen. 'Volgens mij is dit haar e-mailadres. Er zit lippenstift op.'

'Wat een troep.' Zijn gevoel van onbehagen over het weggooien van post had hij al lang geleden overwonnen.

De tentflap werd teruggeslagen. 'Dus hier hebben jullie je verstopt. Ik dacht dat jullie naar CNN kwamen kijken.'

'Hé Wolf, kom erbij. Je bent aangesteld om brieven open te maken.'

'Ik zou me wel aan het papier kunnen snijden.'

'Ga zitten.'

De commando vouwde zichzelf onbeholpen in een stoel die niet berekend was op een man van zijn formaat. Die namiddagen tijdens een uitzendingsperiode waren onveranderlijk vervelend. Vannacht zouden ze weliswaar in actie komen, maar alle voorbereidingen waren getroffen en ze moesten nog een paar uur zoet zien te brengen.

Wolf pakte een brief, scheurde hem open en schudde de inhoud eruit. 'Deze is schattig, zeg.' Hij draaide de foto om en bekeek hem eens goed.

Bruce trok een schoenendoos onder zijn bed vandaan. 'Stop hem maar bij de verzameling.'

'Hoeveel foto's heb je al toegestuurd gekregen?'

'Ik ben gestopt met tellen.'

'Je hebt de foto van Grace zeker niet meer nodig.'

'Als je het waagt haar over dit soort brieven te vertellen.' Bruce redde de postzegel voor zijn verzameling. 'Nog nieuws over vannacht?'

'Beer is dat aan het controleren.' Wolf pakte opnieuw een brief uit de zak. 'Ik heb voor komend weekend een lift naar Incirlik kunnen krijgen, dus dan kan ik Jill weer proberen te bellen. Hebben jullie zin om mee te gaan?'

'En dan vastzitten op een andere basis? Stomvervelend', antwoordde Rich. De recente aardbeving had de wegen en bruggen rond Incirlik flink beschadigd, zodat het verkeer van en naar de basis was beperkt tot noodgevallen.

'Een echte douche met heet water.'

'Dat is waar. Gaat Cougar ook mee?' vroeg Rich.

'Ja.'

Rich keek naar Bruce. 'Ik weet het nog niet. Het is vast niet goed voor ons imago, als we door de Berenwelpen op sleeptouw worden genomen.'

Met een vlugge polsbeweging smeet Wolf de brief richting zijn vriend.

'We gaan wel mee, om te zorgen dat jullie niet in de problemen raken', gaf Bruce toe.

'Wij kunnen jullie wel leren hoe je wel in de problemen raakt', bood Wolf aan, terwijl hij de volgende brief pakte. 'Kijk nou eens wat we hier hebben...' Hij zwaaide met de envelop. 'Dit is Gracies handschrift. Wat bied je ervoor?'

Bruce liet de zak vallen die hij aan het uitzoeken was. 'Daar wil je geen antwoord op.'

Wolf hield de brief omhoog. 'Wat interessant dat ze aan jou schrijft en niet aan mij.'

'De brief aan jou is vast zoekgeraakt.'

'Niks daarvan. Ik ben alleen een plaatsje gezakt in haar prioriteiten-toptien. Je weet heus wel dat je op een vliegdekschip altijd moet kiezen tussen schrijven of slapen; je hebt te weinig tijd voor beide.' Hij streek met de hand over zijn hart en overhandigde de brief.

Rich en Wolf hielden hem allebei in de gaten, dus stopte Bruce de brief van Grace in zijn zak. 'Ik denk dat ik ga wandelen. Even de benen strekken.'

Wolf lachte. 'We hebben je wel door: je knijpt er tussenuit.'

'Ik ben niet op mijn achterhoofd gevallen.' Bruce borg de paar brieven die hij zou beantwoorden, waaronder de brief van de chocola, bij zijn persoonlijke papieren en pakte een notitieblok. 'Kom me maar halen als er iets te melden valt.'

'Komt in orde. Rich, heb je dat sportblad hier nog ergens?'

Bruce trok zich terug naar het verste hoekje van de standplaats, waar een bankje stond, en ging zitten met zijn voeten
op een krat. Het was tijden geleden dat hij zo'n verwachtingsvol gevoel had gehad. De witte envelop was gekreukeld
en vertoonde poststempel over poststempel van de verschillende tussenstops. Hij pakte zijn zakmes, sneed hem netjes
open en trok de velletjes eruit.

Bruce,

Een lachwekkend verhaal, zeg! Ik ken Wolf wel zo'n beetje
en kan veilig aannemen dat de basketbalwedstrijd zijn idee
was. Het spijt me als dit briefje niet zo samenhangend is. Ik
probeer het schrijfblok stabiel te houden op mijn bed, omdat
mijn bureau nogal te lijden heeft gehad van een experiment
met superlijm die nu aan het opdrogen is (vraag maar niet
verder). Ik was vergeten hoe lawaaiig het slapen is, zo pal
onder het vliegdek. Het squadron landt letterlijk boven mijn
hoofd. Ik heb de hut op het 03-galerijdek, vlak bij de uitblaasruimte. Ik kan in mijn werkkleren lunchen en dan terug gaan
naar de hut om een uiltje te knappen voor de avondbriefing.
(Niet dat ik dat al gedaan heb, maar ik droom ervan.)

De zee was tot nu toe vrij kalm en het weer goed. Ik geniet
van de vlieguren en krijg vaak twee beurten per dag. Zeg
tegen Wolf dat mijn landingen er flink op vooruit zijn gegaan;
de meest recente score is acht van de tien oké. De eerstvolgende keer dat we elkaar weer zien is hij me een etentje verschuldigd. Bij een van de nachtelijke landingen lag de GW te
stampen, waardoor ik de eerste kabel miste en vorige week
vrijdag schoot ik door, omdat de haak weer omhoog stuiter-
de. Ik had voor de zekerheid de naverbranders al ingescha-
keld, maar toch stond mijn hart nog wel even stil toen de wetten van de aërodynamica pas op het laatste moment in werking traden; ik was al aan het einde van het schip. Ik haat
water, en hartgrondig ook. Het schip ramde nog net niet de
achterkant van mijn kist.

Ik ben moe; het is al erg laat. Ik wilde je alleen even bedanken voor je briefje, ik was er blij mee. Het spijt me dat deze
brief alleen maar over het werk gaat.

Ik vind het prima om Gracie genoemd te worden, en ik heb alleen maar hoogtevrees als ik zie dat Wolf een stomme streek uithaalt. Men is namelijk vergeten hem de werking van de zwaartekracht uit te leggen. Hij vindt het leuk om uit vliegtuigen te springen. Meneer de parachutespringer, zou u misschien de moeite willen nemen om mij die fascinatie te verklaren? Ik heb het nooit kunnen begrijpen. Het is het schrikbeeld van mijn leven dat ik ooit de hendel van de schietstoel zal moeten overhalen.

Je vroeg me om een verhaal over Wolf. Dat is simpel. Vraag hem maar eens waar hij op zijn veertiende dat huisarrest van een maand aan te danken had. Ik zal je een hint geven: vuurwerk, een vergrootglas en een microfoon. Je ziet het waarschijnlijk voor je. Dat was nog eens een experiment. Het glas van het portaal was gesprongen, net als alle autoruiten in de straat.

Ik ben nu aan het luisteren naar The Fly op ons eigen FM-station. Matroos Jules Seaman is net begonnen met een drietal hits uit de jaren vijftig. Ik ben dol op die ouderwetse muziek.

Het wereldnieuws komt hier stukje bij beetje binnen. Ik heb gehoord dat de droogte in Syrië steeds erger wordt en dat de Turkse munt opnieuw onderhevig is aan een sterke inflatie. Jill heeft me exemplaren van de NASA-kranten gestuurd. Er stond een commentaar in over het afblazen van de vlucht van ruimteschip X-33. Eigenlijk ben ik blij dat Ben dit niet hoeft mee te maken. Hij hoopte altijd dat hij de vervanging van de spaceshuttle nog zou beleven en hij had dat toestel zo graag willen vliegen. Reizen met een raket – hij had meer vertrouwen in de techniek dan ik.

Het is laat en ik begin te zwammen. Of er binnenkort post van dit schip vertrekt, is voor iedereen een vraag. Ik hoop dat je een saaie missie hebt.

Welterusten, Bruce.

Grace

Hij las de brief twee keer. Het was een goede brief, ze schreef precies zoals ze was. Op de laatste pagina begon het handschrift te dwalen; hij kon zien dat ze zat te vechten tegen de slaap. De brief was niet zo persoonlijk, maar dat had hij ook niet verwacht. Ze had al veel meer geschreven dan hij dacht dat ze zou doen. Ze leek geconcentreerd op haar werk.

Met een glimlach pakte Bruce zijn pen. Hij had zijn gedachten al laten gaan over brief nummer twee.

Gracie,

Het was fijn om een brief van je te krijgen. Voor vannacht staat er actie op het programma en ik vraag me af wat jij gaat doen. Ik twijfel niet aan je vliegcapaciteiten; ik zit alleen een beetje in mijn maag met al die lui op de grond, die proberen jou uit de lucht te schieten. Mijn periode hier is inderdaad nogal saai – tot nu toe nog maar één setje naamplaatjes – en ik hoop dat die karakterisering ook na vannacht nog geldt.

Gefeliciteerd met je landingen. Ik hoop dat je avontuur van vrijdag je enige blijft voor deze reis. Ik wed dat je het vliegtuig met je wil in de lucht zou kunnen houden als puntje bij paaltje kwam.

Ik begrijp Wolfs liefde voor parachutespringen heel goed. Het is jouw bekwaamheid tegen de elementen. Midden in de nacht van grote hoogte springen met een zuurstofmasker op – dat doet een burgermannetje niet. Je valt dwars door een wolk en de waterdruppels prikken in je gezicht (ze hebben een puntig uiteinde). Je moet navigeren, terwijl je absoluut niet het gevoel hebt dat je valt. Als je eenmaal je evenwicht hebt bereikt, ben je in feite aan het drijven en dat in een serene stilte.

Bij springen gaat het erom je hoogtemeter en je GPS-ontvanger in de gaten te houden, zodat je kunt uitrekenen hoe je precies op de vastgestelde coördinaten kunt landen, terwijl die misschien wel 25 kilometer verwijderd zijn van de plek waar je uit het vliegtuig bent gesprongen. Dat is zo'n uitdaging, Gracie. En daarom is het ook net iets voor Wolf.

Ik draai inmiddels lang genoeg mee om ook de minder leuke kanten van het parachutespringen te hebben meegemaakt. Het is me gelukkig nog maar twee keer overkomen dat mijn parachute niet openging, en een keer sprong een andere parachutist recht in mijn doek. Dan had je nog die keer dat ik per ongeluk door een onweerswolk viel – dat moet je echt nooit doen, Gracie. Zelfs een normaal mens zou van angst zijn verstand verliezen.

Het verhaal over Wolf en het vuurwerk komt me goed van pas, bedankt.

Ik heb ooit op wacht gestaan bij enkele van de shuttle-vluchten. Ben was een van die piloten die hun vak tot in de finesses beheersen en zijn briefings waren altijd zeer praktisch. Ben had vertrouwen in de techniek, zeker, maar meer nog in de mensen van het NASA-team dat achter hem stond.

De NASA verloor in hem een goed mens. Ik weet hoe moeilijk het voor je geweest moet zijn, het nieuws over het ongeluk te horen terwijl je op missie was. Jill heeft me gebeld op de dag dat Ben was omgekomen; ik zat toen aan de wal. Ze zag er zo tegenop jou te moeten bellen met dit bericht, maar ze wilde ook niet dat je het van iemand anders zou horen. Ik wil je nog bedanken voor de fijngevoeligheid die je op dat verdrietige moment hebt getoond.

Het is een levensles voor alle mensen dat je relaties niet als vanzelfsprekend moet beschouwen. In het leger leer je die les alleen nog wat sneller. Ik noem dat de perskuip van het leven; iedere overzeese missie dwingt je opnieuw je prioriteiten onder de loep te nemen. De meeste burgermensen die workaholic zijn en hun gezin verwaarlozen, kunnen dat alleen maar doen omdat ze iedere avond weer thuis komen en menen dat dat voldoende is. Alleen als je maanden achter elkaar weg bent, ontdek je welke kwaliteit je relaties in werkelijkheid hebben.

Burgers missen zoveel: iets doen waar de natie iets aan heeft, een baan waarin je dagelijks een topprestatie moet leveren, en een stok achter de deur om aandacht te besteden aan de dingen die van wezenlijk belang zijn in je leven. Het leger leert je dat je niet gehecht moet raken aan een plaats of een ding, maar aan mensen.

Ben had je foto altijd bij zich. Toen ik tegen hem zei dat ik je kende via Wolf, lichtte zijn gezicht helemaal op en hij praatte honderduit over jullie plannen om naar de vliegshow in Dallas te gaan. Houd die goede herinneringen vast. Ik weet zeker dat de leegte je op rustige momenten wel eens aanvliegt, maar God kan die leegte opnieuw vullen.

Ik heb zitten denken, Gracie: het grootste deel van mijn tijd breng ik door met wachten tot er iets gebeurt, terwijl jij werkdagen maakt van achttien uur. Mijn volgende brief bevat waarschijnlijk niet meer dan wat mijmeringen over Ecuador, honden en het verbouwen van huizen. Ik ben je nog een betere verklaring schuldig voor die eerste brief, die voor jou zomaar uit de lucht kwam vallen. Ik heb van Wolf gehoord dat je hem er vanwege die Ecuadorgeschiedenis flink van langs hebt gegeven, omdat hij je nooit had verteld hoe erg het erom gespannen had.

Omdat ik weet wat zich allemaal heeft afgespeeld, verbaast zijn stilzwijgen me niet echt. Hij heeft die dag heel wat levens gered. Ik kon de mensen wel wat oplappen en ze in leven houden, maar Wolf was degene die de aanvallers op een afstand hield, zodat ik mijn werk kon doen. Mijn partner Rich was bij de eerste reddingspoging gewond geraakt en dus werd Wolf mijn assistent. Bij wijze van geintje zegt hij wel dat hij verslaafd is aan adrenaline, maar als je hem nodig hebt, Grace, is hij de rots in de branding die doet wat er gedaan moet worden.

Tegen de tijd dat je deze brief krijgt, ben je waarschijnlijk al uit de Middellandse Zee vertrokken en op weg naar de Perzische Golf. Jammer dat de post zo traag is. Als ik weer aan de wal zit, zal ik proberen te e-mailen en kijken of ik er doorheen kom, hoewel e-mailen naar een schip zo zijn eigen problemen oplevert. Ik weet echter ook hoe leuk het is om echte brieven te krijgen die je door lezen en herlezen kunt verslijten. Nu laat ik je verder met rust. Welterusten, Gracie.

God zegene je,
Bruce

Johannes 14:27

Zes

USS *GEORGE WASHINGTON*
MIDDELLANDSE ZEE, TER HOOGTE VAN DE TURKSE KUST

Grace trok de stalen deur naar de readyroom van haar squadron open. De deur was diepblauw geschilderd, met op ooghoogte het embleem van de VFA-83 Rampagers. Het vertrek was niet groot; op een vliegdekschip werd iedere ruimte bemeten in vierkante centimeters, maar het was een heerlijke thuisbasis. Luchtmachtterritorium in plaats van matrozengebied.

Ze smeet haar handschoenen en klembord op de dichtstbijzijnde leren fauteuil. Deze was uitgerust met een draaibaar plateautje dat als schrijftafeltje kon dienen, en de rugleuning kon achterover, zodat je er tamelijk comfortabel in kon slapen. De briefing was achter de rug en over veertig minuten werd het laatste weerbericht verwacht op het gesloten tv-circuit. Gracie controleerde de postvakken langs de muur. 'Dragon, is er geen post? Ik zag de heli aankomen.'

Het lege bakje stelde haar teleur. De brieven van Wolf bleven zeker ergens halverwege steken; ze wist dat hij haar iedere maandag, woensdag en vrijdag schreef. Uiteindelijk zouden ze als een grote stapel arriveren. Ook Jill was geweldig in brieven schrijven; ze stuurde wekelijks post in de blauwe enveloppen met het Stateside Support logo erop, maar de brief van deze week was er nog niet. Meestal ging Grace niet speciaal kijken of er post voor haar was, om zichzelf te beschermen tegen de onvermijdelijke teleurstelling als er niets bleek te zijn. Vandaag was het anders. Ze hoopte ook iets van Bruce te horen.

De juniorofficier die was aangesteld om voor het squadron de huishouding te doen, deed een greep in de onderste la van zijn bureau en trok een witte doos tevoorschijn. 'Je gaat de buit toch wel delen, hè? Dit paste niet in je postvak.'

Grace ritste de envelop op de doos open en haar hart sprong op toen ze de krabbels zag. 'Wolf!' Ze zou hem de eerstvolgende keer eens een flinke knuffel geven. Zijn pakjes waren altijd de beste. Ze sneed het plakband door en maakte de doos open. 'Dropveters.' Rode nog wel, haar lievelingssmaak. Ze lachte bij het zien van een tweede briefje, vastgeniet aan een cartoon van een pinguïn die probeerde te vliegen.

'Je boft maar met je familie.'

'Zeker weten.'

Grace bood Dragon een dropveter aan en ging daarna de doos bij de koffiepot zetten. Ze vond het fijn om het squadron te trakteren.

Met een dropkabel in haar mond liep ze terug naar de fauteuil, trok het schrijfblad omhoog en zette het vast op de rechterleuning. Daarna zocht ze de kaarten voor het klembord uit, die ze vannacht op haar vlucht mee zou moeten nemen.

Ze had de afgelopen week geholpen bij het plannen van deze missie, zodat de vlieghoogten, de routes en de brandstofhoeveelheden voor de zes uur durende vlucht al netjes stonden genoteerd en van kleurcodes waren voorzien. Samen met de dienstdoende officier van het squadron zou ze naar de Syrische grens vliegen, terwijl de anderen zich zouden verspreiden om een aantal doelen te bombarderen. De op het laatste nippertje aangebrachte wijziging betrof de tijdsduur en de vlieghoogte die ze bij de grens moesten aanhouden.

Peter had zichzelf de leidersrol bij haar onderdeel toebedeeld, en wel om de eenvoudige reden dat zij in deze aanvalsmissie de westflank vormden. Het Syrische luchtruim zou hooguit een ruime kilometer van hen verwijderd zijn. Als de Syriërs tot een invasie besloten, bevonden zij zich in de frontlinie die de naderende Migs moest zien tegen te houden. Zij vloog al zes jaar een Hornet. Als team waren ze in staat hard terug te slaan, als dat nodig was om de anderen in het squadron te beschermen. De vlucht van vannacht zou slopend worden.

Ze bestudeerde de grijze kaart die dagelijks door de inlichtingendienst van het vliegdekschip werd opgesteld. Op de kaart stond een lijst met codewoorden voor de verschillende locaties en toestellen, zodat het radioverkeer alleen te volgen was voor iemand die met een identieke kaart werkte. Deze nacht was zij een Viper.

Uit het laatje onder de voetensteun haalde ze haar cassetterecordertje en haar koptelefoontje tevoorschijn. Ze zette de koptelefoon op en zette de muziek aan. Achterover leunend in de fauteuil deed ze haar ogen dicht en begon de missie te visualiseren, vanaf het moment van lancering tot de landing op het dek. In haar beroep stond gevaar ergens onder aan de checklist. In de tijd die een kogel nodig had om haar te bereiken, kon zij een raket afschieten en haar vliegtuig driehonderd meter optrekken. Om haar uit de lucht te schieten had je een magische kogel en een gelukstreffer nodig.

'Ik wil leven.' Ze schudde haar hoofd om de woorden kwijt te raken die Bruce haar al die maanden geleden vanuit Ecuador had geschreven. Het was een veelzeggende brief geweest, en hij achtervolgde haar nog altijd.

NAVO-GRENSPOST
TURKS-IRAAKSE GRENS

Het hoofdkwartier was tjokvol; de afdelingen communicatie, meteorologie, wapenrusting en logistiek vochten om de ruimte. Achter Wolf aan liep Bruce naar de beveiligde ruimte. De actie van vannacht begon op gang te komen. De missie van de commando's was een feit. De stafkaart aan de muur, waarop de geheime missies waren ingetekend, was volgekrabbeld met vliegorders. Het leek net een ingewikkelde mozaïek.

'Denk je echt dat hij gaat overlopen?' vroeg Bruce; het was de hamvraag waarop ze vannacht een antwoord zouden krijgen.

'Half om half. De vorige keer hield hij ons voor de gek. De kans is groot dat hij dat weer doet.'

'Nogal gevaarlijk om dat uit te vinden.'

Wolf knikte. 'De officiële orders luidden 'tegen elke prijs'. Als hij eruit wil, dan gaan wij hem halen.'

De Syrische onderminister van het inlichtingendepartement was al van jongs af aan bevriend met de koninklijke familie van het land. Hij had gestudeerd aan universiteiten in het Westen en was nota bene gepromoveerd op de geschiedenis van Engeland. In de vredesonderhandelingen tussen Israël en Syrië had hij zich laten kennen als een echte havik, maar uit onderschepte geheime stukken bleek dat hij binnen de regering als een vredesduif bekend stond. Sinds de dood van president Hafez al-Assad en de troonsbestijging van zijn zoon was nog niet eerder zo'n hoge functionaris overgelopen.

Wolf leunde naast de stafkaart tegen de muur en sloeg zijn armen over elkaar. 'Hij was betrokken bij de stille diplomatie, die ertoe leidde dat de hoge piet van de CIA die in Libanon was ontvoerd, snel en ongedeerd werd vrijgelaten. Hij zit overal tot over zijn oren in, dus als hij weg wil, is dat het risico waard. Hij wordt volgens afspraak opgepikt ten westen van Hasaka.'

Bruce zocht de locatie op en kromp in elkaar. Ruim 35 kilometer landinwaarts, weliswaar te bereiken via de woestijn, maar toch een operatie waarbij de commando's zouden blootstaan aan enorme gevaren. 'Kun je me iets meer vertellen over de streek? Ik weet dat je er eerder bent geweest.'

Wolf glimlachte alleen maar. 'Er is een diepe waterbron met daaromheen een oase van de bedoeïenen. Die bron is een van de weinige waterplaatsen in dat gebied. Het is maar een kleine nederzetting, een paar tenten, en meer kamelen dan auto's. Tot ver in de omtrek alleen maar woestijn. Normaal gesproken is de nederzetting 's nachts verlaten, omdat hij bloot staat aan de woestijnwind. De plek wordt meer gebruikt als pleisterplaats op de route naar het rotsmassief in het zuiden, waar fatsoenlijk onderdak en een beetje begroeiing is voor het vee. Wij naderen vanuit het noorden, observeren de boel en als we het sein zien, gaat er één team naar beneden, terwijl de gevechtshelikopter rondjes draait.' Wolf trok de flap van zijn jaszak omhoog. 'Ik zal je wat tijd besparen. Dit is de actuele informatie van de inlichtingendienst.'

'Heb je er dan toch een hard hoofd in?'

'Overlopers hebben nu eenmaal de gewoonte om van gedachten te veranderen.'

De informatie die nodig was om de man achter de vijandelijke linies als vriend te kunnen identificeren – een uniek nummer, unieke feitelijke gegevens – was voor het gemak op de achterkant van een foto in zakformaat gekrabbeld. Dit was een nieuwe foto van Grace. Bruce wierp er een snelle blik op. Wolf had de foto genomen, terwijl ze volleybal speelde. Bruce glimlachte bij het zien van de gloed in haar ogen, waarmee ze zich voorbereidde op een smash. Wat miste hij haar ontzettend. 'Bedankt voor de foto.'

'Geen dank.'

Bruce liet de foto in zijn zak glijden. Het ontging hem niet dat Wolf liever een foto van Grace afstond dan van Jill, als hij iets blijvends nodig had voor het noteren van informatie. 'Grace zal woedend zijn als jou vannacht iets overkomt.' Om van de reactie van Jill nog maar te zwijgen. Dit was een van die telefoontjes waarvan Bruce hoopte dat ze hem bespaard zouden blijven.

'Vertel mij wat.' Wolf liet zijn vinger over de kaart glijden. 'Er zijn nieuwe orders uitgegeven wat betreft de luchtdekking aan de grens.'

Bij het zien van de tijdstippen waarop de grens gepasseerd zou worden, stelde Bruce zijn eigen tijdschema voor de wacht bij tot drie uur. 'Je zult alle luchtdekking krijgen die je nodig hebt.' De vliegtuigen die de Syrische grens zouden bestrijken gingen de lucht in als onderdeel van het totale aanvalsplan. 'De GW heeft de eerste toestellen al laten opstijgen.'

Zeven

Het lawaai op het landingsdek van het USS *GEORGE WASHING-TON* was oorverdovend en de harde wind joeg de stoom en wolken uitlaatgas in draaikolken over het dek. De vliegtuigen stonden dicht opeengepakt, hun vleugels opgevouwen om de kostbare ruimte tot op de laatste centimeter te benutten. Katapult 1 wierp een Prowler de lucht in. Het was geen geschikte plek om rond te blijven hangen.

'Goeie vlucht, Gracie.'

'Bedankt, Henry.' De opzichter had het toestel gereedgemaakt voor de vlucht, en bij haar voorbereidingsvlucht had ze geen mankementen aangetroffen. Grace trok de brandwerende handschoenen aan en trok de polsbanden van haar vliegenierspak stevig vast. Daarna greep ze de handgrepen beet, zwaaide haar benen over de rand en gleed op de zitplaats van de Hornet.

Ze bukte zich om de veiligheidspennen van de schietstoel te verwijderen, borg ze op en maakte daarna de vele gespen van het veiligheidsharnas vast. Ze bevestigde de enkelbanden en testte ze even door haar rug hard tegen de stoelleuning te duwen. Aan de stoel zaten explosieve bouten die ze met een ontstekingsmechanisme in werking kon stellen, waarna ze met stoel en al het vliegtuig uit zou schieten. Het laatste wat ze daarbij kon gebruiken, waren twee gebroken benen.

Met het inpluggen van de radio en het inschakelen van de zuurstof die ze op grote hoogte nodig zou hebben, verstevigde ze de band tussen haar en het vliegtuig nog meer. Ze zette haar klembord vast. Zelfs bij deze routinematige handelingen was ze zich bewust van de noodzaak om op te schieten. In achttien minuten moesten er drieëntwintig vliegtuigen gelanceerd worden. Om dat voor elkaar te krijgen zonder dat er doden vielen, moesten er organisatorische wonderen worden verricht.

Mannen en vrouwen, gekleed in verschillend gekleurde T-shirts zodat er geen misverstand kon ontstaan over hun functie, renden over het dek heen en weer. Er was geen piloot die niet besefte dat alles op dit moment van hen afhing. De paarse shirts zorgden voor tonnen brandstof, de rode shirts laadden het losse geschut. Zwetend handelden ze het ene detail na het andere af. Ondertussen zat Grace in haar vliegtuig de interne checklist door te nemen en probeerde niet te denken aan gevaren waar ze geen invloed op had. Hoe eerder ze van dit dek af was, hoe liever.

Ze seinde naar de opzichter in zijn gele shirt dat ze klaar was om de motoren te starten. Na een laatste controle rond het vliegtuig gaf hij haar daar toestemming voor. Eerst startte ze de linker en vervolgens de rechter motor. Met een dof gebrul kwamen ze tot leven. Ze gaf even flink gas om de brandstoftoevoer en het vermogen te testen en concludeerde dat alles naar behoren functioneerde.

De opzichter gebaarde dat ze moest gaan taxiën. Grace hield hem scherp in de gaten, terwijl ze de gashendel met haar linkerhand langzaam naar voren duwde om de Hornet van zijn parkeerplaats aan de rand van het dek weg te laten rijden. De turbulentie rond haar toestel kon iemand doden of een ander vliegtuig aan flarden blazen en ze had geen overzicht over het dek in haar omgeving.

Hij beduidde haar te stoppen en ze trok de gashendel weer naar zich toe. Het vliegtuig stond stil; de neus bijna tegen het enorme vlammenschild dat het moest beschermen tegen de uitstoot van het vliegtuig dat op dit moment gelanceerd werd. De Hornet was een zwaar en koppig toestel als het volgetankt en volledig bewapend was. Zo gracieus als het was in de lucht, zo onhandelbaar was het op de grond, of in dit geval op het dek, vanwege het feit dat het zwaartepunt ver naar achteren lag. Je moest beide motoren aanjagen om het in beweging te krijgen.

Ze zou in de schemering gelanceerd worden. Terwijl het vliegtuig voor haar vol gas gaf, haalde ze eens diep adem. Ze hoopte dat die lancering vlot zou verlopen, zodat ze weg was voordat de horizon in het vervagende licht zou gaan glinsteren en ze niet meer op haar ogen kon vertrouwen om het verschil te ontdekken tussen water en lucht.

Ze drukte een knop in en op het linker dashboard verscheen de checklist voor het opstijgen. Het was nu een race tegen de klok en er was geen tijd te verliezen. Ze liep de lijst na, controleerde de snelheidsmeter, het oliepeil, hydraulica en brandstoftoevoer – bedacht op elke aanwijzing, hoe gering ook, dat er ergens een probleem was, voordat het te laat was om er iets aan te doen.

De veiligheidsfunctionaris gaf als laatste zijn toestemming, het vlammenschild zakte omlaag en de opzichter stuurde haar naar voren tot ze zich in de baan van de katapult bevond. Stoom warrelde nog over het dek van de lancering van de EA-6B Prowler. Terwijl ze de gashendel naar voren drukte en de Hornet tegen de haak van de katapult aanreed, voelde ze de doodsangst langs haar ruggengraat omhoog kruipen. De neuswielen haakten vast en de katapultman in zijn groene shirt maakte haastig de metalen staaf vast, die het vliegtuig op zijn plaats moest houden totdat de katapult in werking trad.

Onder de vleugels waren twee mensen bezig met het geschut. Ze trokken de veiligheidspinnen uit de raketten om ze schietklaar te maken. Eén van de katapultofficieren hield een bord omhoog met het totaalgewicht, 18.750 kilo; Grace controleerde of het klopte met haar eigen gegevens en seinde bevestigend.

Onder haar, in het inwendige van het schip, werd de pressie zo ver opgevoerd dat een druk op de knop genoeg zou zijn om de met stoom aangedreven katapult in werking te stellen en haar van het dek te schieten. In minder dan twee seconden zou ze een snelheid hebben bereikt van 225 kilometer per uur.

Terwijl ze wachtte op het 'vol gas signaal' van de katapultofficier, legde ze haar handen op haar dijen en spande en ontspande met aandacht iedere spiergroep in haar armen en haar rug, zodat ze dieper wegzakte in haar stoel. In de katapult naast haar was dienstdoend officier Peter Stanford, alias Thunder, zich eveneens op lancering aan het voorbereiden. Zij zou als eerste gaan. Op momenten als deze voelde ze zich totaal van God afhankelijk. Ze wist dat een misser van de katapult haar dood zou betekenen. Ze zou het water raken met een snelheid van tussen de honderdtien en honderdtachtig kilometer per uur, en door de klap zou haar vliegtuig in stukken uiteenspatten.

Als ze erin slaagde om twee seconden voor de inslag de schietstoel te activeren, zou ze plat op het dek terechtkomen, waarna haar parachute in de brullende motoren van een andere Hornet zou worden gezogen. Of anders kwam ze in het water terecht, waar ze onmiddellijk zou worden overvaren door het opstomende schip, dat op snelheid moest blijven om de vereiste minimum windsnelheid van 54 kilometer per uur over het vluchtdek te handhaven.

Ze bad om bewaring, maar rekende er verder niet op. Toen ze jaren geleden voor dit beroep had gekozen, had ze daarmee ook gekozen voor de meedogenloze training, de risico's en de gevaren. Ze had toen ook besloten God nooit te bidden haar te vrijwaren van de consequenties van haar keuze. Ze was een gevechtspiloot en ze genoot van haar werk. Verder aanvaardde ze alles wat erbij hoorde.

De katapultofficier gaf het sein voor vol gas. Grace haalde diep adem en duwde de gashendel helemaal naar voren. De naverbranders sloegen aan en de motoren loeiden; zelfs in de cockpit was het geluid nog oorverdovend, ook al droeg ze een helm, en het hele vliegtuig begon te trillen.

Alle statusscreens waren nog steeds groen; ze was klaar voor vertrek.

God, laat me niet sterven in de komende twintig seconden.

Ze liet de stuurknuppel even los, zwaaide naar de katapultofficier om aan te geven dat alles in orde was voor de lancering en zette zich schrap in haar stoel. De officier maakte zich klein op het dek om zich te beschermen tegen de luchtstroom en beduidde de operator net naast het vluchtdek het vliegtuig te lanceren. De operator drukte de lanceerknop in.

De metalen staaf liet los. De katapult vuurde. De Hornet schoot vooruit.

Haar hoofd werd achterovergedrukt, haar borstkas leek verpletterd te worden en het water liep uit haar ogen.

Aërodynamica. Hefvermogen. Stuwkracht. *Kom op, je bent sterker dan de zwaartekracht, je kunt het…*

Het schip schoot onder haar weg en ze zag alleen nog maar lucht. Het vliegtuig dook en de snelheid naderde de tweehonderd kilometer, maar liep niet vlug genoeg op. Ze moest de 225 halen, anders overleefde ze het niet. Haar hand schoof naar de geelzwart gestreepte hendel van de schietstoel. Hadden ze het gewicht van de katapult soms verkeerd afgesteld? Zou ze omkomen bij een mislukte lancering?

Langzaam kroop de snelheidsmeter voorbij het kritieke punt en haar handen keerden terug naar de gashendel en de stuurknuppel. Ze klom omhoog in een hoek van dertig graden – ze kon voelen hoe het vliegtuig in de strijd met de natuurwetten de overhand kreeg.

'Viper 02 in de lucht.' De kalmte van haar stem verried niets van de spanning. Ze had het overleefd.

Een lancering was bijna even slopend als een landing. Het was een moment waarop alle angsten van haar leven zich in haar wezen samenbalden, en als het voorbij was, waren haar handpalmen kletsnat en haar spieren slap.

Het schip bevond zich nu een krappe kilometer achter haar. Ze was alleen met de lucht, het vliegtuig en haar eigen hartslag. Nu vloog ze al zes jaar een Hornet en iedere keer leek het voor het eerst. De vreugde van dit ogenblik was onbeschrijflijk.

Jammer genoeg was er geen tijd om ervan te genieten. Ze schakelde over van de vluchtleider naar de gevechtscontrolekamer, stelde het bedieningspaneel in op vluchtstatus en controleerde of alles in orde was met het geschut en de navigatieapparatuur. Het minste wat ze nu kon gebruiken was wel een raket die door de schok van de lancering vlak onder de vleugel klem was komen te zitten.

'Viper 01 in de lucht.'

Ze kon Thunder niet zien, maar hij zat nu in de klimfase ergens rechts van haar. Ze zouden in gevechtsformatie vliegen, ongeveer anderhalve kilometer uit elkaar, zodat ze elkaar konden beschermen tegen vliegtuigen in hun blinde hoek. Het complete squadron, in soortgelijke formaties, waaierde uit over een afstand van negenhonderd meter.

Met een druk op de knop haalde ze de navigatiegegevens op die ze in het systeem had voorgeprogrammeerd. Ze zouden het Turkse luchtruim binnengaan en het hele land overvliegen tot ze de enorme dammen in de Eufraat passeerden. Via de Tigrisvallei zouden ze vervolgens Irak binnenvliegen.

Grace ontspande haar rug, zakte diep in haar stoel en maakte het zich gemakkelijk. Eerst vlogen ze nog boven de internationale wateren, en daarna over land. Een nieuwe, langdurige missie was begonnen.

Acht

NAVO-GRENSPOST
TURKS-IRAAKSE GRENS

'Missie gestart.'

De officier aan de radio hoefde zijn stem niet te verheffen. Hij volgde de gebeurtenissen op de voet en alle PJ's in het vertrek hingen aan zijn lippen. Zojuist waren de vliegtuigen het Iraakse luchtruim binnengevlogen. Nog even en Wolf en de andere commando's onder leiding van Beer zouden de Syrische grens oversteken om zo snel mogelijk hun mannetje op te pikken.

Striker keek op de klok. Precies op schema. Het zou een lange nacht worden. Hij kwam overeind en liep achter Rich langs, die net het eerste van een solospelletje kaart op tafel uitlegde. Bruce ging naar buiten. De zon was achter het Taurusgebergte verdwenen en de hemel was bezaaid met sterren. In het westen werd de horizon verduisterd door de eerste wolken van het naderende koudefront. De temperatuur was aanzienlijk gedaald.

Zo gauw Irak de reikwijdte van de aanval zou beseffen, zouden ze de vliegtuigen te lijf gaan met alles wat ze hadden. Grond-luchtraketten en luchtdoelgeschut – hoe goed de piloten van de coalitie ook waren, het bleven ernstige bedreigingen en de kans dat er een vliegtuig werd neergehaald was altijd aanwezig.

De baret die Bruce droeg was niet zomaar bruin, omdat dat in het leger als een mooie kleur gold ofzo. De kleur verwees naar al het bloed dat door vele PJ's was gegeven bij het uitoefenen van hun beroep. Het motto waarop ze de eed aflegden, stond in hun hart gegrift: ze trokken erop uit om anderen het leven te redden.

Heer, geef dat het niet nodig is om een piloot in veiligheid te brengen. Bewaar Grace en Wolf. Hij kon doen wat nodig was. Hij kon moedig zijn. Hij kon alleen niet altijd op tijd komen. Hij hoopte dat geen enkel gezin na vannacht het verpletterende nieuws zou krijgen dat er een vliegtuig was neergehaald.

Zodra bekend werd dat er op grote schaal werd aangevallen, zou CNN live verslag doen. Jill zou aan de tv gekluisterd zitten. Bruce wilde maar dat ze vandaag met Wolf had kunnen praten.

Hij had het juiste beroep gekozen. Nachten als deze versterkten hem alleen maar in die overtuiging. Hij was de man die, ongeacht de persoonlijke offers, zich in de frontlinies bevond om te voorkomen dat zijn geliefden thuis gevaar zouden lopen. Hij liep naar de standplaats. Deze nacht riskeerden zijn vrienden hun leven. Het zou een heel lange nacht worden.

Negen

De wind die door de open helikopterdeur naar binnen blies, deed het zweet onder Wolfs kogelvrije vest bevriezen. Hij hield zijn geweer gericht op het onder hem door schietende zand en de af en toe opduikende doornstruiken, die zich hardnekkig probeerden te handhaven in de weinige grond die er nog was in dit rotsachtige gebied aan de rand van de woestijn. Door zijn speciale nachtbril zag hij de planten zich scherp aftekenen tegen een fluwelige achtergrond, vlekken met een verhoogde temperatuur, afkoelend in de nachtlucht.

Syrië bestond voor het grootste deel uit woestijn en hoewel de enorme afstanden een vorm van veiligheid boden, betekenden zij evengoed een extra risico: geluiden droegen mijlenver en je was zichtbaar van grote afstand.

Voor hen vloog de leidende heli, met grote snelheid op weg naar de afgesproken plaats, de motoren roodgloeiend door de maximale prestatie. Door voorop te vliegen liep hij de meeste risico's.

Als de man hen weer liet staan, of als het een valstrik bleek te zijn... Ze waren bereid tot het uiterste te gaan om zich een weg uit dit gebied te vechten. Maar als hij inderdaad overliep... Het voorkomen van oorlogen kostte voortdurende inspanning, of het nu ging om de strijd tussen Syrië en Israël over de Golanhoogte, of om die tussen Syrië en Turkije over het dreigende watergebrek, nu de droogte de regio in zijn greep had en Syrië als gevolg van de dammen in de

Eufraat van de broodnodige watertoevoer verstoken bleef. Informatie was bij deze conflicten cruciaal.

Wolf wierp een blik op zijn partner. Cougar zocht de radiofrequenties af naar afwijkende signalen van het Syrische verdedigingsnetwerk. 'Iets bijzonders?'

Cougar stak zijn duim omhoog.

'Nog dertig seconden.'

Op de waarschuwing van de piloot draaide Wolf zich om. In de voorste helikopter zou Beer het grootste risico nemen, door het terrein te verkennen. Pas daarna zouden zij erheen vliegen om de man op te pikken.

De helikopter in de verte zond flitsende infraroodstralen uit, maakte een bocht, verminderde snelheid en begon rondjes te draaien. 'Kust vrij!'

Wolf zette zich schrap. De helikopter dook omlaag en spoedde zich naar het bewuste punt. De andere helikopter zwenkte naar links en bleef ter verdediging boven hen cirkelen.

'Landen.'

Het zand stoof op en Wolf tuurde ingespannen of hij de man die ze zouden ophalen, kon ontdekken. Een woestijndier zo groot als een konijn sprong weg, en hij moest zich bedwingen om niet te schieten. Het liefst zou hij naar buiten springen om de man te grijpen, maar die taak was aan Cougar en Pup toebedeeld. De afspraak was heel duidelijk. De man zou bij de bron zitten, alleen.

Daar!

Cougar en Pup sprongen naar buiten en zetten het op een lopen. Een bloedstollende minuut volgde.

'Heb je hem?' De gespannen vraag van de piloot in de heli boven hen verbrak de stilte en gaf lucht aan het groeiende onbehagen over hun onbeschermde positie. *Schiet op, schiet op!* maande Wolf zijn partner in gedachten.

Uit het kolkende zand kwam Pup tevoorschijn, daarna hun gast en ten slotte Cougar.

Wolf greep de man bij zijn arm, terwijl Cougar hem letterlijk aan boord smeet. Hij trok eerst Pup naar binnen en daarna zijn partner. 'We hebben hem! Wegwezen!'

De helikopter steeg op en een muur van zand rees op om hen te verzwelgen. Ze zetten koers naar het noorden om via een andere route het land weer te verlaten.

De tijd kroop. Een vlucht van 35 kilometer duurde in deze omstandigheden levenslang.

'Problemen op komst', zei Cougar over de intercom. 'Jagers in het zuiden krijgen orders. Trap hem op zijn staart, heren. Naar de grens.'

Hun piloot wachtte niet af tot hij zelf de radarsporen had gezien van datgene wat Cougar via de radio had opgepikt. Hij boog de rotorbladen in de maximaal mogelijke hoek.

Wolf speurde de nachtelijke hemel af naar bewegende lichtjes aan de horizon. Tegen een man vechten kon hij wel. Tegen een vliegtuig niet.

OPERATIE NORTHERN WATCH
NOORD-IRAK, ZESENDERTIGSTE BREEDTEGRAAD

'Viper 02, check radar.'

Grace bestudeerde het dashboard. De langeafstandsradar toonde de vriendschappelijke tekentjes van hun eigen gevechtsvliegtuigen, zo'n vijfenveertig kilometer naar het westen. Ze zette een schakelaar om. Nu zocht de radar in het zuiden naar vijandelijke dreiging; Syrië was nog steeds rustig. 'Kust veilig.'

In gedachten was ze bij de anderen in de aanvalsgolf, die de eerste klappen van de Irakezen moesten opvangen. In de verte zag ze het felle schijnsel van actief afweergeschut.

Het was een hele ervaring om zo in formatie te vliegen, op zestig centimeter afstand van Thunders vleugel. Peter zette de lus in om te keren en leidde hen soepel naar de lagere vlieghoogte die in hun orders was aangegeven. Ze volgde hem op de voet. Tot nu toe was de missie gesmeerd verlopen. Nu lag Syrië links van haar. Ze waren halverwege.

Op haar radarscherm vertoonde zich de respons van een IFF-ontvanger ver weg in Syrië. Ze keek nog eens goed en probeerde hem te lokaliseren. 'Vijfentwintig kilometer, tien uur, laag.'

'Wat een cowboys', was Peters reactie, nadat hij ook gekeken had.

De radarsporen, die oplichtten tegen de drukke achtergrond, bewogen zich in noordelijke richting. Inmiddels waren het goed te onderscheiden knipperlichtjes. Een Pave Hawk en een Pave Low III, helikopters die dicht boven de grond vlogen. Daar in Syrië was een of andere speciale operatie aan de gang. Dat verklaarde natuurlijk de wijziging in hun orders.

Wolf misschien? Het patroon paste wel bij een commando-actie.

De hemel boven Mosul flitste helder op. Gracie wierp een blik op het tijdschema. Als het goed was, was zojuist de energiecentrale getroffen. Dat was de achilleshiel voor de complete luchtverdediging van Irak. Het was tevens het laatste doelwit voor deze missie. De gevechtsvliegtuigen zouden nu zo snel mogelijk terugvliegen naar de Turkse grens.

Opnieuw bracht Peter hen beiden naar een andere hoogte.

Plotseling weerklonken er waarschuwingssignalen in de cockpit. 'Los!' beval Peter. Gracie draaide scherp naar rechts, terwijl Peter omhoog schoot. De radar had hen opgemerkt. Met haar duim schakelde ze over van lucht-lucht op lucht-grond.

Daar klonk de hoge fluittoon van een grond-luchtraket die de hemel afzocht. Ze rukte de stuurknuppel naar zich toe om hoogte te winnen.

Een raket schoot omhoog de lucht in, een withete straal in de donkere nacht. Het schot was laag gericht. Ze mikten op de helikopters. Dat was een schrale troost. Zij had nog wel een redelijke kans om de dans te ontspringen, maar de helikopters vormden een bijna stilstaand doelwit voor de raketten.

De helikopterpiloten reageerden onmiddellijk; ze vlogen in een hoek van negentig graden bij elkaar vandaan, hulden zich in wolken chaff om de koers van de raket te wijzigen en veranderden voortdurend van richting. De volghelikopter had echter geen enkele kans. De raket explodeerde in een bal van vuur. De heli was nog even te zien aan de andere kant van de vuurbal en verdween toen uit het zicht.

Wolf.

Heer, laat het Wolf niet zijn.

'Die ligt', zei Peter met kille stem. Direct gaf hij de coördinaten door aan het rondcirkelende AWACS-vliegtuig.

Vooruit, pak hem. Gracie kon de anti-radarraket horen die op zoek was naar de radarinstallatie vanwaar de raket was afgeschoten. Het zoeksignaal klonk schril in haar oren, maar bleef vlak. Ze hadden in het wilde weg geschoten en de installatie was al uitgeschakeld. 'Mis.'

'Insluiten op negenhonderd meter.'

Het bevel luchtte haar op. Wie daar nu ook beneden was, het was een vriend. Ze vloog dichter naar de Syrische grens om de luchtdekking waterdicht te maken, hoewel de angst voor een nieuwe raketaanval met ijzige vingers langs haar ruggengraat sloop.

'Vijandelijke toestellen opgestegen op 38 zuiderbreedte', waarschuwde Peter. Ze schakelde de langeafstandsradar in. De Syrische gevechtsvliegtuigen waren onderweg. Ze bad dat ze aan hun kant van de grens zouden blijven.

SYRISCH-IRAAKSE GRENS

De grond onder hen explodeerde in wolken van zand. Wolf was eerder neergestort, maar nog nooit zoals nu. Hij zag het staartroer omlaag komen en op de grond onmiddellijk ontploffen. 'Stop', schreeuwde hij tegen Cougar en trok zijn partner weer naar binnen. 'We zitten in een mijnenveld!'

Ingespannen tuurde hij naar voren. De piloot bewoog, maar de copiloot was in elkaar gezakt. Het lawaai was nog steeds oorverdovend, maar de piloot was al bezig de motoren stil te zetten. Het gepantserde onderstel had hun leven gered, maar als de brandstoftanks lekten was er grote kans op brand.

Hij schoof hun gast terug naar de middelste stoel. 'Pup, jij dekt hem.' De jongste commando van het squadron had zijn heupwapen al gepakt. Overloper of niet, als het erom ging zijn eigen huid te redden, zou de man hen zonder aarzelen verraden.

'Neem jij het geschut bij de deur en schiet op alles wat beweegt', schreeuwde Wolf naar Cougar. Zelf worstelde hij zich naar voren om de copiloot te helpen. Grace zat altijd te zeuren over de problemen waarin hij verzeild raakte. Dit kon je niet eens meer een probleem noemen. Een mijnenveld, maar aan welke kant van de grens? Zaten ze in Syrië of in Irak?

Een kogel sloeg in in het plafond van de cockpit. Wolf begon te bidden. Ze waren al ontdekt door een scherpschutter.

Tien

Een mijnenveld. Striker zette zich schrap in de riemen, terwijl de Pave Low helikopter zich naar het zuiden spoedde. Hij was wel eerder op onherbergzame plaatsen geweest, maar deze keer wenste hij dat hij Grace nog een laatste, speciale brief had geschreven. Eén die begon met Lieve Grace...

Hij zette zijn geweer vast met nog een extra gesp. Er waren momenten dat hij blij was allereerst soldaat te zijn. Ze zouden vrij hoog moeten blijven en de commando's omhoog takelen, om te voorkomen dat het verschil in luchtdruk nog meer mijnen deed ontploffen. De leidende commandoheli-kopter kon wel dekking geven, maar de mannen op de grond niet zonder hulp bereiken.

Achter de Pave Low stoof het zand op; Dasher scheerde rakelings langs de grond. Zijn vriend was een van de beste piloten van het 720ste Team Speciale Tactieken, maar die wetenschap hielp weinig tegen de krampende spanning in Strikers maag. Hij haatte het om zo dicht bij de grond te vlie-gen. Liever zat hij op een hoogte waar hij zijn parachute kon gebruiken, in plaats van zo laag dat je al te pletter sloeg als je de verkeerde kant uit ademde.

De helikopter maakte een bocht en verminderde abrupt snelheid; Striker zette zich schrap met zijn handen tegen de crashrail. De begeleidende gevechtsheli bleef op maximum-snelheid vliegen om zo snel mogelijk bij de rondcirkelende helikopter te zijn. Door zijn nachtbril kon hij in de verte de hittestraling van het neergeschoten toestel zien. Die was te

81

pakken genomen door een grond-luchtraket. Ongetwijfeld was er ook één paraat die voor hen bestemd was. Door zijn koptelefoon hoorde hij de commando's met elkaar praten over een sluipschutter.

'Luchtdekking?'

Zijn partner Rich was er al naar op zoek. 'Daar! Zeven uur laag.'

Ook Bruce ontdekte de vage vlek in de lucht, en toen het beeld scherper werd, zag hij dat de vliegtuigen regelrecht op hen af vlogen. Het waren er twee, maar ze vormden een vlek omdat ze zo dicht bij elkaar vlogen. 'Weten ze dat wij goed volk zijn?'

'Ze hebben contact met het AWACS-vliegtuig.'

'Ik wed dat ze peentjes zweten op dit moment.'

'Migs. Luchtdoelraketten. Neergeschoten manschappen. Ik zou niet graag met ze ruilen', gaf Bruce toe.

Plotseling klonk er een salvo automatisch geweervuur en de zoeklichten van het gevechtsvliegtuig zwaaiden heen en weer. 'Laten we hopen dat die sluipschutter besluit om zich uit de voeten te maken.'

'Ga er maar niet vanuit', waarschuwde Rich hem. Ze hadden een muntje opgegooid om te kijken wie er naar beneden zou gaan. Dat wilden ze allebei graag, maar Bruce had gewonnen.

'Snelle afdaling en dan blijven hangen. De eerste man komt direct omhoog.'

'De lier is klaar om te draaien.'

Bruce pakte het touw dat hij naar beneden zou gooien zo gauw ze stil hingen. Hij zou zelf met de gewonde piloot omhoog gehesen worden; het gebruik van de draagmand zou te veel tijd kosten.

De intercom kraakte. 'Nog twintig seconden.'

OPERATIE NORTHERN WATCH

Hoe slaagde je erin Syrische gevechtsvliegers kalm te houden? Gracie had geen idee. De reddingsvlucht kwam uit het noorden, de Syriërs uit het zuidwesten. Het was een wedstrijd die op adembenemende snelheid werd uitgevochten in een luchtruim dat door een onzichtbare, dunne draad in tweeën was gedeeld.

Ze vloog vlak naast Peter, klaar om te handelen, maar wat ze moest doen was niet helemaal duidelijk. Als de heli was neergestort op Iraaks grondgebied, konden ze aanvallend te werk gaan om hem te beschermen. Maar als hij in Syrië was neergekomen, konden ze alleen maar ruziën over het luchtruim. Niemand had dit kritieke punt al uitgezocht.

'Geef ze een waarschuwing.'

Op Peters bevel richtte ze haar zoeklicht op de Syrische toestellen en het luide signaal van een missile lock klonk in haar oren.

SYRISCH-IRAAKSE GRENS

Het zand drong overal doorheen. Bruce voelde hoe het zich nestelde in zijn kleren. De helikopter was total loss en lag half op zijn kant. De deur was niet te zien. Hij zou er vanaf de zijkant in moeten zwaaien, terwijl de heli boven hem uit alle macht probeerde stil te blijven hangen en de sluipschutter zijn wapen op hem leegschoot. *Heer, ik probeer dapper te zijn. Geef mij uw moed.*

Bruce schoof naar de deuropening, stapte naar buiten en roetsjte aan het koord omlaag. Zijn taak was eenvoudig: zorgen dat hij beneden was voor hij werd neergeschoten. Op het laatste moment hield hij het koord tegen; de hitte van de wrijving brandde door zijn handschoenen heen en de ruk waarmee hij tot stilstand kwam, schoot door al zijn spieren. Zwaaiend als de slinger van een klok werkte hij zich door de zwarte opening naar binnen, in de hoop dat de commando's daar landingsruimte voor hem hadden vrijgemaakt.

Daar grepen handen hem al beet. Hij landde ruggelings op de schuin aflopende vloer en schudde even met zijn hoofd om het gevoel van desoriëntatie kwijt te raken. 'Wolf! Het is niet mijn gewoonte om huisbezoeken af te leggen.'

Het zwartgroen geschminkte gezicht boven hem trok een grijns. 'Dat is nog eens een leuke binnenkomer.' Het was Wolf niet, maar Cougar.

Opnieuw spatte een salvo van de sluipschutter tegen het metaal, en Cougar draaide zich met een ruk om en vuurde terug. Bruce kreeg het vermoeden dat hij er deze missie niet vanaf zou komen zonder een paar gaatjes in zijn kogelvrije vest. Hij hees zichzelf omhoog en keek naar voren, waar de piloot en Wolf druk doende waren de gewonde copiloot in zijn richting te manoeuvreren. 'Heren, laten we gaan.'

'Hij gaat eerst', antwoordde Wolf met een hoofdbeweging naar de passagier die door Pup werd bewaakt. De jonge commando had hem al in een kogelvrij vest en een tuig gehesen. 'Pup, jij moet samen met hem omhoog.' Bruce trok de man naar de deur en worstelde met het zwaaiende koord om de gespen vast te maken. Hij gespte de beide mannen aan elkaar vast op dezelfde manier als twee parachutespringers die onder één valscherm afspringen. De overloper was zo verstandig om geen hulp aan te bieden. 'Ben je de moeite wel waard?' vroeg Bruce hem kortaf.

'Ik kan een oorlog beëindigen.'

Beëindigen of een nieuwe beginnen. Bruce wist nog niet wat waarschijnlijker was. De laatste metalen gesp klikte dicht. Hij sloeg Pup op de schouder. 'Zwaai zo ver weg als je kunt en houd je hoofd omlaag!'

Cougar opende het vuur, wachtte daarna even, terwijl Pup met de man de deur uit zwaaide. Zodra de mannen met een bovenwaartse ruk uit het gezicht waren verdwenen, begon Cougar opnieuw te schieten.

'Cougar, jij gaat nu met de piloot', beval Bruce, die ondertussen voor de copiloot deed wat hij kon. Hij had te maken met mensen, oorlogsomstandigheden, kogels. Was er nog een polsslag te voelen, dan betekende dit dat hij nog iets kon doen. De man had nog een polsslag, maar hij had ook veel bloed verloren en zijn ogen stonden star. Hij was diep bewusteloos. Bruce wist dat de man weinig kans maakte, en hij bad om een wonder terwijl hij bezig was. Met tape bond hij de armen en handen van de man vast tegen zijn borst.

Zodra het koord weer naar beneden kwam, maakten Cougar en de piloot zich er zo snel mogelijk aan vast.

'Zeg tegen Rich dat de gewonde man hierna komt. Hij moet langzaam takelen.'

'Begrepen.'

De beide mannen zwaaiden naar buiten.

Een salvo van de sluipschutter sloeg in en een fontein van hydraulische vloeistof spoot naar binnen en maakte de vloer glibberig. Moeizaam kwam Wolf naar hem toe.

'Hoe gaan we dit aanpakken?'

Er waren twee mogelijkheden en Bruce vond ze beide niet aantrekkelijk. Als Wolf omhoog ging samen met de gewonde, vormde hij aan het langzaam stijgende koord een gemakkelijk doelwit. Als hijzelf de gewonde meenam, betekende dit voor Wolf dat hij als laatste moest gaan, dus zonder dekking. Bruce was Gracie iets verschuldigd, en Jill eveneens. De toestand deed hem net iets te veel aan Ecuador denken. 'Ik ga met hem naar boven. Geef zoveel mogelijk dekkingsvuur; het heeft geen nut hier kogels achter te laten. Wanneer het koord weer naar beneden komt, zorg er dan voor dat je het sein pas geeft als je er absoluut helemaal klaar voor bent. Dasher zal meteen wegvliegen en je in volle vlucht ophijsen.'

'Eitje.'

Striker glimlachte bij de vlotte reactie; hij moest Wolf nageven dat die uitstekend tegen de druk bestand was. Voorzichtig tilde hij de gewonde man op. Samen met Wolf vocht hij met het koord en de sluitringen. Daarna leunde hij ertegenaan en voelde hoe het zijn gewicht overnam.

'Laat je niet te pakken nemen.'

'Moet jij nodig zeggen', schreeuwde Bruce terug en duwde zichzelf met de gewonde naar buiten, de nacht in.

Hij had zich op het ergste voorbereid, maar het was nog duizend keer erger. Door de wind begonnen ze om hun as te tollen. Ze zouden hem neerschieten, hij wist het zeker! De lier begon te draaien en langzaam stegen ze omhoog naar het zwarte, stil hangende monster boven hen. *Alstublieft, Jezus. Breng ons veilig boven.* Op dit moment was hij volkomen hulpeloos. Hoe dichter ze bij de helikopter kwamen, hoe oorverdovender de herrie werd. Ze bleven maar draaien in de wind en dreigden tegen de buikwand van het toestel te slaan. De lier begon nog langzamer te draaien, totdat ze vrij hingen en de laatste meter konden afleggen.

Rich greep hem bij de achterkant van zijn uniform en Bruce dwong zichzelf niet te helpen, maar zijn partner het werk te laten doen en hem in veiligheid te brengen. Pup en Cougar namen de gewonde man voor hun rekening. Ze maakte hem los en legden hem voorzichtig op een draagbaar. De wachtende verpleegkundigen begonnen onmiddellijk zijn ademhaling veilig te stellen. Met zijn gehandschoende handen vocht Bruce met de sluitingen van het tuig om het koord zo snel mogelijk weer te laten zakken voor Wolf. Het koord raakte los en Rich bevestigde het tegengewicht. 'Zakken maar!'

Met een hoge huiltoon viel het koord omlaag.

Ze wachtten.

'Vooruit, schiet op.'

Bruce klemde zijn hand om Cougars schouder. Hij begreep het volkomen. Rich leunde, op zijn buik gelegen, naar buiten en tuurde door zijn nachtbril.

'Hijsen maar.' De lier begon te draaien. 'Dasher, wegwezen!'

Hun vlucht uit de gevarenzone begon. Achter de helikopter bungelde Wolf aan het koord.

Het duurde een eeuwigheid.

Bruce maakte zijn veiligheidstuig vast aan de deuropening, zette zijn gezonde verstand opzij en reikte omlaag. 'Hierheen!' Hij trok Wolf aan boord.

Wolf kwam op zijn rug neer en greep onmiddellijk de veiligheidsstang om te voorkomen dat hij weer naar buiten werd gezogen.

'Wauw. Dat was nog eens een interessant tochtje.'

Bruce onderzocht hem op gaatjes en bloed en gaf hem daarna een klap op zijn borstkas. Wolf had weer een of twee levens verspeeld, maar hij was nog helemaal heel. 'Blijf voortaan bij de mijnenvelden vandaan! Je bezorgt me grijze haren.'

'Eén keer was meer dan genoeg.' Wolf veegde met zijn hand over zijn gezicht dat kletsnat was van de hydraulische douche, en smeerde zo de camouflageschmink door elkaar. Hij ging plat op de metalen vloer liggen om op adem te komen. 'Als je het waagt om Grace hierover te vertellen. Ze vergeeft het me nooit.'

'Denk daar een volgende keer eerst aan.' Bruce wierp een blik op de overloper, die voor deze penibele situatie verantwoordelijk was, en leunde toen voorover naar de cockpit. 'Naar Incirlik, Dasher, en geen tijd om het uitzicht te bewonderen. Deze man moet een directe vlucht naar Washington halen.'

Elf

Vanwege het verschil in snelheid viel het niet mee de helikopters afdoende dekking te bieden. Vanuit haar toestel zag Grace hoe de beide reddingshelikopters en de dekkingsheli in V-formatie koers zetten naar het noorden.

Wat hadden ze in Syrië uitgespookt?

Was Bruce bij deze reddingsoperatie betrokken?

In het oosten had zich een beschermend kordon van acht Tomcats geformeerd en de Syrische Migs waren parallel aan de grens gaan vliegen. Geen van beide partijen was bereid van een gevecht af te zien. De crash had op Iraaks grondgebied plaatsgevonden, zo'n twaalf kilometer van de grens, en vormde nu aanleiding tot agressief spierballenvertoon in de strijd om het luchtruim.

Grace controleerde de radar, de hoogtemeter en de brandstof; alle gegevens gaven reden tot zorg. Of je nu uit de lucht werd geschoten of neerstortte als gevolg van brandstofgebrek, het eindresultaat was hetzelfde. Ze had al te weinig brandstof over voor de terugweg en zou dus onderweg moeten tanken. Het slechtst denkbare scenario was, dat ze zelfs geen brandstof genoeg meer zou hebben om Incirlik te bereiken, en dat was inmiddels op z'n minst een theoretische mogelijkheid.

De AWACS-radio waarschuwde opnieuw voor de Syrische gevechtstoestellen en gaf aanwijzingen voor een nieuwe koers en vlieghoogte. Grace trok de formatie strakker aan door vlak naast de Hornet van Thunder te gaan vliegen, op een meter of wat van zijn rechtervleugel. Hun nieuwe opdracht betekende dat ze hoog over de helikopters heen zouden vliegen en daarna voor hen uit om de ontsnappings- route vrij te maken. De Tomcats hadden de veel interessante- re taak om direct koers te zetten naar de Migs en daar aan de grens een robbertje te gaan knokken.

Grace zou de Migs dus aan de Tomcats overlaten. Ze wilde ook niets liever dan de helikopters terugzien op eigen terrein en zelf ergens tanken.

Onder leiding van Peter zakten ze naar een hoogte van bijna drie kilometer. Binnen enkele ogenblikken waren ze de helikopters voorbij en vooruit.

Voor hen begon het luchtdoelgeschut actief te worden. De radar, die de projectielen naar de vliegtuigen had moeten stu- ren, was eerder op de avond al uitgeschakeld, maar dat was een schrale troost. Zonder die radar schoten de Irakezen hun raketten in het wilde weg af. Witte flitsen duidden op explo- sies op een hoogte tussen de tweeënhalve en drieënhalve kilometer, de scherpe echo's duidelijk hoorbaar dwars door de kap van de cockpit en de helm.

'Viper 01, Fox een.' Peter stuurde een raket op een van de afweergeschutbatterijen af. 'Viper 01, Fox twee.' Een tweede raket ging er onmiddellijk achteraan.

De helft van het luchtdoelgeschut kwam tot zwijgen.

Ze manoeuvreerden hun toestellen op hun kant in een hoek van negentig graden, om zo min mogelijk blootgesteld te zijn aan de overblijvende batterijen.

Een felle explosie vlak naast haar verblindde haar voor een moment en met een luide klap sprong er iets tegen de cockpit. Door de luchtdruk schokte haar toestel weer hori- zontaal.

'Viper 02?' Ze had haar handen vol. De G's waren intens. Ze vocht tegen de veelvoudige zwaartekracht om haar handen en haar hoofd te kunnen bewegen. De lichtjes op het dashboard flikkerden als die van een kerstboom. De checklist van wat ze moest doen was rood en kort en duldde geen uitstel. Doe dit en als het niet werkt, rest alleen nog de schietstoel.

De motoren deden het nog, maar de flight control werkte niet meer. De kleppen van de linkervleugel waren door de explosie omhooggeschoven, en de aërodynamica deed haar best het toestel om te rollen en neer te laten storten. Grace vocht terug. De hoogtemeter daalde als een razende. *Heer, help mij.* Nog een paar seconden en ze zou in het zand bijten. Als ze omrolde, kon ze geen hoogte meer winnen.

Niet alleen met de kleppen was trouwens iets mis.

Ze ontkoppelde de raket onder de linkervleugel, biddend dat de stabilisator niet beschadigd zou zijn. De raket viel omlaag met een harde knal. Het vliegtuig herwon zijn evenwicht en de neus richtte zich weer op. Ze begon weer te klimmen.

'Viper 02?'

Hoewel ze alles op alles moest zetten om een rol naar links te voorkomen, lukte het haar om de stijgende lijn vast te houden. 'Ik red me wel. Bibberknieën, maar ik ben er nog.' Onder geen beding zou ze haar schietstoel gebruiken binnen Irak, zo lang haar vliegtuig nog in de lucht was en Turkije vlakbij.

Ze tuurde de duisternis in, en wenste dat ze kon zien wat er aan de hand was. Om de achterkant van de vleugel te kunnen zien, had ze niets aan haar nachtbril; al had ze die eigenlijk ook niet nodig om te weten dat de vleugel er waarschijnlijk uitzag alsof iemand een stel basketballen door het metaal had gegooid. Het beloofde een interessante landingspoging te worden.

'Viper 02, angels 15.' Peter bracht zijn Hornet naast haar. Ze bewonderde zijn koelbloedigheid. Hij bleef een paar meter hoger vliegen, zodat hij, mocht zij omrollen, een ogenblik respijt had om op te trekken en zich uit de voeten te maken.

Langzaam klom ze naar vierenhalve kilometer; iedere meter gaf haar tot haar groeiende opluchting meer tijd om zich te herstellen. Ze begon de meters te controleren. Er was nog brandstof, zij het niet zo veel, de hydraulica was in orde, de flight control minimaal, de plaatsbepaling een puinhoop. Volgens het display vloog ze op dit moment boven Oklahoma. Ze stelde het systeem opnieuw in.

'Viper 01, we moeten hand in hand.' Ze zou met Peter meevliegen als een kuikentje met zijn moeder en afgaan op zijn navigatie.

'Viper 01. Roger. Mandus achttien minuten.'

De codenaam voor Incirlik klonk haar als muziek in de oren. De lengte van de landingsbaan daar was precies wat ze nodig had en het vliegveld beschikte over de beste noodlandingsteams. Ze zocht op de radar naar de helikopters. De driehoek van bliepjes bevond zich in het noordwesten. In de tijd dat zij haar strijd had geleverd om in de lucht te blijven, waren zij Turkije binnengevlogen.

'Viper 02, geef je status door.' Wat de dienstdoend officier ook dacht van haar vliegkunst, zijn stem klonk zakelijk.

'Viper 02, angels 14, 3.1', gaf ze hoogte en resterende brandstof door. Er waren nog heel wat problemen op te lossen. Ze had wel eerder aangeschoten vogels gevlogen, maar dit was de eerste keer dat het midden in de nacht gebeurde, zonder dat ze enig benul had van de aangerichte schade. De vorige keer was ze een motor kwijtgeraakt en dat was bij lange na niet zo lastig vliegen geweest als nu.

Het afweergeschut had in ieder geval de spleetkleppen kapotgeschoten, maar het leek er sterk op dat ook het rolroer een oplawaai had gekregen. Als ze haar vliegtuig iets wilde laten doen, was het niet in staat te reageren. Ondanks alle vluchtsimulaties had ze niet kunnen vermoeden dat ze zo voor honderdtien procent op haar vliegtuig ingesteld zou zijn. Ze kon voelen hoe iedere beweging van gashendel of stuurknuppel het toestel pijn deed. Zou het landingsgestel nog werken?

'Viper 02, thuisbasis in zicht.'

Ze waren dus boven Turks grondgebied. 'Viper 02, Roger.'

'Viper 02, let op je snelheid.'

Haar blik schoot naar de snelheidsmeter. Ze hing bijna stil in de lucht. Ze had het zo druk gehad met de dreigende tuimeling dat ze ongemerkt gevaarlijk veel snelheid had verloren. Doordat de strijd al haar aandacht had opgeëist, was het haar niet eens opgevallen. Ze duwde de gashendel naar voren en het vliegtuig reageerde met een siddering. Onder haar glinsterden nu de lichtjes van een stad en een incidentele weg.

'Viper 02, geef je status door.'

Grace keek naar haar dashboard. 'Viper 02, angels 14, 2.8.'

'Viper 02, landing voorbereiden.'

'Viper 02, Roger.'

Ze begon de checklist voor de landing af te werken, met voorbijgaan van datgene wat ze niet kon voorspellen. Ze bracht het vliegtuig in de landingspositie, een stand waarin het zoveel mogelijk wrijving zou ondervinden om af te kunnen remmen. De controlelampjes van het landingsgestel waren groen, dus dat zat in ieder geval op z'n plek. 'Viper 02, klaar om te landen.'

'Viper 02, Roger. Viper 01, Mandus.' Thunder riep de luchtverkeersleider van Incirlik op.

'Viper 01, Mandus. Stand-by.'

'Viper 01, 3.1, hand in hand met Viper 02, 2.8.'

'Roger, Viper 01. Wind noordwest, kracht 12, baan 144 vrij, grondpersoneel paraat.'

Grace betrapte zich erop dat ze op dit moment graag met Peter had willen ruilen.

'Viper 02, lichten', gaf ze door; nu pas kon ze de landingsbaan onderscheiden. Vergeleken bij het schip leek hij enorm, maar toch niet lang genoeg, aangezien er geen vangkabels waren om haar tegen te houden en ze niet zeker was van haar remmen. Als er problemen opdoken, zou ze de landing niet kunnen afbreken en weer opstijgen, vanwege de kapotte vleugelkleppen. Ze boog naar rechts om recht op de baan af te kunnen vliegen. Het voelde alsof ze een zwaar brok metaal in vrije val moest zien te draaien.

Zodra ze onder de honderdvijftig meter zakte, liet Peter haar gaan. Ze wijdde al haar aandacht aan de glijvlucht en verminderde haar snelheid. De grond racete haar tegemoet en ze moest vechten tegen de neiging haar ogen dicht te doen.

De achterwielen kwamen neer. Hard beton in plaats van strelende lucht. Voorzichtig liet ze de neus zakken. Het voorwiel raakte de grond. Aan beide kanten van de landingsbaan schoten de lichten langs haar heen. Met grote moeite hield ze het vliegtuig op de baan.

Ze remde licht. Zonder de kleppen kostte het veel moeite op tijd tot stilstand te komen, voordat ze geen ruimte meer had. De baan vloog onder haar door.

Het vliegtuig minderde vaart en kwam op taxisnelheid. Voor het eerst sinds de landing haalde Grace weer diep adem. Haar spieren ontspanden zich net voldoende om de stuurknuppel te kunnen bewegen, en met behulp van de richtingsroeren stuurde ze het toestel naar de taxibaan. De eerstehulpvoertuigen naast haar waren inmiddels te onderscheiden als brandweer, reddingsploeg en ambulance. 'Bedankt, Viper 01.'

'Goed gevlogen, Viper 02. Check maar in als de post-vlucht.'

Ze grinnikte en schakelde haar microfoon in. 'Roger. Ik loop nog harder.'

'Viper 01, van mij mag je het proberen', antwoordde Peter met zijn eigen, droge humor.

Ze klikte haar microfoon aan en uit, zodat hij haar kon horen lachen.

Haar vliegtuig zou wel meer dan een dag in reparatie zijn. Zelf zou ze de volgende morgen met het postvliegtuig terug-vliegen naar het vliegdekschip. De gedachte aan de papier-winkel die ze na deze vlucht zou moeten afwerken bezorgde haar nog ergere hoofdpijn dan ze al had. De eerste dag zou ze bezig zijn met de debriefing van de missie, en de tijd daarna moest ze een vliegtuig zien te lenen en alle klusjes opknap-pen die bleven liggen voor de beklagenswaardige figuren die piloten zonder eigen toestel nu eenmaal waren.

Gele lichten wezen haar de weg naar het einde van de baan, weg van de gebouwen, en seinden een stopteken. Ze zette de motoren stil en was plotseling zo moe dat ze slechts met grote moeite haar handen van de hendels kon losmaken om de pinnen van de schietstoel te pakken en weer vast te zetten. Om het vliegtuig heen zwermden mannen in zilver-kleurige pakken, klaar om bij een eventueel beginnende brand meteen in te grijpen.

In het schijnsel van de zwaailichten kon ze de barst en de zwarte vegen die de kap van de cockpit ontsierden, goed zien. Het was een gemene treffer geweest; ze hadden geprobeerd de raket bij haar op schoot te schieten.

Ze opende de cockpit en de frisse lucht waaide om haar heen. Het was verrukkelijk, lauw en een beetje vochtig. Voorzichtig deed ze haar helm af en ontdekte dat haar haren kletsnat waren van het zweet. De onderhoudsmensen klommen langs ladders naar boven om haar te helpen uitstappen. De hoofdmonteur keek stomverbaasd toen hij zag dat er een vrouw uit de cockpit kwam. Ze wierp een korte blik op zijn uniform.

'Dakota, help me eens een handje om hieruit te komen. Ik voel me alsof ik een paar rondjes te lang in de achtbaan heb gezeten.'

De oudere man glimlachte, stak een vlezige hand uit en greep de hare beet. Ze worstelde zichzelf omhoog uit haar stoel. Daarna overhandigde ze hem de vluchtportefeuille met haar kaarten en het klembord, en haar helm. Voorzichtig klom ze naar beneden; haar benen voelden aan als rubber. Ze liet de onderkant van haar luchtdrukpak leeglopen, zodat het bloed goed naar haar hoofd kon stromen. Vervolgens deed ze een paar stapjes; haar laarzen leken wel van lood.

Ze dook onder de vleugel om een eerste blik op de schade te werpen. 'Wat een puinhoop.'

'Er zijn minstens twee projectielen vlak ernaast ontploft, en eentje heeft geprobeerd jou uit de cockpit te knallen', oordeelde Dakota.

'Luitenant, sta eens even stil.' Ze had geprobeerd de arts, die zich ook in de menigte om het toestel bevond, te ontlopen, maar nu stond hij voor haar. Met tegenzin bleef Grace staan. Over zijn schouder keek ze naar Dakota. 'Zorg goed voor haar. Ze heeft me vannacht een dienst bewezen.'

'We zullen haar netjes opkalefateren; morgen is ze weer zo goed als nieuw', beloofde de hoofdmonteur. 'We leggen haar onder de lamp. Geef me even de tijd tot morgenochtend, dan kunnen we het hebben over wat jij hebt gemerkt en wat ik heb ontdekt.'

'Bedankt.'

Een stevige hand duwde haar kin omhoog en een lichtje flikkerde in haar ogen. 'Je vliegtuig komt wel in orde. Hoeveel G's heb je gemaakt?'

Ze kende de procedures maar al te goed, en het laatste waar ze nu behoefte aan had, was een uur doorbrengen in de luchthavenkliniek. Aan zijn uniform te zien was de man daar de hoogste baas. De artsen op de GW zouden alles nog eens dunnetjes overdoen voordat ze haar weer in de cockpit lieten klimmen.

'Vier, misschien vijf.'

'Zie je dubbel?'

'Nee.'

'Hoe is het met de hoofdpijn?'

Eigenlijk wilde ze liegen, maar ze zag ervan af. 'Beroerd.'

Hij wees naar de achterkant van het roodwit gestreepte reddingsvoertuig. 'Ga zitten.'

Ze verbeet een zucht en volgde met tegenzin het bevel op. Het voertuig was uitgerust met alle medische apparatuur, en beter voorzien dan de meeste ambulances in de Verenigde Staten. Ze ging op de achterklep zitten. Ze was zo moe dat ze haar ellebogen op haar knieën zette en haar hoofd in de handen liet rusten. Nog liever was ze languit op de grond gaan liggen.

Heer, als het tot me door gaat dringen hoe dicht ik bij de dood ben geweest, zal dit dankgebed nog intenser worden. Nu zeg ik alleen maar: Dank U.

Ze wilde vragen of de helikopters het gehaald hadden, maar wist dat ze geen antwoord zou krijgen, zelfs niet als de mannen om haar heen het wel wisten. Operaties in Syrië waren altijd geheim. Omdat ze aan deze kant van het vliegveld verder nergens reddingsploegen aan het werk zag, ging ze er maar vanuit dat haar vliegtuig het enige was met problemen.

De dokter gaf haar twee aspirines en een fles ijswater en steeg daarmee een flink stuk in haar achting.

'Tuitende oren?'

'Nee.'

'Misselijk?'

'Nee.'

'Drink die fles leeg. Zodra de adrenaline uit je bloed is verdwenen, wil ik je onderzoeken. Als je dan nog in een rechte lijn kunt lopen, kun je gaan inkwartieren; zo niet, dan ben je een tijdje mijn gast.'

Ze hief de waterfles en schonk hem een glimlach. 'Afgesproken.'

De onderhoudsmannen tapten de brandstof af en wachtten tot de motoren voldoende waren afgekoeld, voordat ze het vliegtuig verplaatsten. Dakota stond al te prutsen.

'Luitenant Yates.'

Ze nam de vluchtportefeuille en de helm van de vlieger aan. 'Bedankt.'

Ze keek op haar horloge. Nog even en de vliegtuigen zouden op de GW gaan landen. Ze zou de debriefingsbijeenkomst mislopen, evenals het bekijken van de opnamen. Ze zou het uurtje in de uitblaaskamer missen, als ze met hun vuile kleren nog aan een cheeseburger zaten te eten en ervaringen uitwisselden. Ongetwijfeld zouden de gesprekken vanmorgen over haar gaan, over dat ene vliegtuig dat niet was teruggekeerd. Tegen de ochtend zou het verhaal dat Thunder met zijn gebruikelijke onverstoorbaarheid had verteld, als een lopend vuurtje zijn rondgegaan en enkele fraaie versieringen rijker zijn. Ze miste het, dat ze haar vlucht niet op de gebruikelijke manier kon afsluiten, maar drukte de gedachte eraan weg en dronk het water op.

Ze was aan de krappe ruimte van de GW gewend geraakt en deze basis was reusachtig. Aan de andere kant van de landingsbanen zag ze enorme, openstaande hangars en grote vrachtvliegtuigen. In haar jeugd had ze verwacht een van die C-17's te zullen vliegen. Het gebouw stond open en was fel verlicht. De nachtploeg was voltallig, want de meeste in- en uitgaande vracht werd 's nachts verwerkt, omdat het dan koeler was en er minder vliegoperaties plaatsvonden. Ze voelde zich heel klein; ze stond weer helemaal onderaan in de hiërarchie – een piloot zonder vliegtuig.

De dokter was gerustgesteld; ze had alleen last van een snel dalend adrenalinepeil. Hij gaf haar een ontslagbriefje en liet haar gaan. 'Piep me op als er iets is. Mijn nummer staat hierop.'

Ze stopte het in de zak van haar vliegenierspak. 'Zal ik doen. Waar is het kantoor?'

Hij wees haar op een van de mannen. 'Dit is piloot eerste-klas Andy Walsh. Hij geeft je wel een lift naar de Hodja-Inn. Wees verstandig en vraag een kamer zo ver mogelijk van de kantine. Het is de avond van de jeugdfilm met popcorn, en de filmmarathon is net zo'n beetje afgelopen.'

'Bedankt voor de tip.' Incirlik beschikte over verschillende verblijfsaccommodaties, een zwembadcomplex, een bowlingbaan, een cultureel centrum en zelfs een basis- en middelbare school voor de kinderen van het personeel dat op de basis woonde. 'Is er ook ergens een ontmoetingsruimte voor de nachtploeg, waar ik een maaltijd kan krijgen?' Ze had even een plekje nodig waar ze tot rust kon komen.

'Probeer de Air Wing Flag aan de oostkant van het terrein. Ze hebben daar het beste eten van de hele basis.'

Ze bedankte hem met een knikje. Eerst inchecken om ergens een slaapplaats te hebben, dan een hapje eten. Er waren slechtere manieren denkbaar om een nacht vliegen af te sluiten. 'Dakota, tot over een paar uur.'

'Je liefje staat voor je klaar.'

Twaalf

'Je bent me je naamplaatjes schuldig.' Bruce leunde met zijn ellebogen op tafel en wees met de hals van zijn frisdrankflesje naar Wolf. De ronde tafel zat afgeladen vol; van de commando's zaten er onder andere Beer, Cougar, Wolf en Pup, en van de PJ's Rich, Dasher en hijzelf. Midden op de tafel krioelde het van de glazen flessen, omdat de legerleiding vanwege de aanhoudende droogte het ongebruikelijke besluit had genomen om water te importeren. De overgebleven ruimte werd in beslag genomen door de restanten van twee enorme pizza's.

'Een commando onttrekt zich nooit aan zijn verplichtingen.' Wolf boog zijn hoofd om de ketting met plaatjes af te doen en onder luid gelach nam Bruce ze van hem aan.

Sinds de debriefing hadden ze nog maar weinig woorden aan de afgelopen missie gewijd. De overloper was van de helikopter onmiddellijk naar een militair transportvliegtuig overgebracht; in totaal had hij niet meer dan drie minuten op Turkse bodem gestaan. Hoogstwaarschijnlijk zouden ze nooit te weten komen of het de moeite waard was geweest om hem te gaan halen en zouden ze er ook nooit meer iets over horen. Desondanks hadden ze het succes van de missie gevierd.

Bruce wist dat Syrië of Irak de volgende morgen het wrak van de helikopter zou onderzoeken. Hij vermoedde dat een eventuele reactie van Syrië veel duidelijk zou kunnen maken. Stilzwijgen zou nog het meest veelzeggend zijn, want daaruit zou blijken dat de overloopkwestie hard aangekomen was.

Bruce keek de tafel rond; de jolige sfeer stelde hem op zijn gemak. Zowel de missie als de reddingsoperatie was gevaarlijk geweest, maar blijkbaar kwamen ze daar vlot weer overheen. Hij ving de blik van Beer op, die tegenover hem zat, en hief zwijgend zijn glas frisdrank. Beer beantwoordde het gebaar. Nog even en de beide groepen zouden weer hun eigen weg gaan, maar het gebeurde zou van mond tot mond gaan en in de herinnering van de beide onderdelen aan de gemeenschappelijke geschiedenis worden toegevoegd.

Iemand gaf hem een trap onder de tafel. Verbaasd keek hij naar Cougar, die een nauwelijks merkbaar knikje gaf in de richting van de deur. Bruce volgde zijn blik en kreeg plotseling het gevoel dat hij van top tot teen onder stroom stond. 'Wolf!' Hij zei het zacht, maar dringend en had onmiddellijk de aandacht. 'Daar is Gracie.'

Wolf draaide zich zo snel om dat zijn stoelpoten over de vloer krasten.

Gracie liep het vertrek door, in de richting van de zelfbedieningsautomaat waarin het water koel werd gehouden. Ze had hen niet opgemerkt, maar het lawaai deed haar stilhouden. Haar blik viel op Bruce, die het gevoel kreeg dat hij in haar blauwe ogen zou verdrinken. Nog nooit eerder had hij ergernis gezien op haar gezicht en hij glimlachte naar haar. Ze verbrak het oogcontact en haar blik gleed over de rest van de groep. De verandering op haar gezicht toen ze Wolf ontdekte... Bruce zou zich de blijdschap in haar ogen nog lang herinneren.

'Wolf!'

Net als Wolf kwam ook Bruce overeind, terwijl Grace op hen toe liep. Haar haren waren vochtig, alsof ze haar hoofd onder de kraan had gehouden en daarna met een handdoek droog gewreven. Haar pak was verfomfaaid. Zonder veel omhaal tilde Wolf haar van de vloer en zij omhelsde hem stevig. Hij had geen haast om haar weer neer te zetten. 'Grace! Jij hoort toch op de GW te zijn? Wat doe je in Incirlik?'

Ze keek de tafel langs. 'Ik heb honger.'

'Grace!'

'Mijn Hornet kreeg een paar afweergeschutbrokken te slikken. Het was een interessant vluchtje. Is dat pizza met braadworst?'

Pup trok een stoel bij. 'Je bent een schat', zei Grace en de jonge commando bloosde hevig.

'Dus dat was jij daar boven ons hoofd', zei Wolf langzaam.

'Hallo Dasher, hallo Cougar.' Ze keek haar neef, die naast haar ging zitten, scherp aan. 'Had je niks beters te doen dan op je buik in een mijnenveld te gaan liggen? Verveelde je je ofzo?'

Wolf bekeek haar van top tot teen om zich ervan te overtuigen dat haar niets mankeerde. 'Als ik had geweten dat jij zat toe te kijken, zou ik wel op een elegantere manier zijn neergestort.'

'Ik was gezellig samen met Thunder een leuke en rustige routinevlucht aan het uitvoeren, en opeens gooien een stel raketten en een paar Migs roet in het eten.'

Wolf lachte. 'Dat is leuk vliegen.'

'Nou ja, ík was tenminste slim genoeg om geen zand te happen.' Weer keek Grace de tafel rond en haar ogen bleven rusten op de handen van Bruce. Haar glimlach haperde even en Bruce moest zich bedwingen zijn handen niet in zijn zakken te stoppen. De wrijving van het koord had zijn handschoenen kapot geschroeid en zijn huid was rauw en zat vol blaren. Ze keek naar hem op: 'Ik ben je een drankje schuldig, geloof ik.'

Daar waren veel antwoorden op mogelijk – van 'Inderdaad, ik was het' tot 'Nou, het viel wel mee.' Hij beperkte zich tot een glimlach. 'Dat klopt.' Ze was bruin geworden sinds de vorige keer dat hij haar zag en het stond haar goed. Ze had sproeten gekregen. Haar zelfverzekerde uitstraling had niet geleden onder de spannende vlucht.

'Ik haal ze wel, Grace.' Wolf duwde zijn stoel weer achteruit. 'Wat wil je hebben?'

'Pilotenspecialiteit. Haal er ook een voor Bruce.'

Wolf kreunde en verdween naar de keuken. Bruce keek hem met opgetrokken wenkbrauwen na. Dit beloofde interessant te worden.

Grace leunde voorover en keek om Cougar heen. 'Hallo Beer.'

'Ha, Gracie.'

'Hoe gaat het met Kelly?'

Beer glimlachte bij de naam van zijn vrouw; hij was twee jaar getrouwd. 'Ze geniet van het leven in Virginia, al staat ze nog wat onwennig tegenover de sneeuw. Hangt de toerist uit. Jij hebt hoofdpijn.'

Ze knipperde met haar ogen, terwijl ze nadacht over een antwoord. Het was de eerste keer dat Bruce haar naar woorden zag zoeken en hij fronste toen het tot hem doordrong wat Beer had opgemerkt. Ze glimlachte weliswaar, maar de glimlach bereikte haar ogen niet. Die waren donker van de pijn. Een beginnende migraine? Een combinatie van G's, herrie en adrenaline was daar wel voldoende voor. 'Het omhulsel van de raket knalde door de kap', zei Grace tenslotte en bediende zichzelf van de restjes pizza.

Bruce wierp een snelle blik naar Beer. Allebei hadden ze heel wat neergestorte toestellen gezien. Wat ze niet zei, suggereerde heel veel.

Wolf kwam terug met twee glazen. 'Uw pilotenspecialiteit! Cola light, kersensap, twee verse kersen en een vleugje vanille. Hazelnoot hadden ze niet.'

Ze proefde en knikte goedkeurend. Wolf duwde het glas voor Bruce over de tafel naar hem toe en Grace gaf hem een knipoog. Hij keurde zijn drankje met iets meer voorzichtigheid. 'Smaakt goed.'

Ze grinnikte.

'Heb je al onderdak voor de nacht?' vroeg Wolf.

'Ja. Ik heb deze keer mijn tandenborstel meegenomen. Het is maar voor even; ik vlieg met de propellorvlucht van acht uur terug naar de GW.'

'Ik neem aan dat je liever uitslaapt dan samen met mij vroeg te ontbijten.'

Grace draaide Wolfs arm zodat ze op zijn horloge kon kijken. 'Absoluut.'

Beer leunde achterover en wisselde een veelbetekenende blik met de andere commando's. Even later kwam Dasher overeind. 'Over tijd gesproken, wij vertrekken om zeven uur. Mijn baas wordt boos als ik vlieg met minder dan vier uur slaap achter de kiezen.'

Ook Cougar stond op en hees Pup omhoog. 'Grace, ik breng het kind even naar bed. Hij is al veel te lang opgebleven. Als je nog eens op bezoek kunt komen, herinner me er dan aan dat ik een commando-specialiteit voor je haal.'

'Zal ik doen. Welterusten, jongens.'

Beer leunde voorover en gaf haar een kaart voor gratis telefoneren. 'Zorg ervoor dat Wolf Jill opbelt voordat je hem naar bed stuurt.'

'Met plezier, Beer.' Ze keek naar Rich, die ook opstond. 'Bedankt dat je Wolf veilig thuis hebt gebracht, in plaats van hem in de zandbak te laten zitten.'

'Ik was hem nog iets schuldig', antwoordde Rich luchtig. 'Welterusten, Gracie.'

De tafel liep leeg en zij bleven gedrieën achter. Wolf begon de tafel af te ruimen. De glazen flessen deed hij in de glasbak, voorzichtig, zonder te gooien.

'Vraag maar raak', zei Grace. Ze leunde achterover en keek naar Wolf. Bruce had het gevoel dat ze hem bewust even vergat. Haar volle aandacht was op Wolf gericht en ze keek naar hem met een rustige, maar intense blik. Als Bruce had kunnen vertrekken zonder hen te storen, had hij dat gedaan.

Wolf stopte zijn gescharrel met de flessen, draaide zich om en staarde haar aan. 'Er zit bloed op je laarzen.'

'Een bloedneus, van iemand anders', antwoordde Grace vlotjes. 'Een dekassistent kreeg een losgeraakte zuurstoftank tegen zich aan en viel tegen de toren.'

'En de vlucht? Hoe link was het nou echt?'

'Het was puur mijn eigen fout. Ik kwam bijna tot stilstand. De vleugelkleppen en het rolroer waren naar de haaien. Het vliegtuig had nog veel meer schade kunnen oplopen zonder de luchtwaardigheid te verliezen.'

'Het is niet de bedoeling dat jij jezelf uit de lucht laat schieten.'

'Ga nou geen ruzie maken om twee uur in de nacht.'

'En wat had ik dan tegen je pa moeten zeggen?' beet hij haar toe.

'Gewoon: ze deed precies wat ze graag wilde.' Grace nam zijn gezicht tussen haar beide handen. 'Maak je niet zo druk. We worden gezellig samen oud. Je bent familie. Je zit aan me vast.'

'Ach jij…' Wolf plantte een zoen op haar neus. 'Naar je bed, meissie.'

'Niet boos meer?'

'Als mijn hartkloppingen over zijn.'

Ze liet het blauwe kaartje dat ze van Beer had gekregen in zijn zak glijden. 'Ga Jill bellen.'

Wolf wierp een blik op Bruce. 'Ik breng haar wel naar haar kamer', beloofde die.

'Hoe laat is het daar nu?'

'Negen uur 's ochtends.'

Wolf stond op. 'Ik ga Jill bellen.'

Met haar handen op de rugleuning van zijn stoel keek Grace hem na; toen liet ze haar kin in haar handen rusten en keek naar Bruce: 'Heb ik dat goed aangepakt?'

Daar kon hij geen antwoord op geven. 'Hoe erg was het in werkelijkheid?'

'Nauwelijks controle meer. Negentig graden, bijna om mijn as getold, razendsnel hoogteverlies. Ik had mijn schietstoel niet eens kunnen gebruiken, al had ik gewild.'

'Je hebt je toestel gedwongen te vliegen.'

'Gedwongen, maar ook vertroeteld.'

Hij duwde een van de nog ongeopende flesjes water naar haar toe. 'Je hebt het uitstekend gedaan.' De wetenschap dat zij op een haar na neergeschoten was bij de dekking van hun aftocht uit Irak, zou hij morgen wel in stilte proberen te verwerken.

'Hoe kom jij eigenlijk aan de bijnaam Striker?'

Hij had het al jaren geleden opgegeven om te proberen de gedachtekronkels van een vrouw te volgen. Bruce strekte zich languit in zijn stoel, sloeg zijn enkels over elkaar en glimlachte naar haar. 'Augustus 1989, bij de kampioenschappen basketbal.' Het was een mooie herinnering. 'De PJ's speelden tegen de commando's in de divisiecompetitie. Ik kreeg een keiharde bal tegen me aan en ging plat op mijn gezicht; het is me nooit gelukt mijzelf te rehabiliteren.'

'Na meer dan tien jaar zit je dus nog steeds met die bijnaam opgescheept.'

Met een glimlach balde hij zijn vuist. 'Op de een of andere manier slaag ik er ieder jaar weer in de naam nieuw leven in te blazen.'

Ze lachte, zacht en spontaan. 'Ik wou dat ik een andere bijnaam had.'

'Waarom?'

'Volgens mij ben ik niet bijzonder gracieus.'

'Anderen vinden van wel. Ik in ieder geval.'

'Volgens Jill ben jij gespecialiseerd in aardig zijn. Ik geloof dat ze gelijk heeft.'

Haar woorden verbaasden hem. Kon ze zelf maar zien wat anderen in haar zagen! Haar belofte aan Wolf om samen met hem oud te worden had het hart van haar neef bijna doen smelten. Ze glimlachte naar hem en Bruce voelde zijn hart warm worden.

Hij had haar graag nog een tijdje aan de praat gehouden, maar dat zou niet eerlijk zijn. Ze had een langere avond achter de rug dan hij. Al uren voor die reddingoperatie moest zij van de GW opgestegen zijn. 'Heb je al iets geslikt tegen die hoofdpijn?'

'Ja.' Ze reikte naar de fles water. 'Wat vervelend, dat met je hand.'

'O, dat gaat wel over. Aan het eind van de afdaling schroeide de wrijving gewoon dwars door mijn handschoen.'

'Ik zat niet op het goede kanaal om het radioverkeer te kunnen volgen, maar ik kon wel zien dat jullie een interessante nacht aan het beleven waren. Was het een gewone missie?'

'Missies boven water zijn veel angstaanjagender.'

Ze knipperde met haar ogen. Haar lach beviel hem; hij klonk sprankelend. 'Je meent het.'

'We zijn getraind voor nachten als deze. Ik ben blij dat we er snel bij waren, en dat we hen er snel uit hadden.'

Ze keek hem onderzoekend aan, terwijl ze over zijn woorden nadacht. 'Het leek op Ecuador, alleen ging het sneller.'

Ecuador was veel en veel erger geweest. Hij had moeten aanzien hoe een man die hij probeerde te bereiken, door het hoofd geschoten werd. 'Dat klopt, ja.'

'Vind je de risico's moeilijk?'

Nee, alleen de mislukkingen. Maar aan een dergelijke geruststelling had ze vannacht niet veel. 'Niet echt', zei hij luchtig. 'Ik leef maar één keer en ik heb al heel jong besloten dat ik iets zinvols met mijn leven wilde doen. Als je kerels kunt redden uit levensgevaar is dat het risico wel waard.'

'Zo sta ik ook tegenover het vliegen. De liefde ervoor is me aangeboren.'

'Waarom de luchtmacht?'

'Ik heb een hekel aan langzaam rechtuit vliegen.'

Ze was onbetaalbaar. 'Dat doe je in de luchtmacht inderdaad maar zelden', gaf hij toe. Hij glimlachte naar haar en vroeg zich af hoe hij haar zover zou kunnen krijgen om hem eens mee te laten vliegen. Waarschijnlijk zou ze expres om haar as gaan tollen om hem te laten overgeven.

Grace schoof haar stoel naar achteren. 'Kom, help me eens de plek te vinden waar ik mijn spullen heb neergesmeten. Deze basis is zo groot dat ik beslist verdwaal.'

'Heb je je kamerticket?'

Ze trok de zak van haar vliegenierspak open. 'Hier ergens.' Hij wierp een blik op het papiertje dat ze tevoorschijn haalde. 'O, dat is simpel: het eerste gebouw na het fitnesscentrum. Wel een eind hier vandaan.'

'Ben jij eerder op deze basis geweest?'

'Een paar keer. Het is ons hoofdkwartier voor operaties in deze regio. Ze hebben een geweldige bowlingbaan, trouwens.'

Ze liepen naar buiten. De nacht was aangenaam koel en de sterren schitterden. 'Ik weet niet of ik wel zal kunnen slapen op een bed dat niet heen en weer wiegt.'

'Ik vermoed dat de uitputting voldoende compensatie biedt.'

Ze passeerden het cultureel centrum. 'Deze kant uit.' Bruce wees naar links, maar zij stond stil en keek naar alle kanten. 'Als ik niet beter wist, zou ik denken dat we op een basis in de VS waren. Je kunt duidelijk zien dat de Amerikanen hebben meegeholpen bij de bouw van dit stuk van de basis. Zelfs de gebouwen zien er precies zo uit als thuis.'

'Heimwee?'

'Soms. Ik mis vooral de kleine dingen. Mijn appartement ligt boven een bakkerij. Ik mis de geur van vers brood als ik 's ochtends wakker word. Naar de film met Jill. De cartoons in de zondagskrant. En jij?'

'Popcorn.'

'Meer niet?'

'Jouw gezelschap heb ik al.'

'Vleier.'

'Het is nu eenmaal zo. Dingen die ik mis – de avonden op het strand horen er ook bij. Daar ben ik het grootste deel van mijn tijd. Ik ben iemand met eenvoudige behoeften.'

'In de uitblaasruimte op de GW kun je popcorn en softijs krijgen.'

'Bij ons hebben ze betere films.'

Ze knikte toegeeflijk. 'Dat moet ik toegeven.' Achteruit lopend vulde ze haar lijst nog verder aan: 'Ik mis drukke straten en een bibliotheek en een tv met heel veel kanalen, maar niks dat de moeite waard is om naar te kijken, supermarkten met afgeladen schappen, de repetitie van het kerkkoor, de zaterdagse volleybaltraining, junkfood in megaporties, ijscowinkels, openbaar vervoer op iedere straathoek, elke dag post…'

Zijn grijns werd breder naarmate de lijst langer werd. 'Je hebt echt heimwee.'

'Meer dan ik dacht. Zes maanden is een lange tijd.'

'Des te meer waardeer je het straks om weer thuis te zijn.'

'Dat is waar.'

Ze liepen langs het fitnesscentrum. 'Daar moet je zijn.'

'Waar zit jij precies?'

'Een klein eindje terug.' Hij liep met haar mee tot aan de deur. 'Misschien is het een goed idee om een paar weken tijd te besparen en je deze brief gewoon te overhandigen.' Hij trok hem uit zijn zak.

'Had je hem al die tijd bij je?'

'Ik was net begonnen aan een P.S. toen we de oproep kregen.'

Ze nam de brief aan. 'Ik denk dat ik hem maar tot morgenochtend zal bewaren.' Het gezicht dat hij trok, maakte haar aan het lachen. 'Geintje. Ik ben gek op post.'

'Mooi zo. Ik heb genoten van jouw brief.'

Ze bekeek de brief en schuifelde met haar voet over het beton. 'Bedankt voor wat je vannacht hebt gedaan. Ik had me geen raad geweten als Wolf iets was overkomen.'

Bruce begreep het volkomen. 'Geen dank, Grace.' Ze keek naar hem op en hij glimlachte naar haar. Hun relatie was nog te pril om elkaar goedenacht te wensen op de manier die hij het liefste wilde. 'Het was fijn om je vanavond te zien, ook al was het onder deze omstandigheden.'

Ze duwde de glazen deuren open. 'Zou je iets voor me willen doen?'

'Natuurlijk.'

'De volgende keer dat Wolf naar rechts duikt, als het links moet zijn – zoek een fototoestel en maak een foto voor me.'

Hij lachte. 'Dat zal ik doen. Welterusten, Gracie. Slaap lekker.'

De kamer was bestemd voor één persoon. Hij bevatte een koelkastje, een klerenkast, een toiletruimte, een bureau met boekenplank en een tweepersoonsbed. De muren waren kaal en op de tegelvloer lag een kleed, netjes in het midden met het meubilair eromheen. Na al die maanden in een krap stapelbed met een blauw gordijntje voor de privacy, was de ruimte Grace bijna teveel. Ze plofte neer op het bed. Als je maar lang genoeg vocht tegen de slaap, kwam er een punt waarop je lichaam niet langer protesteerde. Ze wist dat ze vast in slaap zou zijn, zodra ze haar ogen sloot. Eerst moest ze de brief lezen.

De envelop was aan haar geadresseerd, maar nog niet dichtgeplakt. Ze trok er drie velletjes uit. *Dank U, Heer. Dit is een geweldig einde van deze avond.* Ze had het echt gemeend, toen ze zei dat ze gek was op brieven. Het waren lichtpuntjes in je ziel.

Ben had haar regelmatig geschreven, maar zijn korte briefjes waren niet veel anders geweest dan die van Wolf. Ze had hem heel goed gekend. Als hij zei dat hij haar miste, legde hij daarmee zijn hele ziel voor haar bloot. Ze had al zijn brieven bewaard. Ze vermoedde dat ze vanaf nu ook de brieven van Bruce zou bewaren.

Hij vond het leuk om een gesprek te voeren op papier. Ze merkte het al bij de eerste alinea's, die dezelfde losse stijl vertoonden als zijn eerste brief. Zijn woorden over het parachutespringen maakten haar aan het lachen, maar daarna werd de toon van de brief ernstig. 'Het leger leert je dat je niet gehecht moet raken aan een plaats of een ding, maar aan mensen.' Ze draaide de punt van de deken om haar vinger. Zijn kijk op het leven beviel haar en ze was het roerend met hem eens.

'Ben had je foto altijd bij zich.' Hier was ze niet op voorbereid.

'Ik weet zeker dat de leegte je op rustige momenten wel eens aanvliegt, maar God kan die leegte opnieuw vullen.' Onder het lezen vocht ze tegen haar tranen. Bruce wist niet half hoe waar het was wat hij zei. Hij hoefde de leegte maar even te noemen en de emoties overweldigden haar. Ze miste de bijzondere vriendschap met Ben zo ontzettend en vond het verschrikkelijk dat ze geen afscheid van hem had kunnen nemen.

De brief ging verder over Ecuador en Wolf; langzaam draaide ze de velletjes om.

'Mijn partner Rich was bij de eerste reddingspoging gewond geraakt en dus werd Wolf mijn assistent. Bij wijze van geintje zegt hij wel dat hij verslaafd is aan adrenaline, maar als je hem nodig hebt, Grace, is hij de rots in de branding die doet wat er gedaan moet worden.' Bruce kende haar neef goed. Het was een opluchting voor haar dat de vriendschap tussen beide mannen zo diep en hecht was.

Johannes 14:27.

Waar was een Bijbel te vinden, als je er een nodig had? Ze boog zich naar het bureau waar ze haar tas had neergezet. Als er nog ruimte over was naast de stapel vluchtdocumenten, nam ze altijd haar zakbijbeltje mee. Ze was vreselijk benieuwd wat Bruce had uitgekozen en vond het vers al gauw.

'Ik laat jullie vrede na; mijn vrede geef ik jullie, zoals de wereld die niet geven kan. Maak je niet ongerust en verlies de moed niet.'

Ze las de tekst twee, drie keer en de gedachte kwam bij haar op dat ze haar correspondentievaardigheden flink moest opvijzelen als ze Bruce een brief van dit niveau terug wilde schrijven. Zo op het eerste gezicht was het een brief uit de losse pols, maar de inhoud zat hecht in elkaar: eerst maakte hij een losse opmerking over dagelijkse dingen om die vervolgens in perspectief te plaatsen en vandaaruit zijn mening te geven. Hij was iemand met een boodschap, iemand die iets te zeggen had en dat ook deed op een manier die tot nadenken stemde. Ze las de brief nog eens over en diep in haar hart begon zich iets te roeren wat niemand anders ooit had proberen te raken. Ze zag het postscriptum en schoot in de lach.

'P.S. Wat is er volgens jou aan de hand tussen Jill en Wolf?'

Ze grabbelde naar pen en papier.

Dertien

De hond had haar hart gestolen. Jill hield de achterdeur open en wachtte rustig tot de labrador de stoeptreden had geïnspecteerd. Bruce had een hond aangeschaft die minstens honderd jaar oud was. 'Kom, lieverd.'

Jill had voor morgen een afspraak met de dierenarts gemaakt. Als het geen artritis was – bij tijden rende de hond nog heen en weer als een puppy – dan had het misschien iets met staar te maken. Ze begon te vermoeden dat de hond op haar gehoor en reuk afging om de weg te vinden.

Emily liep voor haar uit de keuken in. Het was leuk om gezelschap te hebben. Jill zette de boodschappentassen op het aanrecht. Ze had vroeg op moeten staan om nog even naar de supermarkt te kunnen gaan, maar de eieren en het brood waren op en ze wilde een omelet bakken voor het ontbijt.

Op haar programma voor deze ochtend stond het opruimen van het appartement van Tyler Jones. De technici van het forensisch lab waren grondig te werk gegaan; het stof waarmee ze naar vingerafdrukken hadden gezocht, zat werkelijk overal. Gisteravond had ze in de doe-het-zelfzaak verf gekocht om de muren een likje te geven. Ze hoopte vandaag de eerste berichten van de verzekeringsagent te krijgen en dan zou ze komend weekend gaan winkelen om de gestolen voorwerpen te vervangen.

Deze middag zou de aannemer de balie af hebben die werd geplaatst in de ontvangstruimte van haar onlangs gehuurde kantoor. Een jaar lang had ze moeite gedaan om voor haarzelf en Terri een kantoor te vinden dat dichter bij de klanten in de buurt stond, en nu daagde er eindelijk licht aan het einde van de tunnel. Alleen de gedachte aan haar programma voor die dag maakte haar al moe.

'Wil je lamsvlees of rosbief?' Ze hield de hond beide blikjes voor. Aangezien Bruce alle kosten van de logeerpartij betaalde, kreeg de hond eersteklas voedsel. 'Lamsvlees? Oké, dan wordt het lamsvlees.'

Ze gaf de hond zijn eten en ruimde de boodschappen op. Bij de kalender aan de muur stond ze even stil en zette een groot kruis door de elfde mei. Nog maar tweeëndertig dagen en dan kwam Wolf weer thuis, en over achtenveertig dagen Bruce. Uit de met stof overtrokken doos op het aanrecht, naast de broodrooster, trok ze een opgevouwen stuk papier. Met haar ellebogen op het aanrecht geleund vouwde ze het open en las. Haar lach maakte de hond aan het schrikken. 'Sorry, Emily.' Ze hield het papiertje omhoog. 'De verrassing voor vandaag is een tochtje naar het huis van Grace om de ramen op te meten voor de nieuwe luiken. Wat een afknapper, hè?' Emily liep naar haar toe en Jill aaide over haar vacht. 'Ik ben het met je eens – het haalt het niet bij een ritje naar het park. Maar ik heb gisteren veel te veel van je gevergd. Vandaag kun je je lekker oprollen en slapen, terwijl ik aan het werk ben.' Ze kon bij Grace langsgaan op weg naar het nieuwe kantoor.

Het papiertje stopte ze in haar agenda en daarna begon ze de omelet te maken, meeneuriënd met een liedje op de radio.

Ze kon zichzelf wel een schop geven dat ze Wolfs telefoontje was misgelopen, ook al had ze er niks aan kunnen doen, zo druk als ze het had gehad met de politie. Ze zou iets moeten zien te vinden om in zijn volgende pakketje mee te sturen, als een speciale spijtbetuiging. Ze had uiteindelijk een nieuw bandje in het antwoordapparaat gedaan; ze wilde Wolfs boodschap niet wissen, maar ook niet iedere keer horen hoe de verwachtingsvolle klank van zijn stem omsloeg in teleurstelling, toen hij zich realiseerde dat ze niet thuis was.

Het ging goed. Het was erg warm. Hij was Bruce tegengekomen en met Bruce ging het ook goed. Hij had haar laatste pakje ontvangen; had zij zijn brief ook gekregen? Hij zou proberen opnieuw te bellen, maar wist niet wanneer en waar dat zou lukken. Hij miste haar.

Had hij die laatste drie woorden er nou echt bij moeten voegen?

Ze miste hem ontzettend. Tijdens een uitzendingsperiode kon ze haar hele sociale leven net zo goed in de ijskast zetten. De belangrijkste mensen in haar bestaan waren overzee en haar dagen bestonden uit ondersteunende activiteiten. Binnenkort was het driemaandelijkse feest voor de families aan de wal. Ze zou iedereen zijn naam laten zetten op een paar grote kaarten, voor elk squadron een, ze zou een heleboel foto's maken en videoboodschappen opnemen, die in de readyrooms konden rouleren. Tijdens het ontbijt maakte ze lijstjes en probeerde spelletjes voor de kinderen te bedenken.

Een blik op haar horloge deed haar haastig haar stoel achteruit schuiven. 'Emily, ben je zover?' De hond lag onder de keukentafel, als altijd dicht bij haar in de buurt.

Jill droeg de vuilniszak naar buiten en probeerde hem in de container te proppen; de zak scheurde open. Binnen ging de telefoon. Geërgerd overzag ze de rommel en de afstand tot het huis. Ze liet de rommel liggen en haastte zich de trap op, in de hoop dat de hond niet nieuwsgierig zou worden, er iets van eten en overgeven.

'Hallo?' Ze was buiten adem en hoorde geen reactie, alleen geruis. 'Hallo?'

'Jill?'

Er zat een echo op de lijn, maar de stem was onmiskenbaar die van Wolf. 'Wolf, hallo!' De dichtstbijzijnde stoelen lagen vol. Ze liet zich op de vloer zakken en leunde tegen de muur, met de hoorn in haar hand geklemd. 'Waar ben...'

'Jill, met Wolf.'

De woorden kwamen met vertraging door; ze praatten door elkaar heen. Bijtend op haar lip wachtte ze tot hij de leiding van het gesprek zou nemen.

'Ik trof je niet thuis de vorige keer. Ik was bezorgd.'

Altijd eerlijk zijn, was het advies van Grace, maar dit was een slechte gelegenheid om dat uit te proberen en hem te vertellen over de drie inbraken. Ze wilde niet dat hij over haar in zat; en nog minder wilde ze de kostbare telefoonminuten aan dat onderwerp verspillen. 'Ik was laat terug van een klant.' Het was niet echt een goed antwoord, maar het was ook geen leugen. Alleen ging er wel de suggestie vanuit dat ze hem niet belangrijk genoeg vond om op tijd voor zijn telefoontje thuis te zijn, en dat zat haar niet lekker.

'Heb – nieuws gezien?'

'Is er iets gebeurd?' Ze grabbelde naar de afstandsbediening die op het aanrecht lag.

'Bruce is in orde en Grace ook. – getroffen – radarin –'

Hij viel weg; het was niet eerlijk. 'Wat is er gebeurd?' De tv ging aan en ze draaide het geluid weg. CNN bracht het laatste nieuws in de onderste balk. In beeld was een woordvoerder van het Pentagon.

'Het is goed met iedereen. Waa – verbinding. Ik mis je.'

'Ik mis jou ook', zei ze met stemverheffing. Daarna klonk er opnieuw alleen nog maar geruis. Na een minuut accepteerde ze het feit en hing op. Ze wachtte tien minuten, maar hij ging niet nog een keer. De woordvoerder van het Pentagon sprak over luchtaanvallen op Irak om de luchtdoelbatterijen uit te schakelen. Ze deed de tv uit; het maakte haar alleen maar overstuur. In Turkije was het nu twee uur na middernacht. Wolf had haar blijkbaar direct na afloop van de operatie gebeld.

Heer, ik vind het zo moeilijk te moeten leven met die voortdurende onzekerheid over wat hun zou kunnen overkomen. Het maakt me tot een emotioneel wrak. Boos veegde ze de tranen uit haar ogen. Nu was ze helemaal van slag geraakt. *Dank U dat U hen bewaard hebt.* Ze hield zichzelf voor de gek door te denken dat ze tegen een relatie als deze was opgewassen.

Een luchtaanval op Irak betekende dat Terri vandaag op kantoor plat gebeld zou worden door verwanten die allemaal een speciale boodschap wilden sturen naar hun geliefde op de GW. Jill had zelf ook een aantal berichten te verzenden – korte briefjes met goede wensen en nieuwtjes van het thuisfront; sommige daarvan konden per e-mail, andere gewoon per post. Sommige kinderen van de vliegclub waren zo gespannen onder de afwezigheid van Grace dat ze Jill iedere week belden om te vragen of die nog iets van haar had gehoord. Ze zou ze vandaag moeten bellen. Jammer genoeg had ze dit noodplan al vaker moeten uitvoeren.

Ze wou dat ze weer thuis waren. Ze wou niets liever dan dat ze allemaal weer veilig thuis waren. Ze wou dat ze gewone burgers waren.

Ze pakte haar portemonnee en haar sleutels. De hond was languit op de bovenste trede van de stoep gaan liggen. Er zat tomatensaus op haar snuit. Jill ging naast haar zitten en begroef haar gezicht in de warme vacht.

Ik wil vertrouwen hebben en evenwichtig zijn. Het is niet eerlijk dat zij alles aankunnen en dat ik altijd de zwakke schakel ben. Ik wil alleen maar een beetje geborgenheid. Ik ben het zat om steeds maar weer bang te moeten zijn.

Ze hees zichzelf overeind en ging de vuilnis opruimen.

LUCHTMACHTBASIS INCIRLIK, TURKIJE

Bruce merkte dat Wolf met Jill aan het praten was en deed een stapje terug. Hij liep naar de bank tegenover de kiosk en ging daar zitten wachten. Uiteindelijk hing Wolf op en kwam naar hem toe.

'Hoe gaat het met haar?'

'De verbinding was beroerd.'

Bruce wachtte, maar Wolf deed er verder het zwijgen toe. 'Denk je dat ik erdoor zou komen?'

'Ik heb een paar keer geprobeerd terug te bellen, maar de lijn bleef dood. Ik raad je aan het morgenochtend nog eens te proberen, voor we vertrekken. Zullen we eens naar het vliegtuig van Grace gaan kijken?'

Bruce keek Wolf eens aan en vroeg zich af waarom deze van onderwerp veranderde. De man zag er gespannen uit en per slot van rekening was het zíjn zus aan de andere kant van de lijn. 'Nee, ik denk niet dat ik dat er vannacht nog bij kan hebben.' Eigenlijk dacht hij dat het voor Wolf nog eerder te veel zou zijn.

Wolf ging naast hem zitten. 'We moeten ons bed maar eens opzoeken en het verder voor gezien houden. Ik ben op.'

'Alles goed met Jill?'

'Ze had het nieuws over de aanval nog niet gehoord.'

'Oh.'

Wolf staarde naar zijn laarzen en schudde zijn hoofd. 'Nu zit ze zich natuurlijk zorgen te maken.'

'Ze kan er wel tegen.' Een grote troost was dat niet. Jill had hierin nu eenmaal geen keus, ze zou wel moeten. Bruce had met zijn zus te doen; hij wist hoe moeilijk ze dit vond. CNN zou de komende dagen dit verhaal tot en met uitmelken, en Stateside Support zou een stortvloed van vragen te verwerken krijgen.

'Ze had mijn vorige telefoontje gemist, omdat ze te laat terug was van een klant.'

'Daar kon ze waarschijnlijk niets aan doen.'

'Het tijdstip was anders haar idee.'

Bruce knipperde met zijn ogen. Wolf was nijdig. Kwaad op zichzelf, op de situatie, op het feit dat hij niet met Jill had kunnen praten voor de luchtaanval plaatsvond. Hij zuchtte. Hij begreep de situatie volkomen: Jill zat aan de andere kant van de wereld en Wolf kon niets doen om haar gerust te stellen. 'Het gesprek liep anders dan je verwachtte.'

'Ja.'

Zo kon het niet langer. Bruce wreef over zijn gewonde hand. 'Ga je met haar trouwen?' vroeg hij plompverloren. Hij moest maar eens in Wolfs leven gaan zitten stoken; het was de hoogste tijd.

Wolf glimlachte droevig. 'Ik had gedacht dat jij daar nou niet bijster enthousiast over zou zijn.'

'Daar ben ik ook niet helemaal uit. Maar het voortdurend uitstellen van de beslissing doet jullie ook niet bepaald goed. Ze wordt volgende week dertig. Misschien zou ze je afwezigheid beter kunnen verdragen als ze wist dat jullie bij elkaar horen.'

'Die afwezigheid is niet haar grootste probleem; eerder het feit dat we waarschijnlijk om de zoveel jaar moeten verhuizen. Ze heeft wat dat betreft slechte herinneringen aan haar jeugd, aan alle vrienden die ze daardoor in de loop van de tijd is kwijtgeraakt.'

'Ze zegt maar wat. Iedereen verhuist tegenwoordig. Ze is er nu beter tegen bestand dan ooit; ze voelt zich snel thuis in de militaire gemeenschap en is in staat sterke vriendschappen te onderhouden. Ze weet alleen niet of ze het leven van een legervrouw kan accepteren.'

'Nou ja, ze is wel meegegaan om naar ringen te kijken.'

'Echt waar?' Bruce had graag doorgevraagd, maar hij wilde liever niet te ver gaan.

'Ze heeft het in overweging.' Wolf keek hem aan. 'Je bent duidelijk van streek na vannacht. Is er nog iets anders?'

'Ja.' Bruce besloot ook iets van zichzelf bloot te geven. 'Vertel me eens wat er gebeurd is met Grace en Ben.'

Het was vroeg in de ochtend en vochtig warm. Waar was Jill? Onderweg naar de standplaats liep Bruce inwendig te foeteren, gefrustreerd omdat hij haar niet te pakken had kunnen krijgen. Ze was niet in haar kantoor en nam haar mobieltje niet op. Hij smeet zijn uitrusting achter in de Pave Low helikopter. Hij was er als eerste van de bemanning; de andere PJ's had hij bij hun ontbijt achtergelaten.

Op de zijbank lagen zijn helm en zijn vest. In zijn helm was een envelop gestoken. Verbaasd ging hij zitten en viste hem eruit. Het handschrift van Grace. Had ze iemand gevraagd de brief te bezorgen? Hij had haar vanochtend nog even willen zien, maar wist dat ze het druk zou hebben met de hoofdmonteur en dat ze zich moest haasten om de vlucht naar de GW te halen. Zijn gezonde verstand had hem gewaarschuwd haar niet bij haar werk te storen.

Hij maakte de brief open, benieuwd naar wat ze hem zo vroeg in de morgen had geschreven. Onder het lezen verdween de glimlach van zijn gezicht. De afgelopen nacht had niet alleen in het leven van Wolf en hemzelf een schok teweeggebracht, maar ook in dat van haar.

Bruce,

Je schrijft echt geweldig.

Dit briefje wordt maar kort, omdat ik het je dan nog op de een of andere manier kan bezorgen voordat je morgenochtend vertrekt. Ik wil allereerst zeggen dat ik van de mannen in mijn leven veel heb geleerd – van mijn vader, van Wolf en van Ben. Vannacht heb ik ook iets van jou geleerd.

Ben heeft me geleerd hoe ik het gevaar kon hanteren, hoe ik het kon begrijpen en het effect ervan minimaliseren; hij leerde me om te trainen voor elke noodsituatie en om goede voorzorgsmaatregelen te nemen, zodat de aaneenschakeling van fouten die vaak aan een ramp voorafgaan al in een vroeg stadium doorbroken kon worden.

Wolf heeft me de liefde voor het leger bijgebracht. Door hem heb ik geleerd dat het heerlijk is om deel uit te maken van een groter geheel, van een team. Ik wil je bedanken dat jij ook bij dat vangnet hoort. Hij kan zijn werk doen, omdat jij klaarstaat om het jouwe te doen. Bedankt dat je me Wolf hebt teruggegeven.

Wat een prachtige tekst is Johannes 14:27. Dat had ik vannacht net even nodig. De afgelopen jaren heb ik niet veel innerlijke vrede gekend.

Je schrijft over de luchtshow. Op de reis erheen hebben Ben en ik onze eerste ruzie gehad. Hij wilde trouwen en ik zag daar geen kans toe. Hij werkte en trainde in Houston, en zijn lanceerbasis was Cape Canaveral in Florida; bovendien had hij een stage in het verschiet van negen maanden op een trainingslocatie in Rusland. Ik was gelegerd in Virginia en moest elke keer voor zes maanden naar zee. Het was gewoon niet te doen. Op dat moment zag ik het als de enig mogelijke beslissing. Nu is het de enige beslissing waar ik hevige spijt van heb.

Wat is jouw geheim, Bruce? Hoe houd jij jezelf bij elkaar? Uit de rustige manier waarop je Ecuador bagatelliseert en de ontspannenheid waarmee je de afgelopen nacht hebt doorstaan, blijkt dat jij wel innerlijke vrede kent. Jij hebt me laten zien dat het mogelijk is. Als ik op zee ben, is mijn leven gevuld, maar aan de wal is het incompleet. Ik zie alleen niet hoe het allebei zou kunnen; deze baan vraagt alles van me. Ik kan niet alles tegelijk.

Sorry, ik zit te klagen. Dat komt alleen maar omdat ik moe ben…

Volgens mij komen Wolf en Jill vroeg of laat op een beslissend punt. Hun relatie is goed, de liefde wederzijds en diepgaand. Wolf is volwassener geworden sinds Ecuador. Hij is klaar voor iets blijvends. Jill is een wijze vrouw. Ze denkt na over de betekenis van een vaste verbintenis; ze zou vrijwillig alles moeten aanvaarden wat erbij hoort als je de vrouw bent van een militair. Ze zal de juiste beslissing nemen.

God zegene je,
Grace

2 Samuël 22:1-4, 32-33

Dit zijn de woorden van het lied dat David voor de HEER aanhief toen de HEER hem aan de greep van zijn vijanden had ontrukt, ook aan die van Saul. Hij zei:

HEER, mijn rots, mijn vesting, mijn bevrijder,
God, mijn steenrots, bij u kan ik schuilen,
mijn schild, kracht die mij redt, mijn burcht,
mijn toevlucht, mijn redder, u redt mij van het geweld.
Ik roep: 'Geloofd zij de HEER,'
want ik ben van mijn vijanden verlost.

Wie anders is God dan de HEER,
wie anders een rots dan onze God?
De God die mijn sterke vesting is
baant een volmaakte weg voor mij.

Bruce sloot zijn ogen, overmand door emoties bij deze woorden. Eindelijk begreep hij hoe hij toegang zou kunnen krijgen tot de geheime bron van de mens die Grace was. Jill dacht in gevoelens. Tot nu toe had hij niet kunnen ontdekken hoe hij Grace kon karakteriseren, maar zij dacht in vragen. De toegangscode voor de bron bestond uit vragen.

Ze was een piloot; ze was getraind als piloot en ze dacht als een piloot. Ze voelde zich op haar gemak als ze gebeurtenissen kon voorzien, als ze de dingen voor kon zijn. Hij begreep haar gevoelens als ze terugkeek op haar leven met Ben. Op een bepaalde manier was hij blij dat ze die last met zich meedroeg; het maakte hem duidelijk dat haar relaties diepgang hadden. Ze waren belangrijk voor haar en een tragedie liet diepe wonden achter.

Hij dacht even na, trok zijn notitieblok tevoorschijn en schreef bij wijze van antwoord maar één vraag:

'Grace, hield je van hem?'

Veertien

'Heb je mijn cadeautje gekregen?' vroeg Grace. Ze perste de hoorn tegen haar ene oor en bedekte het andere om Jill te kunnen verstaan. De rij satelliettelefoons op het derde dek, vlak bij het postkantoor, was een recente aanwinst. Ze waren zeer populair en je moest jezelf opgeven voor een beurt van tien minuten of anders in de rij wachten tot iemand anders zijn beurt liet overgaan.

'Het is prachtig! Dank je wel.' De stem van Jill klonk hol en er zat een echo op de lijn, omdat de storm die buiten woedde storingen veroorzaakte. 'Ik heb de miniaturen er al in gezet. Ze komen heel mooi tot hun recht onder het licht.'

'Wat heb je van Wolf gekregen?'

'Een schitterende sieradendoos. En samen met Bruce heeft hij me nog eens extra verrast met een nieuwe eettafel.'

'Geweldig! Ik hoopte al dat ze dat voor elkaar zouden krijgen.'

'Terri van kantoor zat in het complot. Toen ik thuis kwam, stond die nieuwe tafel daar met een enorme taart erop en de huiskamer zat stampvol met wel veertig mensen. Er was ook een reusachtige kaart met honderden namen. Dat heb jij zeker geregeld op het afscheidsfeest?'

'Klopt. Dus je had een leuke dag?'

'Fantastisch', verzekerde Jill.

'Kan Bruce of Wolf je nog opbellen?'

'Dat hebben ze net gedaan', antwoordde Jill en ze leek daarover nog enthousiaster dan over het cadeau. 'Ze hadden een verbinding geregeld via een satelliettelefoon die ze van een Britse eenheid hadden geleend. Ik heb er absoluut geen verstand van, maar het klinkt wel als iets wat zij voor elkaar zouden weten te boksen.'

'Inderdaad.' Grace leunde tegen de stalen gangmuur, in haar nopjes dat het de jongens gelukt was te bellen. 'Heb je Wolf die romantische kaart al gestuurd?' In de brieven van Wolf en Jill had ze tussen de regels door wel gelezen dat er iets moois aan het opbloeien was. Dat werd tijd ook.

'Grace, ik durf niet. Als hij het nou niet leuk vindt?'

'Hou op zeg; het ligt er duimendik bovenop dat het over hem gaat.'

'Maar als iemand nou toevallig over zijn schouder meeleest? Hij zal me wurgen.'

'Blozen is goed voor een vent.'

'Ik zal erover nadenken.'

De tijd raakte op, maar ze wilde Jill nog niet kwijt. Grace miste haar. Ze verlangde hevig naar zo'n ouderwets vrouwenavondje: lekker bijpraten over allerlei nieuwtjes, nagellak en krulspelden uitwisselen en modetijdschriften doorbladeren. 'De tijd is op, Jill, ik moet ophangen. Nogmaals gefeliciteerd, en nog vele jaren.'

'Dank je; je cadeau was echt super. Goed om je stem te horen. Wees voorzichtig!'

'Ik schrijf je', beloofde Grace en nam afscheid. Ze hing op en stond haar plaats af aan de matroos die achter haar stond te wachten. Iedereen aan boord miste wel iemand van thuis.

Het schip kende geen vrije weekenden, maar toch heerste er een speciale vrijdagsfeer. Gedurende het weekend ging het er bij alle diensten wat meer ontspannen aan toe; er was tijd voor het bijwerken van de administratie, de onderhoudsteams hadden gelegenheid hun achterstand in de onvermijdelijke reparatiewerkzaamheden in te halen en de bevoorradingsschepen konden de winkels weer bijvullen. In de kantine werden vanavond bij wijze van speciale maaltijd gegrilde spareribs geserveerd en de officieren van de dienst Welzijn en Moreel hadden gezorgd voor nieuwe films.

Ze voeren nu ten zuiden van Kreta, op weg naar de Rode Zee en de Perzische Golf. Door de storm waren de vliegoperaties tot een minimum beperkt. De enige vliegtuigen die de lucht in gingen, waren degene die moesten zorgen voor het protectiescherm boven de kleine gevechtsvloot. Was operatie Northern Watch al spannend geweest, nu voeren ze pas echt de problemen tegemoet. De bescherming van Koeweit vereiste een zwaar vluchtschema.

Grace begon aan de lange terugweg naar haar hut. Op deze diepte in de ingewanden van het schip bevond zich de thuisbasis van de matrozen die het schip varende hielden. Er waren maar weinig herkenningspunten. In de gangen waren om de zoveel meter waterwerende drempels aangebracht waar ze overheen moest stappen.

Aan weerszijden van de gangen had je de wasserij, de winkels met machineonderdelen, de supermarkt en een kantine waar vijfhonderd matrozen tegelijk de maaltijd konden gebruiken. Op het dek eronder bevonden zich de kernreactoren en de turbines. Ze liet deze kant van de marine maar al te graag over aan de mensen die al generaties lang zeemansbloed in hun aderen hadden.

Het was het eerste wat ze altijd tegen een groentje zei: zorg ervoor dat je de readyroom van je squadron weet te vinden, evenals je eigen hut en de uitblaasruimte waar je in je vuile werkkloffie kunt eten. Je kon wekenlang werken, slapen en eten zonder ooit tot deze diepte in het schip af te dalen.

Er was een enorme airconditioninginstallatie aan boord, allereerst bedoeld voor de koeling van de elektronische oorlogsapparatuur die in het zenuwcentrum van het vliegdekschip was gepropt, en in tweede instantie om het schip aangenaam koel te houden. Wanneer ze eenmaal waren aangekomen in de warme wateren van de Golf, zouden de lagere regionen van het schip in een sauna veranderen.

Ze klom de eerste ladder op naar het tweede dek. Daar liep ze op een holletje door de gang naar de volgende ladder.

Nu was ze op vertrouwd terrein. Ze kwam bij het hangardek, met een lengte van meer dan twee voetbalvelden in het hart van het schip. Hier konden meer dan zestig toestellen staan. Op dit moment stonden er ongeveer dertig, de rest stond buiten in weer en wind, met kettingen vastgeklonken aan het dek.

Aan de achterkant van het schip was het hangardek blootgesteld aan de elementen. Daar viel somber stormgrauw daglicht naar binnen. De storm was niet zo hevig dat de massieve luiken gesloten moesten worden. Overal waren mensen druk in de weer en lieten vliegtuigen je een kijkje in hun binnenste nemen. Dit schip had alles aan boord wat nodig kon zijn voor elke denkbare reparatie aan het schip zelf of aan een vliegtuig. De onderhoudsmensen hadden hier zelfs een enorm platform tot hun beschikking waar ze een gerepareerde motor op volle kracht konden laten draaien om hem te testen.

De echo's van een ratelende donderslag rolden door de open hangar, alsof er nog niet genoeg lawaai was. Grace wierp nog een laatste blik naar buiten en draaide zich toen om voor de rest van haar tocht naar de hut.

De regen was een zegen en een ergernis tegelijk. Ze had erom gebeden, maar hij viel op de verkeerde plaats, namelijk op zee en niet op het land. Het gevolg van deze storm zou zijn dat de droogte in het binnenland alleen maar erger werd, omdat de opgebouwde energie in de atmosfeer al was afgevoerd.

Een uur nadat ze Jill had gebeld, arriveerde ze eindelijk bij haar hut. Die was met twee mensen al overvol en een derde liep onmiddellijk in de weg. Daarom schoof Grace de opgehangen en gestreken blouses aan de kant en gleed op haar bed. Ze had nog dertig minuten voor haar zesurige dienst als squadronofficier zou beginnen.

Ze pakte het boek dat ze in een hoekje van haar bed had weggestopt. Het was een verfomfaaide paperback met ezelsoren, een exemplaar van Mark Twains *A Connecticut Yankee in King Arthur's Court*, meegestuurd in een pakje van Bruce dat dit weekend was aangekomen. Er was weliswaar een bibliotheek aan boord, maar dat was een hele tippel en ze ging vrijwel nooit die kant uit, behalve op zondag voor de kerkdienst in de kapel. Bovendien kon geen enkel bibliotheekboek tegen dit geschenk op. In de kantlijn had Bruce glimlachende gezichtjes en uitroeptekens gezet, en hij had stukken onderstreept. Het was een fascinerende, zij het ongebruikelijke manier om gedag te zeggen. Ze merkte dat hij in haar belevenissen tijdens deze missie een vaste plaats aan het veroveren was; steeds vaker was hij in haar gedachten.

'Hield je van hem?'

Ze had nog niet op zijn laatste brief geantwoord, had nog steeds moeite om de juiste woorden te vinden. Ze was blij dat Bruce niet altijd zo indringend deed. Inmiddels was ze wel zo wijs dat ze zijn brieven pas openmaakte als ze tijd had om ervoor te gaan zitten en ze met aandacht te lezen. Hij vertelde haar verhalen over Wolf om haar op de hoogte te houden van wat er gebeurde, vertelde over zijn eigen belevenissen met een droge humor en probeerde door te dringen in haar gevoelens – en dat allemaal in een en dezelfde brief.

De eenzaamheid op deze reis bleek maar betrekkelijk. Zijn brieven bleven maar komen en vulden al haar vrije ogenblikken. Later deze avond zou ze haar brief aan hem afmaken.

Heer, dit is een fascinerende vriendschap; ik wou dat ik wist waar het op uitloopt. Het zal vreemd zijn om hem na deze reis weer terug te zien en rechtstreeks met hem te kunnen praten. In brieven ga ik vaak dieper op allerlei dingen in en vertel details die ik anders voor me had gehouden. Deze vriendschap is een echte verrassing. Dankuwel.

Bruce,

Je brief en het pakje zijn aangekomen en hebben me vele plezierige uurtjes bezorgd. Ik lees te hooi en te gras, zo'n twintig à dertig minuten per keer. In mijn vrije tijd ontspan ik me met behulp van jouw woorden. Je bent goed gezelschap.

Ik heb je vraag nog niet eerder beantwoord, niet omdat ik het antwoord niet weet, maar juist omdat ik het wel weet. Inderdaad, ik hield van Ben. Ik kende hem goed, ik begreep en vertrouwde hem. Ik ben in mezelf teleurgesteld, omdat ik bij voorbaat aannam niet tegen de complexiteit van een huwelijk met hem te zijn opgewassen. Een paar jaar geleden brak het zweet me uit bij de gedachte dat ik op een vliegdekschip zou moeten landen, en nu help ik andere piloten daarbij met het grootste gemak. Ik ben in mijn taak gegroeid. De uitdaging van een huwelijk met Ben had ik op dezelfde manier tegemoet moeten treden.

Is er ook maar iets te bedenken wat de kracht van God te boven zou gaan? Iets wat Hij ons niet zou kunnen leren of waartoe Hij ons niet zou kunnen inspireren? Ik verloor het hoofddoel uit het oog en liet een tijdelijk obstakel groter lijken dan nodig was.

Ik moet toegeven dat ik me door jou gedwongen voel tijdens deze reis de Bijbel weer te bestuderen. Meestal doe ik dat heel intensief in de perioden aan de wal. Het maakt me blij en het is verfrissend om zo diep door te dringen in Gods Woord. De goudstaafjes die ik af en toe vind, zijn me dierbaar. Ik heb weinig tijd, ik moet gaan.

Alle goeds gewenst,
Gracie

2 Kronieken 20

Josafat schrok hevig en hij besloot de HEER om raad te vragen. (…) 'HEER, God van onze voorouders, u bent God in de hemel en u heerst over de koninkrijken van alle volken. In uw hand liggen macht en kracht besloten, niemand kan zich tegen u verzetten. (…) God, straft u hen af. Wij zijn niet opgewassen tegen de grote legermacht die ons nu aanvalt. Wij weten niet wat we moeten doen, op u zijn onze ogen gevestigd.' (…)

'Juda en Jeruzalem en u, koning Josafat, luister goed! Dit zegt de HEER: Jullie hoeven niet bang te zijn voor de grote legermacht die jullie bedreigt, want dit is niet jullie strijd, maar die van God. (…) Jullie hoeven in deze strijd geen slag te leveren. Wacht rustig af, dan zullen jullie zien hoe de HEER, die jullie, Juda en Jeruzalem, bijstaat, voor jullie de overwinning behaalt. (…)

De Judeeërs waren inmiddels op een punt aangekomen vanwaar ze de woestijn konden overzien. Toen ze uitkeken naar het leger, zagen ze dat de grond bezaaid was met lijken: niemand was ontkomen. (…)

Voortaan heerste er vrede in het koninkrijk van Josafat, want zijn God verschafte hem rust aan al zijn grenzen.

Vijftien

'Wat denk jij dat die overloper te melden had?'

'Ik denk niet dat we de Syrisch-Turkse grens voor onze lol aan het bewaken zijn', antwoordde Bruce, die zich afvroeg hoe Wolf het voor elkaar kreeg zo lang en zo roerloos op de rotsbodem te blijven liggen. Hij deed zijn best de beweging- loosheid van zijn vriend te evenaren, ook al prikten de stenen in zijn buik. Ze lagen hoog; aan de oostkant was het dal van de Eufraat, waar de rivier Turkije verliet en Syrië binnen- stroomde. Door hun nachtkijkers zagen ze een lichtglans boven de rivier hangen; de hitte die het water gedurende de dag had opgenomen werd nu weer aan de nachtlucht afge- geven. Het was het enige water dat nog over was in de regio, die door aanhoudende droogte in een wurggreep werd gehouden.

'Terroristische aanslagen?'

'Kan zijn. Op zijn minst guerrilla-acties.'

Syrië was geneigd de andere kant uit te kijken, nu de restanten van de Koerdische Arbeiderspartij, die strijd lever- den tegen de Turkse overheersing van het zuidoosten, in Syrië en Irak hun toevlucht zochten. In het verleden had Turkije het leger ingezet om de rebellen te achtervolgen, maar op dit moment lagen de politieke verhoudingen te gevoelig. Turkije wilde graag toestemming voor uitbreiding van het aantal F-16's en een groeiende spanning in de verhouding met Syrië was daarvoor niet bevorderlijk.

Om de spanningen te beheersen had de NAVO de bewaking van de grenzen met Syrië en Irak geïntensiveerd. Er bevonden zich veel NAVO-troepen in Turkije en dat maakte de voortdurende dreiging van terroristische aanslagen die van de opstandelingen uitging, extra zorgelijk.

De commando-wachtposten waren twee aan twee langs deze rij steile hellingen uitgezet. Wanneer Turkije een doorgang afsloot, creëerden de rebellen gewoon een nieuwe. Het opsporen van deze nieuwe routes was het enige doel van nachtwakes als deze. Bruce vond het prettig om met vrienden op stap te zijn; bovendien was het een goede gelegenheid om zijn vaardigheid in nachtnavigatie bij te spijkeren. Ze keken uit naar mensen en rugzakken, omdat de rebellen hun wapens vaak door soldaten te voet lieten vervoeren.

'Het is hier rustig, de laatste tijd', merkte Wolf op. 'Te rustig misschien?'

'Wat die overloper ook te zeggen had, als het is doorgedrongen tot de hoogste kringen van de Syrische regering, moet het wel belangrijker zijn dan een reeks terroristische aanslagen. Het zou me niet verbazen als het Syrische leger zich gaat hergroeperen en uit Libanon wegtrekt naar het noorden.'

'Een prettige gedachte', zei Wolf en tuurde over het terrein.

Bruce keek een formatie vliegtuigen na die hoog over hen heen vloog in de richting van Irak. Ook het aantal nachtelijke routinevluchten was opgevoerd, een ongebruikelijke actie die de indruk wekte dat het elektronisch seinverkeer scherper in de gaten werd gehouden dan voorheen. Verscherpte bewaking zonder duidelijke aanleiding was een aanwijzing dat het leger handelde op grond van vermoedens, in de hoop de harde feiten daarachter te ontdekken.

'Heb je nog iets van Jill gehoord?'

'Ik heb een pakje gekregen met een romantisch kaartje erbij', antwoordde Wolf. 'En jij? Iets van Grace?'

'Een heel leuke brief.'

Wolf keek hem aan en gaf hem een vriendschappelijk schouderduwtje. 'En, wat zijn je plannen?'

'Terugschrijven. En wat zijn jouw plannen met Jill?'

'Naar huis gaan.'

Bruce glimlachte. 'Een goed antwoord.' Wolf zou eind volgende week vertrekken. Niets zou Jill zo gelukkig maken als dat. Zelf zou hij over een paar weken ook naar huis gaan.

'Daar!' Wolf liet zijn kijker zakken en wees naar het oosten. 'Op tweeënhalve kilometer, net na dat heuveltje. Vier mannen.'

TURKS-IRAAKSE GRENS

De gevechtsvliegtuigen vlogen vannacht zo hoog dat ze als geesten langs de sterren leken te schuiven. Toen de man de formatie van drie toestellen ontdekte, ging hij op zijn hurken zitten en volgde hen in oostelijke richting met zijn ogen. Hij was oud en had veel militaire vliegtuigen voorbij zien komen. Vanavond waren het er maar drie in plaats van de gebruikelijke vier.

Een van de piloten had de pech dat hij in een warme luchtstroom terechtkwam. De uitlaatgassen van zijn toestel kristalliseerden tot een ijzig spoor dat zijn route langs de nachtelijke hemel precies uittekende. In het maanlicht was te zien hoe de wind het spoor deed verwaaien tot een steeds bredere baan.

Het kampvuur knapperde en de vonken vlogen in het rond. Het weinige sap in het knoesterige hout siste en sputterde. De warmte van het vuur was meer dan welkom, want het verschil in dag- en nachttemperatuur was aanzienlijk. Zijn botten protesteerden en zijn gewrichten deden pijn.

Hij had honger, maar maakte geen aanstalten om de kleine, ijzeren kookpot te pakken. Er was net genoeg eten voor een persoon, en zijn kleinzoon zou het bij zijn terugkeer meer nodig hebben dan hij. De aarzeling waarmee hij de jongen op deze verkenningstocht had meegenomen, was inmiddels verdwenen. Zijn kleinzoon had zijn nut bewezen. De jongen kon de verblijfplaatsen van de berggeiten bereiken met een gemak waar hij alleen maar jaloers op kon zijn. Of de vader van de jongen zijn mond zou kunnen houden, was een heel andere vraag.

Terwijl hij in het vuur porde, dacht hij aan zijn familie. Zijn vermoeidheid was voornamelijk het gevolg van teleurstelling. Hij had gehoopt zijn kinderen een beter leven te kunnen bieden dan hijzelf had gehad, maar zijn dagen waren bijna geteld. Hij was geboren in een vluchtelingenkamp en het leek erop dat hij ook als banneling zou sterven. In een Europa dat zichzelf aan het herscheppen was, was geen plaats voor zijn volk.

Hij wist dat zijn kampplaats door het vuur zichtbaar was op de radar die het gebied in de peiling hield, maar desondanks liet hij het helder branden. Hij zat aan de veilige kant van de grens tussen Turkije en Irak en zij zouden zijn aanwezigheid voor kennisgeving aannemen. Bij elke volle maan maakte hij deze reis en pas morgen zou hij zich moeten bekommeren om zaken als het verbergen van een vuur. Zo af en toe liepen er nog marinierscommando's in dit gebied rond te neuzen, om de grootste wapentransporten een halt toe te roepen. Dezelfde mannen had hij zo'n tien jaar geleden tijdens de oorlog met Irak de weg over de grens gewezen, en hij beschouwde hen nog steeds als zijn vrienden. Toch moest hij hen zien te ontlopen, maar alleen omdat hij te oud was om elke maand een nieuwe route te vinden. Het pad dat hij nu had, moest hij beschermen.

De Koerdische opstandelingen in het noorden van Irak, de vrijheidsstrijders die een veilig heenkomen hadden gevonden in Albanië: zijn broeders bevonden zich her en der in dit gebied, verenigd in de strijd om een eigen land. En overal waar zijn broeders heengingen, kwamen de Amerikanen hen achterna. Ze kwamen als de NAVO en als de Verenigde Naties. De namen wisselden, maar de werkelijkheid bleef hetzelfde: de Amerikanen kwamen.

In een straal van een paar honderd kilometer rond zijn kampje bevonden zich drie divisies van het Turkse leger en twee van het Iraakse, negen trainingskampen voor terroristen (in de woestijn), een squadron van de Amerikaanse luchtmacht om de beide no-flyzones te bewaken en meer dan achtduizend man vredestroepen van de VN en de NAVO. Er was hier ruimte voor iedereen, behalve voor het volk dat al eeuwenlang in dit land had gewoond.

Hij las de Amerikaanse kranten en volgde de discussie over de vraag hoe internationaal de buitenlandse politiek van de nieuwe Amerikaanse regering moest zijn. Hij las de opiniestukken en de brieven en de berichtgeving en verbaasde zich over het onbegrip.

Sinds het begin van de negentiende eeuw had Amerika geen slag meer hoeven leveren op eigen grond. Tegenwoordig vochten ze hun oorlogen uit aan de andere kant van de oceaan, ver van hun eigen kusten, in *zijn* vaderland. Ze kwamen en stelden hun no-flyzones in en deden hun best de vrijheidsdrang van andere mensen de kop in te drukken.

Hij tilde de stok uit het vuur en de gloeiende punt werd vuurrood. Hij wilde dat hij met evenveel vuur zijn eigen missie kon volbrengen.

Hij kon de oorlog niet naar zijn vaderland halen; dat was de ambitie van mannen die machtiger waren dan hij. Maar om hem heen groeide de onrust. Er hoefde alleen maar iemand flink te blazen om het vuurtje aan te wakkeren. Hij kon een vliegtuig uit de lucht plukken. Hij kon ervoor zorgen dat hun verlangen om overal te zijn tot noodzaak werd.

Dan zouden ze de aftocht blazen.

Laat een, misschien twee vliegtuigen in het zand bijten of in de glanzende zee storten, en de Amerikanen zouden besluiten ergens anders heen te gaan. Ze zouden de verantwoordelijkheid voor de toestand op de grond aan de Europeanen overlaten. Die hadden al jarenlang ervaring opgedaan met een politiek van leven en laten leven, als het ging om compromissen over grondgebied. Europeanen begrepen dat er compromissen nodig waren, als je de eeuwenoude kunstmatige grenzen wilde corrigeren. Wat Rusland eeuwen eerder had gedaan, moest worden teruggedraaid en niet met onverbiddelijke lijnen op een landkaart worden vastgelegd.

Eén man en slechts enkele raketten. Hij was er niet op uit om een piloot te doden, of om opgejaagd te worden door mannen op de grond. Maar als het resultaat ervan vrede zou zijn, dan was het die prijs misschien wel waard. Turend in de vlammen dacht hij daarover na. Hij zou moeten verdwijnen, zo gauw de mannen hem kwamen zoeken. Hij zou verspreid over dit gebied voldoende voorraden moeten aanleggen om het een paar maanden te kunnen uithouden.

'Grootvader.'

Hij keek op en glimlachte naar zijn teruggekeerde kleinzoon. 'Breng het hier bij het vuur, dan mag je het openmaken.'

De jongen had een juten knapzak bij zich, die hij had opgehaald van onder een rotsrichel waar ooit de woestijnhaviken hadden genesteld. Uit de zak kwam een pakje tevoorschijn, gewikkeld in een grijze beschermende lap. Het houten doosje was met de hand gesneden. Het houten deksel gleed opzij en een dik stuk perkament werd zichtbaar.

Hij nam het papier van zijn kleinzoon aan en las het verzoek bij het licht van de vlammen. Vergeleken met een paar maanden geleden hoefde hij deze keer maar weinig voor zijn broeders mee te nemen. Het was een zoveelste tastbaar bewijs dat hun aantal slonk. De jongere mannen hadden de hoop op verandering opgegeven en sloten zich niet meer in zulke grote aantallen bij hen aan als vroeger. Zijn eigen zoon was er een voorbeeld van. 'Wat staat erin, grootvader?'

Hij woelde de jongen door zijn haardos. 'Dat er nog steeds werk aan de winkel is voor oude mannen zoals ik.'

Hij was van plan de leiding van een natie op zich te nemen. Eigenlijk was dat werk voor jonge mannen, maar die waren niet beschikbaar. Nog altijd geloofde hij dat hij iets kon veranderen. Het was een moedige daad om op te komen voor zijn volk. De geschiedenis die hij had bestudeerd, leerde hem dat hij zelfs zou kunnen overwinnen, al was het maar voor een of twee gevechtsrondes.

Hij moest overleggen met andere leiders om tot overeenstemming te komen. Zijn acties zouden gevolgen hebben voor velen. Hij had de tijd. Dat was het enige waar hij daadwerkelijk over beschikte. De Schepper had de tijd in gelijke mate aan alle mensen gegeven. 'Vooruit, eet iets. En vertel me nog eens over je dromen voor de tijd dat je net zo oud bent als ik nu.'

De jongen lachte en begon druk te praten.

'Wat hebben ze bij zich?' vroeg Wolf. Hij stelde zijn kijker scherper in een poging het te onderscheiden.

Bruce kon de details maar net zien. Een enkele rij mannen daalde een steile helling af, daarbij de contouren van het landschap volgend. De middelste mannen droegen iets aan een staak tussen zich in. Wat het ook was, het was zo zwaar dat de staak doorboog. 'Het lijkt wel een schaap.'

'Ze gaan van Turkije naar Syrië. Stropers misschien?' opperde Wolf.

'Blijkbaar moeten ze 's nachts voedsel stelen van hun vijanden. Dat zegt iets over de ernst van de situatie in Syrië', stemde Bruce in.

Ze zagen de rij mannen verdwijnen.

Bruce had het gevoel dat ze voor hun ogen een nieuw conflict zagen ontkiemen. Er waren oorlogen uitgevochten om land, en om olie. Als de droogte aanhield, bevonden ze zich nu aan het begin van een oorlog om water. De druk op het vee, op de landbouw en op de menselijke basisbehoefte aan water zou de vonk zijn waardoor die oorlog zou ontbranden.

Turkije had een overeenkomst gesloten met Syrië, waarin verband werd gelegd tussen de terrorismebestrijding van Syrië en de hoeveelheid water die er door de Eufraat zou stromen. Er werd al gemopperd over de nieuwe dam bij het Turkse Birecik en er waren beschuldigingen geuit over de oneerlijke omleiding van het water. Zij mochten dan wel in staat zijn de routes van de opstandelingen te blokkeren en de wapenverkoop te stoppen, maar zolang de spanning in dit gebied niet afnam, was de kans op geweldsuitbarstingen groter dan die op herstel van de vrede.

Bruce liet zijn verrekijker zakken. 'Wij staan misschien op het punt naar huis te gaan, maar ik heb zo het idee dat we nog wel eens terugkomen.'

Zestien

'Hoe laat wordt de vlucht van Wolf verwacht?'

'Om 13.40 – ik bedoel, om tien over half twee. Ik begin zelfs al net zo te praten als zij.' Jill gooide de deur van haar klerenkast open. 'Terri, mag ik jouw schoenen lenen, die platte rode?'

'Je gaat zeker die ene jurk aantrekken.'

Verlangend keek Jill naar de roodwitte zonnejurk die nog in het plastic in de kast hing. 'Het is voor vanavond, bij de nieuwe blouse en de spijkerbroek. Die rode schoenen passen daar goed bij.' Ze was ter gelegenheid van Wolfs thuiskomst uitgebreid wezen winkelen, en het meeste waar ze mee was thuisgekomen, was rood. Ze had alleen nog geen bijpassende schoenen.

'Ik neem ze wel mee naar kantoor.'

'Bedankt. Ik kom nog wel even langs om te controleren of de huisbaas van Jim die lekkage heeft opgelost. Kun jij de bankzaken vandaag voor je rekening nemen?'

'Geen probleem.'

'Je bent onbetaalbaar. Tot zo.' Jill maakte zich haastig klaar voor vertrek en vloog met twee treden tegelijk de trap af, zich afvragend waar ze haar portemonnee ook alweer had gelaten. 'Kom mee, Emily!'

Ze trok de koelkast open; ze hoefde geen flesjes vruchtensap meer te tellen. Er stond er nog maar een. Een poosje geleden had ze een aantal kratten besteld om er de dagen mee af te kunnen tellen. Wolfs vliegtuig zou binnenkomen op het marinevliegveld van Oceana. Er werden verscheidene transporten verwacht, zowel van troepen als van materieel, en ze wist niet zeker of de commando's hun eigen vliegtuig zouden hebben of deel uitmaken van een grotere groep. Het was niet de vraag óf ze vroeg zou gaan, maar hóe vroeg ze zou gaan. Ze hoopte maar dat ze het welkom niet al te erg had overdreven.

De afgelopen nacht had ze niet kunnen slapen, zo zenuwachtig maakte ze zich voor vandaag. Twaalf weken. Zou de hereniging wel aan Wolfs verwachtingen voldoen? Ze bleef even staan om het briefje op de koelkast nog eens te lezen. Tot haar blijde verrassing had hij had haar romantische kaart met een soortgelijk exemplaar beantwoord.

Ik mis je. Ik mis je lach. Je parfum. Je glimlach. Je mooie ogen. De telefoontjes waarmee je me uit bed belt. De schoenen die je bij mij onder de bank laat staan. Je lippenstift in mijn auto. Je portemonnee die weer eens ergens is blijven liggen.

Ik verlang naar je gezelschap. Een lange wandeling in het park. Een dag aan het strand. Een film kijken vanaf de achterste rij. Samen romantische kaartjes uitzoeken.

Ik mis jou, Jill.

Om de woorden heen was met allemaal kruisjes een hart getekend. De hereniging maakte de scheiding bijna goed. Bijna.

'Kom, Emily! Het is tijd om te gaan, lieverd.'

Tot haar opluchting kwam de hond meteen kwispelend de woonkamer uit. Ze vreesde half en half dat de hond dood zou gaan van ouderdom voor haar broer weer terug was. Jill bukte zich en gaf haar een zoen op haar snuit. 'Goedemorgen, schoonheid. Laten we gaan.'

MARINEVLIEGVELD, OCEANA

Jill was blij dat ze zonnebrandcrème mee had genomen. De zon brandde en er was geen wind. Wolf kwam terug samen met een grote groep andere soldaten die rouleerden tussen Norfolk en Turkije. De zuidoosthoek van de parkeerplaats was omgebouwd tot ontmoetingsplaats; er stond een grote partytent met tafeltjes, waar de families konden wachten tot het vliegtuig arriveerde.

Onder luid gejuich kwam het toestel vijf minuten te vroeg aan. Ze ontdekte Wolf meteen tussen de mannen die uit het transportvliegtuig stroomden. Hij droeg een slappe hoed met een Amerikaans vlaggetje in de band gestoken. Ze lachte; dat was nou typisch Wolf. Hij zag er goed uit, zo gebruind dat hij bijna dezelfde tint had gekregen als zijn camouflage-uniform. Naast hem liepen zijn kameraden, Cougar aan de ene en Beer aan de andere kant.

Door het geopende hek stroomden de familieleden hen tegemoet. Ze werkte zich uit de mensenmassa naar links om daar vanaf een betonnen verhoging alles beter te kunnen overzien. Dat deed ze liever dan te proberen zich met de rij door de nauwe opening te persen. Zo was ze getuige van de ontmoeting tussen Beer en Kelly en zag ze hoe de man zijn vrouw optilde en in het rond zwaaide.

Wolf zag haar zwaaien en stak zijn hand op. Hij zei iets tegen Cougar en die gaf hem een klap op zijn schouder. Daarna kwam hij op haar toe, terwijl hij zijn zonnebril afdeed. Hoe kleiner de afstand werd, hoe knapper ze hem vond. Toch zette ze het niet op een drafje naar het hek, maar bleef staan waar ze stond. 'Je had beloofd dat je me zou zoeken.'

'En dat heb ik gedaan.' Hij sprong over het hek. 'Hallo Jilly.'

'Hallo.' Wiebelend op haar betonnen voetstuk was ze nog steeds iets kleiner dan hij. Hij tilde haar op en smoorde haar bijna in een stevige omhelzing. Ze verborg haar gezicht tegen zijn schouder, sloeg haar armen om hem heen en knuffelde hem.

'Heerlijk om weer thuis te zijn.'

Ze deed een stapje terug en keek hem stralend aan. 'Ik heb je gemist.'

Hij kuste haar op haar neus. 'Dat is nog voor de verjaardag die ik ben misgelopen.' Hij boog zich naar haar toe en zoende haar tot ze buiten adem was. 'En dat is voor je laatste brief.' Hij bekeek haar van top tot teen. 'Je bent naar de kapper geweest. Rood staat je geweldig. Wat een mooie ketting. Nieuwe bril?' Ze giechelde. Hij was knap vermoeiend; voor geen goud wilde ze hem verliezen. 'Wat zijn je plannen?' vroeg hij.

'Een bijzonder dineetje bij kaarslicht. Mijn best doen om zoveel mogelijk items van je gemislijst af te werken.

Hij zwaaide haar rond. 'Lachen, glimlachen, parfum, schoenen onder de bank, lippenstift in mijn auto?' stelde hij voor.

'Alles. Wat is er aan de hand tussen Bruce en Grace?' Sinds zijn laatste brief had ze gepopeld hem die vraag te stellen.

'Iets moois. Ik vertel je er alles over tijdens het eten.'

22 JUNI
USS *GEORGE WASHINGTON*
PERZISCHE GOLF

De fitnessruimte was in een hoekje van het schip geperst; vlak bij de kapel was er een voorraadruimte voor leeggemaakt. 'Grace.' Het was haar kamergenoot Heather die haar riep.

'Ogenblikje', zei Grace en maakte haar oefening met de halter af. Ze had een hekel aan gewichtheffen, maar het was een kwestie van discipline. Als ze het niet deed, zou ze daar weken later een prijs voor betalen, als ze in een situatie verzeild raakte waarin ze wenste dat ze het wel had gedaan. Het lukte haar maar af en toe om een paar rondjes over het vluchtdek te joggen, als de bemanning bezig was met de dagelijkse controle waarbij iedere centimeter van het dek nauwkeurig werd gecontroleerd op voorwerpen die er niet thuishoorden, zoals schroeven, pennen en paperclips, om te voorkomen dat die in een vliegtuigmotor werden gezogen en daar onherstelbare schade aanrichtten. Zelf hielp ze ook vaak mee.

Grace liet de halter zakken en pakte haar handdoek. 'Zeg het maar.'

'Het vliegschema voor morgen is bekend.'

Dat ene velletje papier beheerste alle gebeurtenissen in het squadron. Ze pakte het aan. 'Bedankt.' In een oogopslag zag ze de complete procedure van een vliegoperatie voor zich: briefing, lancering, landing, formatietype en details van de missie. Zij stond ingepland voor een lancering om vijf uur 's ochtends in een viermansformatie, waarvan het doel werd gevormd door de olievelden die aan het einde van de Golfoorlog waren vernietigd. Daarbij had ze nog twee extra taken gekregen: een lancering om twee uur in een tweemansformatie en een korte shuttlevlucht om vier uur. Op dit moment hadden ze in het squadron wegens ziekte twee piloten te weinig, wat de werkdruk voor iedereen vergrootte.

Grace was Peter iets verschuldigd. Hij had zichzelf opgegeven voor de planningsbijeenkomst, waardoor haar extreem lange dag een beetje gebroken werd met een pauze van twee uur. Ze had niet veel zin in de twee bijtankacties – er stond de laatste dagen een harde wind op die grote hoogte. 'Hoe ziet jouw dag eruit?'

'Ik kan slapen tot zes uur.' Ze wisselden een spijtige glimlach.

Ze waren over de helft van de reis. Dat was de moeilijkste periode. De lange werkdagen aan boord begonnen iedereen op te breken, er ontstonden problemen aan het thuisfront en het duurde nog eens twee maanden voor het vooruitzicht van de thuisreis het moreel weer zou opvijzelen.

'Ik ga naar de winkel', zei Heather. 'Heb je nog iets nodig?'

'Ik ga wel mee', besloot Grace. 'Ik moet nog iets hebben voor Bruce, het geeft niet wat.'

'Het wordt vast niks. Wat ben ik toe aan de havenstop in Bahrein, zeg!'

'Die wordt vast geannuleerd om veiligheidsredenen. Ik kijk uit naar de stop in Napels', zei Grace. Het lag in de planning dat ze daar op de terugreis voor zes dagen zouden aanleggen; het zou de beste onderbreking zijn van deze hele periode.

'Ga je dit jaar naar Rome?'

'Ik denk er nog over. Vorige keer ben ik in Pompeii geweest.'

'Laten we even langs de administratie gaan en ons opgeven voor de treinrit', stelde Heather voor.

'Doen we.'

Bruce,

We zijn begonnen met de grote vliegoperaties boven Koeweit. Tot nu toe zijn we nog niet binnen het bereik van afweergeschut geweest, maar dat komt nog wel. Ik voel duidelijk dat de vierde maand is ingegaan. Iedere ochtend is het een hele strijd om uit bed te komen en door dezelfde sleur te gaan als de dag ervoor. Ik verlang naar een zon die niet alles roostert waar zijn licht op valt en naar een luie dag waarop ik kan uitslapen.

Irak laat zijn tanden weer eens zien; er heerst ergernis over de opstelling van Koeweit bij de laatste OPEC-vergadering en ook over de een of andere beslissing van Saudi-Arabië inzake een moskee. Het behoeft geen betoog dat Irak zijn pijlen op de Amerikanen richt als het moeilijkheden wil veroorzaken. Troepen van de Republikeinse Garde hebben zich onlangs verplaatst, volgens zeggen bij wijze van oefening. Ik ben blij dat ik niet een van de grondmariniers ben, die moeten uitzoeken wat ze van plan zijn.

Ik weet dat ik een beetje somber klink, en misschien ben ik dat ook wel. Tijdens een uitzendingsperiode moet je altijd weer een evenwicht vinden tussen emoties, energie en rust. We zitten nu in de fase van hard werken en ik probeer mijn energie te sparen. Ik ben geestelijk helemaal gespitst op het vliegen en op de concentratie die daarvoor nodig is, en de overige tijd probeer ik mezelf bewust te ontspannen.

Mijn hoofd zit op dit moment vol met weetjes over de SLAM-raket. Volgende week wordt een nieuwe versie van het systeem geïnstalleerd en ik ben ervoor verantwoordelijk dat de afdeling systeemonderhoud alle details van die upgrade overziet. Het grootste deel van mijn tijd zit ik benedendeks de techniek hiervan te bestuderen. Ik heb niet zo veel tijd gehad om je vorige brieven te beantwoorden. Het spijt me; ik wil niet de indruk wekken dat ik er niet blij mee was, want dat was ik wel.

Ik hoop dat dit pakje er eerder is dan ik. Het stelt niet veel voor, maar ik wed dat je er nog geen een hebt. De ijzerwinkel aan boord heeft het logo van ons squadron in een stervormige badge geperst, toen ze bezig waren de fijne afstelling van de pers te testen. Ik had bijna een hoed met het logo van de GW voor je gekocht; dat zegt wel iets over de beperktheid van het assortiment in de scheepswinkels. De eerstvolgende bevoorrading van enige betekenis is gepland voor aanstaande vrijdag; ik geloof dat de helft van de bemanning gecharterd is om zes uur lang dozen te sjouwen. Ik hoef niet te vertellen dat een eerdere bevoorrading niet doorging; de komende is veel omvangrijker dan normaal.

Ik hoop dat je geniet van je eerste dagen aan de wal. Wil je voor mij een film kijken van begin tot eind? Ik ben een expert in tien minuten kijken en vervolgens in slaap vallen.

Gods zegen gewenst,
Grace

Zeventien

26 JUNI
PENSACOLA, FLORIDA

Bruce deed zijn best te genieten van zijn welkomstfeest. Het liefst zou hij in een hoekje gekropen zijn om een maandlang te slapen, maar Jill had zo hard gewerkt om dit te organiseren. Met hulp van Wolf was ze er op de een of andere manier in geslaagd in Pensacola een feestje te regelen. Ze had niet alleen de andere PJ's en hun gezinnen uitgenodigd, maar ook veel leden van de kustwacht met wie hij had samengewerkt. Het was een geweldig feest; het enige nadeel was de afwezigheid van de vrouw met wie hij ervan had willen genieten.

'Bruce?'

Hij glimlachte naar Jill en nam met een stilzwijgend bedankje het glas punch van haar aan. Ze was hier in het weekend heengereden om zijn auto terug te brengen, zijn huis te luchten, de koelkast vol te stouwen en alvast een paar zelfgekookte maaltijden voor hem klaar te zetten. Voor het feest had ze het buurthuis afgehuurd en compleet omgetoverd met behulp van slingers, muziek, hapjes en drankjes en zelfs cadeautjes voor de gasten. Nu zat ze op de leuning van zijn stoel. Klein als ze was, met haar korte blonde krullen, haar levendige groene ogen en haar goedlachse natuur, begon ze elk jaar meer op hun moeder te lijken. 'Je hebt nog een paar dagen nodig voor je ziel je lichaam heeft ingehaald, geloof ik.'

'Sorry; het is niet mijn bedoeling om zo ontzettend afwezig te zijn.'

Ze kneep in zijn schouder. 'Van mij mag je. Je bent weer thuis, gebruind en wel, en daar gaat het om.'

Emily likte zijn hand en duwde haar snuit tegen zijn vingers. Met luie bewegingen begon Bruce opnieuw haar vacht te strelen. 'Ik had verwacht dat ze me inmiddels wel vergeten zou zijn.' Hij probeerde niet uit te leggen hoe leuk hij het had gevonden dat de hond zich hem nog herinnerde en zelfs blij leek te zijn met zijn gezelschap. Ze had een van haar zeldzame blafjes laten horen en was bijna dansend op hem afgesprongen. Toen het feest eenmaal in volle gang was, had ze zich naast hem neer laten ploffen.

'Ze is trouw en ze vindt je aardig. Ben je blij om terug te zijn?'

'Moet je dat nog vragen?'

'Ik vroeg het alleen maar. Uit de verhalen krijg ik de indruk dat Wolf en jij je prima hebben vermaakt.'

Hij liet zijn hoofd tegen de rugleuning rusten. De helft was haar niet aangezegd. 'Het grootste deel van de tijd verveelden we ons te pletter. De training was beperkt tot datgene wat op die lokatie nodig was. Ik heb in geen drie maanden aan parachutespringen of sportduiken gedaan.'

'Arme jij.' Ze gaf hem een zoen op zijn voorhoofd. 'Wolf, zeg eens tegen mijn broer dat hij zich moet gedragen.'

'Hé, wat is dat?' Bruce greep haar hand.

Ze sloeg dubbel van het lachen. 'Het werd eens tijd, zeg, dat je het zag.'

'Jill.'

'Wolf zei dat je het wel goed zou vinden.'

Bruce keek naar de commando die op hen toe kwam en er beslist schaapachtig uitzag. 'Hij gaat wel een beetje aan de haal met wat ik heb gezegd.' Hij trok Jill van de stoelleuning af op zijn schoot. 'Ben je er gelukkig mee? Anders zal ik hem ter wille van jou het leven flink zuur maken', bood hij aan. Hij betrapte zich erop dat de gedachte hem op dit moment wel aansprak; hij was plotseling jaloers op zijn vriend en niet van plan zijn zus te verliezen.

'Wees nou blij voor mij.'

'Echt?'

'Echt. Hij heeft zelfs romantische brieven leren schrijven.'

Bruce bekeek haar eens goed. 'Was dat ervoor nodig?'

Ze giechelde.

'En nu…', hij had geen idee hoe hij het onder woorden moest brengen. 'Wat zijn je plannen?'

'Ik heb de ring geaccepteerd, maar tegen hem gezegd dat ik zou nadenken over de trouwdatum. Ik wil Grace erbij hebben.'

Bruce was opgelucht. Nu het niet langer een theoretische gedachte was dat ze zou gaan trouwen, had hij even tijd nodig om uit te zoeken wat er in een dergelijke situatie van een grote broer verwacht werd. Moest hij de bruiloft betalen? Ervoor zorgen dat Wolf haar niet zou schaken? Hij zat er tot over zijn oren in, dat was wel duidelijk. 'Klinkt verstandig.'

'Laat me los.'

'Niks ervan. Moet je zien wat je uitspookt, zodra ik mijn hielen gelicht heb. Viert je verjaardag, wordt een jaar ouder, raakt verloofd.' Hij genoot van haar lach. 'Dit is weer typisch zo'n voorbeeld van het spanningsveld tussen luchtmacht en marine. Het is een principekwestie…'

'Zeg jij maar niks.'

Hij trok een vragende wenkbrauw op.

'Hoe gaat het met Grace? Heb je nog iets van haar gehoord?'

Hij liep er met open ogen in en klopte op de zak van zijn jasje. 'Hier zit haar laatste brief', verzekerde hij haar, geamuseerd.

'Echt waar?'

'Ze schrijft heel leuk.'

'Romantisch?'

Bruce lachte alleen maar.

USS GEORGE WASHINGTON
PERZISCHE GOLF

Ze had meer brandstof nodig. Grace zocht met haar ogen naar de lichten van het tankvliegtuig, die zich tegen de zwarte lucht en tussen de heldere schittering van de sterren in een achtvormige lus zouden moeten bewegen. Midden in de nacht in de lucht bijtanken hoorde er nu eenmaal bij als je was uitgezonden naar de Golf. Waar bleef dat toestel nou? In nood zou ze moeten uitwijken naar de Verenigde Arabische Emiraten. Ze wilde brandstof hebben, ze wilde aan de beurt zijn om te landen, het vervolgens ook doen en dan naar bed. In de loop der gebeurtenissen lagen voortdurend kleine crises op de loer, die ze moest zien te vermijden. Ze was gelanceerd met zo'n zesduizend kilo brandstof, maar had wel een pond per kilometer verbruikt. Ze moest echt hoognodig tanken.

Haar buurman had inmiddels getankt en de laatste voorraad van de vliegende benzinepomp opgemaakt. Zij had nu opdracht gekregen koers te zetten naar een KC-135, een reservetanker die rondcirkelde op een hoogte van 12 angels, maar nergens was een verlicht verkeersbord te bekennen dat haar de weg kon wijzen.

Deze vlucht deed ze samen met Bushman. Het groentje was op deze tocht flink vooruit gegaan, maar reageerde nog altijd te onbezonnen naar haar zin en het vliegen in formatie maakte hem schrikachtig. Op dit moment vloog hij op kleine afstand van haar linkervleugel.

Daar was het. Op een afstand van ongeveer twee kilometer voor haar gleden de lichten van links naar rechts langs de horizon. Ze zou aan kunnen sluiten als het toestel bezig was met een van de kalme, rechte lijnen van het vliegpatroon.

Ze controleerde nog eens extra of het geschut goed zat, schoof de tankbuis uit en riep de checklist voor bijtanken tevoorschijn op haar display. Opnieuw spoorde ze de tanker op, paste haar snelheid aan en klom de laatste driehonderd meter in een slakkengang naar boven om vlak achter het reusachtige vliegtuig te kunnen gaan vliegen.

Uit het vliegtuig kwam een lange slang tevoorschijn, met een reservoir van zestig centimeter breed aan het uiteinde, die stil bleef hangen in de luchtstroom achter het toestel. De lichten sprongen op oranje.

Grace meerderde vaart en naderde het tankvliegtuig tot op een afstand van drie knopen. Nu hoefde ze alleen nog maar haar eigen tankbuis in het reservoir te duwen, daarna naar voren te vliegen, zodat er een s-bocht in de slang zou ontstaan, en de brandstof zou vanzelf gaan stromen. Simpel.

Een windstoot sloeg het reservoir uit de koers.

Grace klemde haar hand om de gashendel en nam gas terug. Het reservoir bleef op en neer dansen en inmiddels voelde ze het zelf ook. Zijwind. Ze keek hoeveel brandstof ze nog had. *Laat de wind gaan liggen, Heer, alstublieft. Ik heb hulp nodig.*

Er bestond nog maar één probleem in haar leven en dat was de behoefte aan brandstof. Nog even en ze had niet meer genoeg om de Emiraten te bereiken, en ze wilde Bushman onder geen beding in zijn eentje naar het schip terug laten vliegen. Het reservoir hing weer stil.

Voorzichtig duwde ze de gashendel weer open. De buis raakte het uiteinde van het reservoir; in een flits moest ze besluiten of ze het alsnog zou proberen of in zou houden. Ze koos het laatste.

De tanker boog langzaam af in de lus van de acht, om te voorkomen dat hij vijandelijk luchtruim binnen zou vliegen. Dit werd lastig. Tanken in een bocht, of zelfs bij verandering van hoogte was weliswaar te doen, maar maakte het vliegen zondermeer interessant.

Opnieuw controleerde ze haar brandstofpeil. Dit was geen goed moment om te gaan zwemmen. Nog een minuut en dan zou ze naar de Emiraten uitwijken.

Ze verkleinde de afstand tot twee knopen en paste haar snelheid weer aan. Vervolgens duwde ze de buis in het reservoir en zette koers naar voren om de slang te buigen. Het amberkleurige licht van de tanker werd groen; de brandstof liep. Op het display zag ze de brandstofmeter omhoog kruipen.

Negen minuten lang bleef ze uiterst geconcentreerd. Uiteindelijk hing ze onder aan de buik van een enorme tank, waaruit per minuut vijfhonderd liter brandstof stroomde. Ze was vastbesloten de wind de baas te blijven, in plaats van andersom.

De meter wees 9 aan. Voorzichtig maakte ze de buis los; de slang ontspande.

'Eagle 01, brandstof 5. Bedankt, tank.'

Ze vergrootte de afstand tot drie knopen. Ze had weer brandstof; een hele zorg minder. Ze minderde hoogte en trok de tankbuis weer in. De afgelopen twintig minuten zou ze niet graag overdoen. *Bruce, ik mis het dat jij niet in de buurt bent om me op te vangen als het nodig is.* Het was een ongelooflijk eenzaam avontuur, zo haar taak te verrichten in het holst van de nacht en aan de andere kant van de wereld, terwijl de rest van haar divisie het allang voor gezien had gehouden en alleen zij en Bushman nog in de lucht waren.

Bushman botste op een haar na tegen haar aan. Ze liet haar toestel een duik van vijfenveertig graden maken om te voorkomen dat de vleugels in elkaar haakten.

'Sorry, Eagle 01.' Hij verbrak de radiostilte om zijn excuus te maken.

Achttien

Gezeten op het strand maakte Bruce de brief van Grace open. Hij had zich verkleed in een rafelige korte broek en zijn blote voeten waren in tennisschoenen gestoken. Om het zweet van zijn lichaam te spoelen, was hij even de branding in gelopen. De vermoeidheid die na een dag hard werken over je kwam, had iets prettigs. Hij groef een kuiltje in het zand voor zijn blikje fris.

'Hé, lekker ding.'

Hij stak zijn hand op, maar nam niet de moeite om te kijken. Hardlopende vrouwen op het strand waren overal ter wereld het aankijken waard, maar hij had andere prioriteiten. Emily voegde zich bij hem en schudde zich heftig om het zoute water uit haar vacht te krijgen. 'Was dat nou echt nodig, liefje?' Hij wreef zijn gezicht droog met zijn onderarm, en veegde daarna het zand van haar neus. 'Geef het maar toe, je houdt ons voor de gek. Je bent alleen oud als het je goed uitkomt.'

Met een zucht liet Emily zich zakken op de handdoek die hij voor haar had meegenomen en ging op haar zij liggen. Jill had gelijk. De hond was een gravin, een bejaarde gravin. Bruce pakte een zoute toffee, haalde de wikkel eraf en gaf hem aan Emily. 'Eet smakelijk.' Dat hield haar wel twintig minuten bezig. Bruce strekte zich uit op zijn badhanddoek en maakte voorzichtig de brief open die hij speciaal voor dit moment had bewaard. Dit exemplaar had een record gebroken door er minder dan een week over te doen.

Hij begon te lezen en zijn glimlach stierf weg; dit beviel hem niks.

Heer, dit kan ik er niet bij hebben.

Bruce,

Met mij is alles in orde. Ik ben aan het einde van deze dag tot de diepzinnige conclusie gekomen dat het leven bestaat uit het afhandelen van de ene crisis na de andere en dat je voortdurend genoeg energie over moet hebben voor het volgende incident. Vannacht was ik bijna door mijn brandstof heen, had een bijna-botsing met mijn buurman en wist bij de landing niet zeker of het linker landingsgestel wel vast zat. Later bleek dat er een zekering ontbrak. Je kunt me opvegen, maar op de een of andere manier blijf ik toch overeind. Ik sta nu naast de brievenbus op het derde dek tegen de muur geleund, in de hoop dat ik door rechtop te staan lang genoeg wakker kan blijven om dit briefje nog te ondertekenen.

Geef Jill een zoen van me; ze heeft me een groot plezier gedaan met de donzen slippers die ze me gestuurd heeft. Ik zal maar niet vertellen wat er vorige week met mijn sokken is gebeurd. (Eigenlijk was het heel grappig, maar ik moet het in levenden lijve vertellen om dat over te kunnen brengen. Mensen die denken dat marinelui een saai leven hebben, hebben ons nog nooit zien spelen.)

Welterusten, Bruce.

Gracie

Bruce reikte naar het schrijfblok en de pen die hij naast zijn handdoek had gegooid.

Grace,

Bedankt dat je je brief begon met 'Met mij is alles in orde'. Ik kan heus wel tussen de regels door lezen en krijg de indruk dat het bijna een zwempartij was geworden. Hier schijnt de zon – het is zaterdagmiddag drie uur. Warm zand, kalme branding, diepblauw water, dat echter je dood zou zijn als het de kans kreeg. De Perzische Golf is heel wat minder vriendelijk; hij kan een vliegtuig of piloot in één hap verzwelgen.

Toen vlucht 072 bij een landingspoging op het vliegveld van Bahrein neerstortte met 143 mensen aan boord, was ik ongeveer vijftien kilometer daarvandaan gelegerd. De zoektocht en de reddingsoperatie gingen de hele nacht door, en toen het licht werd, werd duidelijk waarom we geen overlevenden hadden kunnen vinden. Het water was ondiep, op de meeste plaatsen niet meer dan anderhalve meter. Tot kilometers in de omtrek lag het bezaaid met wrakstukken, reddingsvesten, kleding en slachtoffers.

Er zijn betere manieren denkbaar om aan je eind te komen, lieverd. Als je toch moet kiezen, neem dan maar het risico van gebroken botten en spring je toestel uit als het nog kan. Je kunt wel doodsbenauwd zijn voor die schietstoel, maar ik weet zeker dat je hem zult gebruiken als er geen andere optie meer is. Wolf zou diep ongelukkig zijn zonder jou, om over Jill en mijzelf nog maar te zwijgen. Zeg tegen die groene buurman van je dat hij de volgende keer beter moet opletten; hij wordt in de gaten gehouden door een commando en een PJ!

Ik bedoel dit: tijdens een missie kan er iedere dag een ongeluk gebeuren, en de laatste valstrik is even gevaarlijk als de eerste. En ik weet ook wat er tijdens de training aan de wal kan gebeuren. Je hebt het tegen iemand die op dit soort dingen een zeer realistische kijk heeft. Ik word door het leger betaald om me zorgen te maken over piloten. Ik ken de gevaren uit de eerste hand. Jouw beroep laat geen enkele foutenmarge toe. Jouw manier om daarmee om te gaan is dat je er eenvoudig niet bij stilstaat en je niet realiseert dat het jou zou kunnen overkomen. Dat gevoel van onoverwinnelijkheid is prachtig, want het stelt je in staat je kalmte te bewaren en de problemen aan te pakken tot en met het laatste item op je checklist. Ik bid elke dag voor je, Grace. Ik ben dankbaar dat je er zo intens op gericht bent om de beste te zijn; dat houdt je in leven als je voor dergelijke verrassingen komt te staan.

Wat dacht je van een romantische brief?

Ik wil je er graag een schrijven en geen misverstand laten bestaan over de reden daarvan. Ik vind je een heel bijzondere vrouw, Grace. En jij komt straks naar huis, een plek die je ooit incompleet hebt genoemd.

Waarom probeer je niet de cirkel te sluiten en dat gevoel van compleet zijn opnieuw te vinden? Er zijn hier veel mensen die jou waarderen om wie je bent en je graag een plek in hun leven gunnen. Ikzelf, Cougar (die Wolf voortdurend aan zijn hoofd zeurt om nieuws over jou) en Rich, die op de een of andere manier ook een foto van jou heeft weten te bemachtigen. (Als deze heren meer waagden dan een onschuldige flirt, zou ik weliswaar een hartig woordje met ze wisselen, maar dat is een ander verhaal.)

In je relatie met Ben zag je die steeds terugkerende scheidingen als een onoverkomelijk probleem. Grace, niet samen zijn is niet per definitie goed of slecht, het hoort gewoon bij de relatie. Onze vriendschap heeft het de afgelopen maanden toch goed gedaan. Waag de sprong. Probeer de komende maanden eens te ontdekken wat het leven aan de wal je te bieden kan hebben. Dan kun je bij je volgende zeereis bezien of het in te passen is in je beroepsleven. Dat is het geheim van innerlijke vrede; het is helemaal niet zo ingewikkeld. Je moet gewoon de verschillende aspecten van je persoonlijkheid integreren in je bestaan en zo jezelf toestaan een compleet mens te zijn.

Heb je al plannen voor vier juli? Ik ga hier naar het vuurwerk kijken en ondertussen aan jou denken. Als we volgend jaar allebei aan de wal zijn, ben je bij dezen uitgenodigd om me te vergezellen. Moet je zien, ik regel zomaar een stukje van jouw leven. Dat is leven nou eenmaal: je voornemen om leuke dingen te gaan doen en die voornemens ook uitvoeren, als het leven het toestaat.

Ik heb een aantal dingen van jouw heimweelijst uitgeprobeerd en dat leverde een paar mooie ervaringen op. Hierbij stuur ik je een stapel uitgeknipte cartoons; veel plezier ermee. Ik heb Emily popcorn leren eten. De vele tv-kanalen hebben nog minder te bieden dan in jouw herinnering het geval was.

De afgelopen vier dagen heb ik geluierd op het strand; ik voel me zo energiek als een gebakken mossel. Het is fijn om weer thuis te zijn, maar alleen tegen jou durf ik wel te zeggen dat ik mijn werk alweer mis. Ik bevond me in de frontlinie. Nu ben ik weer aan het trainen voor het voorrecht daarheen terug te keren. Laat je door de lange werkdagen en de afstand nooit verleiden tot de gedachte dat je het verkeerde beroep hebt gekozen. Je hebt een waardevolle keus gemaakt, en ik waardeer je er enorm om. Ik wou dat je vandaag bij mij op het strand kon zitten om te kijken naar de voorbij wandelende burgers. Ze hebben geen idee van de inspanningen die overal ter wereld worden verricht om hun veiligheid te waarborgen.

De ring die Wolf aan Jill heeft gegeven is heel bijzonder. Ik heb haar nog nooit zo gelukkig en zenuwachtig tegelijkertijd gezien. Ze kijkt erg uit naar je thuiskomst.

Dat geldt trouwens ook voor mij. Ik mis je erg, Grace. Het duurt nog minder dan acht weken tot 26 augustus. Ik hoop dat je tot die tijd af en toe aan me wilt denken.

Bruce

Psalm 34:8-11

De engel van de HEER waakt
over wie hem vrezen, en bevrijdt hen.
Proef, en geniet de goedheid van de HEER,
gelukkig de mens die bij hem schuilt.

Vromen, heb ontzag voor de HEER:
wie hem vreest lijdt geen gebrek.
Jonge leeuwen lopen hongerig rond,
wie de HEER zoekt, ontbreekt het aan niets.

4 JULI
USS *GEORGE WASHINGTON*
ARABISCHE ZEE, VOOR DE KUST VAN OMAN

Van bovenaf zagen de manoeuvres van de vliegtuigen op het vluchtdek eruit als het gekrioel van auto's op een reusachtige parkeerplaats. Grace vond het leuk om naar de drukte te kijken. Ze bevond zich op de beste uitkijkpost van het schip, een smal balkon achter het vluchtleidingscentrum, zes verdiepingen boven het dek. Het was een van de weinige plaatsen waar een toeschouwer niet in de weg stond. Twee vliegtuigen zakten met lift 1 omlaag naar de hoofdhangar in het midden van het schip. Er werd vandaag slechts een miniem aantal vluchten uitgevoerd en de vrije dag was iedereen meer dan welkom. Er waren slechtere plaatsen om de Vierde Juli te vieren.

Ze zag Bushman landen en de derde vangkabel grijpen. Hij ging vooruit.

Heer, het is alle offers meer dan waard geweest om zover te komen. Ze voelde zich tevreden.

Bruce,

Je brieven hebben me veel plezier gedaan, maar na de laatste moet ik een beetje naar woorden zoeken. 'Geraakt' is denk ik de beste omschrijving van mijn gevoelens.

Onze periode hier loopt op zijn eind. Morgen zullen we de luchtaanvallen officieel overdragen aan de USS *Truman*. Ik ben tevreden. Het is een goede tijd geweest. Voordat ik wegging heb ik tegen Wolf gezegd dat ik bij thuiskomst klaar zou zijn voor een nieuw begin. Het verdriet dat sinds de dood van Ben steeds op de achtergrond aanwezig was, begint te vervagen. Om eerlijk te zijn, hard werken is een goed medicijn tegen welke kwaal dan ook.

Tijdens deze reis heb ik er een paar fantastische vriendinnen bij gekregen. Dat gebeurt vanzelf als je met zijn zessen op elkaars lip zit. Ik zal me de eerste weken thuis gewoon verloren voelen met al die ruimte om me heen. Wil je me een dienst bewijzen en een zakdoek meenemen? Ik heb zo'n vermoeden dat ik die wel nodig zal hebben als ik Jill weer zie. Je ziet, ik ga er gewoon vanuit dat jij er ook zult zijn; dat doe ik niet expres. Het ongemakkelijke gevoel dat een mens kan hebben als een correspondentievriendschap in de realiteit gestalte moet krijgen, begint me al te bekruipen – ik begin een beetje te brabbelen, sorry. Ik vind het belangrijk dat je je realiseert dat ik geen verwachtingen koester. Veel liever geniet ik gewoon van wat op mijn weg komt.

Ik weet zeker dat ik tot het moment van aanleggen gewoon op het schip zal zijn. Het voorrecht om de laatste vlucht van het schip naar de kust uit te voeren, valt nog aan vijfenzeventig andere piloten te beurt. Ik ben nog geen senior. Eigenlijk is het maar goed ook; ik zal de laatste dagen aan boord hard nodig hebben om alles in mijn plunjezakken te krijgen wat ik mee wil nemen. Iedere keer ben ik weer verbaasd over wat ik allemaal heb verzameld.

Rome wordt vast fantastisch. Bedankt voor de restauranttips. Heather en ik zijn van plan er een geweldige tijd van te maken. Ik vind het altijd moeilijk om het werk van me af te zetten en echt te genieten, maar voor die drie dagen aan wal moet het wel lukken. Ik weet het, ik weet het; ik zit bij de marine en het reizen zou me dus in het bloed moeten zitten, maar in werkelijkheid overweldigt het me toch altijd weer. De taalverwarring, de ongelooflijke verkeerschaos, de onvoorstelbare prijzen en de verbazingwekkende historie op iedere hoek van de straat. Hoe dan ook, ik ga naar Rome voor mijn enige kustherinnering van de afgelopen tijd.

Nu zal ik verstandig zijn en naar bed gaan. Goedenacht, Bruce.

Gracie

Negentien

Met haar linkervoet duwde Jill de deur van Jones' appartement open, terwijl ze uit alle macht probeerde te voorkomen dat ze een van haar tassen liet vallen. Haar pink was helemaal gevoelloos door de plastic zak die eraan hing en de bloedsomloop afknelde. Vooral de kratten met voedingsmiddelen hield ze graag rechtop. Uiteindelijk kwam ze zonder ongelukken in de keuken, waar ze de tassen voorzichtig op de grond liet zakken. 'Hoe zit het met de bedrading van de nieuwe boxen?'

'Ik heb het bijna uitgevogeld', riep Wolf vanuit de woonkamer. Ze ging erheen om te kijken. Hij had het stereomeubel midden in de kamer getrokken en zette net de radio aan om die te testen. 'Heb je een snoer van vier en een halve meter kunnen vinden?'

'De langste waren drie en een half.'

'Dat lukt ook wel. Ik wou dat Reece die kerel te pakken kreeg. Ik zou wel eens een hartig woordje met hem willen wisselen. Hij heeft de achterkant van het kastje finaal doormidden getrokken om de cd-speler mee te kunnen nemen.'

'Er is al in geen zes weken een inbraak geweest. Hij heeft zijn werkterrein blijkbaar verlegd', antwoordde Jill, nog steeds opgelucht daarover. Scott was ervan overtuigd dat hij de vent uiteindelijk in de kraag zou grijpen; Wolf mokte nog steeds over het feit dat zij hem niets over het gebeurde had verteld en Bruce was ook niet bijster tevreden over haar. Een

154

volgende keer zou ze wijzer zijn en de zaken anders aanpakken; dan kregen ze precies te horen wat zich aan de wal allemaal afspeelde.

Jill nestelde zich in een hoekje van de bank; ze wilde even een minuutje met haar benen omhoog zitten, voordat ze de meegebrachte spullen een plekje ging geven. De voorbereidingen voor de thuiskomst van haar klanten slokten haar helemaal op. De meeste dingen konden pas op het laatste moment: van het inslaan van kruidenierswaren tot het pinnen van contant geld, zodat haar klanten zich het eerste weekend niet hoefden af te vragen waar hun pasje ook alweer lag en hoe het met de financiën was gesteld. Ze kreeg het wel voor elkaar, misschien, als er niets tegenzat.

'Bedankt voor je hulp.' Gisteren waren de laatste exemplaren van de vervangende apparatuur afgeleverd, en ze had niet geweten waar ze de tijd vandaan moest halen om alles uit te pakken.

'Ik wou dat je het een paar dagen geleden al had gevraagd.'

Alsof ze zich al niet schuldig genoeg voelde over de werkdruk; dat ze hem erbij betrokken had, was voor haar de erkenning van een nederlaag. 'Het is mijn werk; ik word verondersteld het te kunnen behappen.' Wolf keerde zich om en keek haar aan. Ze zuchtte. 'Sorry. Ik ben er nog steeds niet helemaal aan gewend dat het dragen van jouw ring allerlei vormen van samenwerking met zich meebrengt.'

'Dat blijkt. Je zult toch serieus moeten overwegen mij als zakelijk partner te accepteren. Ik ben nu eenmaal van plan me ermee te bemoeien, dus je kunt het net zo goed officieel maken.'

'Ik denk liever na over mogelijkheden om de werkdruk binnen de perken te houden, zodat het niet ten koste gaat van de tijd die we samen kunnen doorbrengen. Het is maar werk, niet het belangrijkste in mijn leven.'

Hij was vanmorgen bij haar huis komen opdagen met een zak muffins en koffie, in een T-shirt met de opdruk *Mijn liefje heet Jill*. Ze had dolgraag gewild dat ze na zijn omhelzing zijn aanbod van een dagje strand had kunnen aannemen. In plaats daarvan had ze zich genoodzaakt gezien hem voor te stellen onderweg naar kantoor te ontbijten in de auto. Ze had meer dan genoeg van deze baan. Jill pakte haar werkmap, met daarin een aparte bladzijde voor iedere klant, om te zien wat er voor de volgende dag op het programma stond.

'Het hoort nu eenmaal bij deze baan dat alles iedere keer tegelijkertijd komt. Je moet je er niet zo tegen verzetten. Ruik ik daar een lunch?'

'Ik heb Chinees meegenomen. Ik ben nog wel zo goed georganiseerd dat ik kan zien dat ik achter ben op mijn schema. Is het goed als ik je hier achterlaat en doorrijd naar het huis van Craig?'

'Je had Bruce moeten vragen of je Emily nog een paar weekjes mocht houden. Ik vind het niet prettig dat je in je eentje de huizen van je klanten afgaat.'

'Ik loop de hele tijd met boodschappen te zeulen en koelkasten vol te proppen. Emily zou door het dolle heen raken. Ik beloof je dat ik voorzichtig zal zijn. Ik moet nog veertien huizen af vandaag. Als ik de eerste drie nu eens hier in de buurt doe? Dan ben ik met een uur hier terug.'

Wolf keerde zich weer naar het stereomeubel. 'Tegen die tijd heb ik de video wel overmeesterd.'

'Dat kun jij beter dan ik.'

'Eet eerst je lunch op, of neem hem mee.'

'Ja meneer.'

Hij lachte en gooide haar zijn portefeuille toe. 'Haal ook een film voor vanavond, wil je? Als het erop zit voor vandaag, ben je wel toe aan meer dan een paar minuten met je benen omhoog.'

Iets beters had ze vandaag nog niet aangeboden gekregen. 'Afgesproken.'

26 AUGUSTUS
USS *GEORGE WASHINGTON*
VOOR DE KUST VAN VIRGINIA

Grace wikkelde het cadeautje, dat ze in Rome voor Jill had gekocht, in haar blauwkatoenen T-shirt en deed het in haar plunjezak. Ze had het schilderijtje in een galerie gezien en was er meteen verliefd op geworden. Nu moest ze haar vliegbenodigdheden, haar uniformen en haar vrijetijdskleding nog inpakken. Het bed lag vol met stapels. Haar kluisje en haar postvak in de readyroom van het squadron had ze al leeggeruimd.

Grace leunde tegen het stapelbed en liet Heather een foto zien. Haar vriendin lag languit het laatste nummer van de scheepskrant te lezen. 'Weet jij nog wanneer deze genomen is?' De foto was gemaakt met een van de polaroidcamera's die op het schip van hand tot hand gingen.

Haar vriendin nam het kiekje aan en grinnikte. 'De kleurspoeling was nog niet helemaal uit mijn haar gebleekt; waarschijnlijk zo'n zes weken na vertrek.'

'Dat dacht ik ook.' Grace gaf haar een andere foto die de vorige avond was genomen op de 'bonte avond' die ze in hun hut hadden gehouden. 'Heb je deze al gezien?'

'Verbazingwekkend wat zes maanden kunnen aanrichten.'

'Ik word een beetje grijs', ontdekte Grace tot haar verdriet. 'Bruce zal het zeker zien.'

'Hij is niet op zijn achterhoofd gevallen, dus hij zal zich wel van commentaar onthouden. Zet anders je pet op.'

Grace had de afgelopen tijd niet eenmaal haar marinebaret gedragen. 'Ik zal wel moeten. Sta jij bij de reling als we binnenlopen?' Dit was een officieel onderdeel van de thuisvaart en er was een groot contingent opvarenden voor aangewezen.

'Inderdaad. Zin om mee te gaan?'

'Als ik alles ingepakt heb, kom ik wel aan dek.' Grace was niet ingedeeld, maar ze zou er desondanks van genieten. Wanneer de GW de haven binnenvoer en door de sleepboten naar pier 12 werd getrokken, zou de bemanning in ceremonieel uniform langs de reling van het vliegdekschip in de houding staan. Op het 'Geef acht!' uit de luidsprekers over het dek zouden meer dan duizend mannen en vrouwen tegelijk salueren.

In de afgelopen weken was de stemming op het schip compleet omgeslagen. Er werd weer gelachen, de mensen hadden hun goede humeur herwonnen en in de manier van lopen was de veerkracht teruggekeerd. Iedereen was klaar om naar huis te gaan. De tafelgesprekken in de kantine gingen steeds meer over familie en vrienden. Bruce had gelijk: in het leger leerde je relaties pas echt waarderen.

Grace richtte haar aandacht weer op het inpakken. Ze vouwde het kussensloop op, de speciale luxe die ze van thuis had meegenomen. Boeken, cassettebandjes, vluchtschema's en trainingsprogramma's – voor alles vond ze wel een gaatje. Ze bekeek de brieven die ze op het bed had gelegd, netjes op datum gesorteerd. Van Bruce had ze er veertien gekregen, van Jill zesendertig; Wolf had er negen gestuurd en zes pakjes. Ze wilde niet weten hoeveel brieven ze zelf had geschreven; hoeveel het er ook waren, het was niet genoeg geweest. Na even te hebben nagedacht deed Grace de brieven in haar vluchttas. Van alle tastbare herinneringen aan deze missie zouden de brieven haar het kostbaarst zijn.

Ze pakte het opschrijfboek waarin ze gedurende deze reis haar dagboek had bijgehouden. Op de eerste paar bladzijden stond een lijst van bijbelteksten; ze hield de hoogtepunten van haar bijbelstudie altijd goed bij. Met een glimlach liet ze haar vinger over de lijst glijden. God was genadig. Hij hield van haar. En het leven was goed. Met die wetenschap in haar achterhoofd kon ze rustig naar huis gaan. Volgens Bruce moest ze onderzoeken hoe de stukjes op hun plaats konden vallen; ze was bereid dat te ontdekken.

NORFOLK, VIRGINIA

Heel Norfolk vierde de thuiskomst van de vloot. Bruce wist dat op waarde te schatten en trok voor de derde keer in een uur zijn portemonnee. Het was nu eenmaal een militaire stad en iedere zichzelf respecterende onderneming had voor een of andere welkomstactiviteit gezorgd. Bioscopen, restaurants, kledingwinkels – zonder uitzondering hoopten ze dat de vijftienduizend opvarenden bij hen hun geld zouden uitgeven, en daarom wemelde het van de speciale aanbiedingen. Bruce betaalde de bloemist en nam de ingepakte bloemen voorzichtig aan.

Het eerste van de zesentwintig schepen waaruit de GW-vloot bestond, was gisteren al gearriveerd. Op de terugweg naar zijn auto kocht Bruce een krant om het overzicht van aankomsttijden en -lokaties te bestuderen. Vandaag was de aankomst gepland van ongeveer zevenduizend matrozen, mariniers en luchtmachtpersoneel. Het vliegdekschip *George Washington* zou aanleggen bij pier 12 van de marinehaven in Norfolk, om tien uur. De marine kennende zou het schip stipt op tijd zijn.

Zijn gedachten gingen naar de laatste brief van Grace. Ze had een beetje zenuwachtig geklonken. Hij glimlachte. Een beetje nervositeit kon geen kwaad. Voorpret was leuk. Nog even, en hij had de kans opnieuw een eerste indruk van haar op te doen. Het verloop van de overgang van de correspondentievriendschap naar de levende werkelijkheid zou bepalend zijn voor de komende maanden. Hij wilde haar niet overhaasten, maar was zeker van plan het ijzer te smeden als het heet was. Om haar te laten wennen aan het ontspannen tempo van een leven aan de wal, had hij gekozen voor een laagdrempelige outfit: een spijkerbroek met een zwart T-shirt. Hij hoopte dat de onvermijdelijke desoriëntatie daardoor wat minder zou zijn. Kwam hij in vol luchtmachttornaat aanzetten, dan herinnerde hij haar alleen maar extra aan de barrière die ze moest nemen.

Met behulp van de kaart die Jill hem had gegeven vond Bruce parkeerplaats QP-6. Langs de rand van het terrein stonden reusachtige tenten, en grote borden leidden het publiek met militaire precisie naar de jonge-moederstent, de luchtmachttent, de EHBO-tent, de kindertent, de cafétent. De marine deed wat ze kon om de duizenden afhalers tegemoet te komen. Hij stak de straat over en voegde zich bij de honderden anderen die op weg waren naar pier 12.

Het was een enorme pier; er konden twee vliegdekschepen tegelijk aanmeren, aan elke kant een. Jill had gezegd dat ze in de buurt van de luchtmachttent zou zijn. Na enige tijd ontdekte hij haar bij de tafeltjes met verfrissingen en baande zich een weg naar haar toe. Ze was reuzenkoeken aan het klaarleggen en hij pikte er alvast een met chocola. 'Hoi.'

'Zijn die bloemen voor mij of voor Grace?'

Hij glimlachte naar haar.

'Dat dacht ik wel. Ze vindt ze vast prachtig. Heb je Wolf al gezien? Hij zou ballonnen voor me gaan halen.'

'Hij is onderweg, met een hele sleep kinderen achter zich aan. Heb je hulp nodig?'

'Volgens mij gaat het wel. Als het schip maar niet te vroeg komt.'

'Jill, waar wil je deze hebben?' riep Terri; ze had een stapel blauwe borden in haar handen.

Bruce maakte zich wijselijk uit de voeten. Zijn zus had het nu al druk, maar zodra haar klanten waren gearriveerd, zou ze pas echt omkomen in het werk.

Waar wilde hij het liefste wachten? Wolf had hem gewaarschuwd dat Grace geen haast zou maken met het verlaten van het schip, omdat ze niet vast wilde komen te zitten in de eerste vloedgolf van duizenden mensen die de loopplank afstroomde. Nadat hij de omgeving een beetje had verkend, vatte hij post aan het uiteinde van de pier, op enige afstand van de plek waar de ontscheping plaats zou vinden. Vandaar had hij een goed overzicht over de mensenmassa. In de verte kon hij de GW al zien.

USS *GEORGE WASHINGTON*
NORFOLK, VIRGINIA

Grace klom naar het vluchtdek, een uitgestrekte vlakte nu de vijfenzeventig vliegtuigen verdwenen waren. Zij waren al naar hun thuisbasis teruggekeerd toen de GW nog honderden kilometers uit de kust voer. Vandaag zouden er nog een paar toestellen vliegen, om tijdens de aankomstceremonie met trots de squadronkleuren te tonen.

Grace baande zich een weg naar het platform waar Heather had gezegd te zullen zijn. De pier was al in zicht en werd almaar groter, ook al stond ze vele verdiepingen hoger aan de achterkant van het schip. Thuiskomen viel toch niet mee. Jill zou er zeker zijn. Wolf ook. En Bruce?

Haar ogen zochten in de groeiende menigte, al wist ze dat het onwaarschijnlijk was dat ze hem zou ontdekken; toch voelde ze zich gedrongen het te proberen. Wat zou ze tegen hem zeggen als ze elkaar weer zagen? Ze dacht er al dagenlang over na en wist het nog steeds niet.

Door de luidspreker op het vluchtdek klonk het 'Geeft acht!' en het saluut van de matrozen viel samen met de beginnoten van de band die op de pier stond te spelen. Brullende vliegtuigen deden haar omhoog kijken. Het waren Tomcats, gevolgd door Prowlers en Hornets, die het terugkerende schip begroetten met strakke formaties en een beetje uiterlijk vertoon. Ze keek het glimlachend aan en wenste dat zij een van die fortuinlijke piloten was.

'Zie je haar al?' vroeg Bruce. Om over de mensen heen te kunnen kijken, was Wolf op de betonnen afscheiding gaan staan. Overal om hen heen vielen de mensen elkaar in de armen en het viel niet mee om in die verwarring naar Grace te zoeken. Ze zou toch deze kant uit moeten komen. Als ze elkaar hier misliepen, was de luchtmachttent het volgende ontmoetingspunt.

'We hadden tegen haar moeten zeggen dat ze geen wit moest dragen', merkte Wolf op.

Bruce liet zijn blik gaan over de menigte die de luchtmachttent in dromde. Ergens midden in dat tumult, vlak bij de rode ballonnen, moest Jill haar klanten aan het begroeten zijn.

Daar voelde hij plotseling een hand op zijn schouder en een schok schoot door hem heen. 'Hoi.'

Wolf sprong van de verhoging. 'Kon dat nou niet anders, Gracie?' vroeg hij. Ze was hen van achteren genaderd. Wolf tilde haar op en zwierde haar in het rond. 'Welkom thuis.' Ze verborg haar hoofd tegen zijn schouder en omhelsde hem lachend. Daarna tilde ze haar hoofd weer op en glimlachte over Wolfs schouder heen naar Bruce. 'Hallo, Bruce.'

Ze zag er goed uit. Erg goed. Hij was vergeten hoe blauw

haar ogen waren, hoe ze glansden als ze lachte. Hij glimlachte terug. 'Hoi, Gracie.'

Ze klopte haar neef op de rug. 'Je mag me nu weer neerzetten, Wolf.' Hij gehoorzaamde met tegenzin.

'Dit is mijn welkomstgeschenk', zei Bruce en gaf haar de bloemen.

'Ik zou veel vaker thuis moeten komen, zeg. Wauw.' Hij had de geurigste bloemen gekozen die hij kon vinden en dat bleek de moeite waard geweest. Het korte ogenblik waarop zij de bloemen bij haar gezicht hield en diep inademde, leek ze volkomen ontspannen. Ze keek op en ontmoette zijn blik. 'Dank je wel.'

'Geen dank, Grace. Het is fijn om je weer te zien.'

Ze hield haar hoofd een beetje schuin en keek hem schattend aan. 'Je ziet er anders uit dan ik me herinner.'

Wolf hoestte gesmoord en Bruce gaf hem een stomp tegen zijn arm.

'Mijn blauwe oog, denk ik. Yep, dat zal het zijn.'

'Hij ging naar links in plaats van naar rechts', legde Wolf uit.

Ze keek van de een naar de ander. 'Basketbal?'

'Hij kwam in een boom terecht tijdens een nachtelijke sprong.'

'Oeps.'

'Het kwam door de zijwind', verdedigde Bruce zichzelf. Het was gebeurd bij Fort Bragg, waar de teruggekeerde eenheden hun sprongvaardigheid weer wat probeerden op te poetsen. De CARP-sprong was helaas een beetje misgegaan. De C-130 vloog laag en snel. Op een hoogte van tweehonderdvijftig meter waren ze eruit gesprongen; de luchtstroom die door het vliegtuig werd veroorzaakt, vulde het valscherm, en binnen twintig seconden waren ze beneden. Deze sprong heette dan wel een Controlled Aerial Release Point, maar het enige gecontroleerde eraan was de zekerheid dat je een flinke smak zou maken met een minimale blootstelling aan vijandelijk vuur. Hij was onzacht in een boom beland.

Wolf kreeg medelijden met hem en leidde haar aandacht af. 'Heb je Jill al gezien?'

'Nee! En ik wil de ring zien waar ik zoveel over gehoord heb. Zit ze bij de luchtmachttent?'

'Ze is gestationeerd onder al die rode ballonnen.' Wolf ging voorop om voor hen een doorgang te banen.

Grace greep Bruce bij de hand en trok hem mee. 'Het verhaal was vast nog niet uit. Loop met mij mee en vertel.'

Bruce kwam naast haar lopen, geamuseerd. Deze uitbarsting van energie en de eerste emoties van de thuiskomst zouden wegzakken. Wilde ze dan gewoon naar huis en daar lekker instorten? Of zou ze willen genieten van de vrijheid door vanavond de stad in te gaan? Als hij haar over kon halen, moest het maar iets er tussenin worden.

Twintig

Ze was haar stem al bijna kwijt. Grace kon zich niet herinneren ooit eerder zo'n overweldigend welkom te hebben gehad. Ze was neergeploft aan een van de tafeltjes in een hoekje van de luchtmachttent en vocht tegen de neiging om er voor het oog van iedereen de brui aan te geven. Allerlei gezinsleden van het squadronpersoneel waren haar komen begroeten, evenals de kinderen van de vliegclub. Ze was doodop van het glimlachen en omhelzen.

'Hier.' Bruce gaf haar nog een glas frisdrank.

'Bedankt.' Hij ging tegenover haar aan tafel zitten. Ze steunde haar kin in haar hand en besloot dat ze er voor het ogenblik wel genoeg aan had gewoon een tijdje naar hem te kijken. Zelfs met zijn blauwe oog was Bruce knapper dan ze zich herinnerde. Hij moest helemaal in elkaar gedoken zitten om aan de picknicktafel te passen. Hij was fors, met brede schouders, gespierde bovenarmen en sterke handen. Zijn korte donkere haar was gebleekt door de zon. Ze was vergeten hoe zijn ogen oplichtten als hij glimlachte.

'Heb je vannacht wel geslapen?'

Ze glimlachte spijtig. 'Nee.'

'Wil je weg?'

Haar ogen zochten naar Jill, die druk bezig was een bus te regelen voor klanten die een lift naar huis nodig hadden. Grace had al met haar afgesproken om morgenochtend samen te ontbijten en heerlijk bij te kletsen. 'Ik zou er graag tussenuit knijpen. Heb je gezien waar Wolf mijn spullen heeft neergezet?'

'Hij heeft ze al naar mijn auto gebracht.' Bruce reikte haar zijn hand en toen ze die greep, liet hij haar gewoon niet meer los. Ze lachte een beetje en probeerde zich los te trekken, maar hij trok harder en hield haar stevig vast.

'Nu je eenmaal weer terug bent, laat ik je niet meer gaan.'

'Als je mijn bloemen dan maar niet vergeet.'

Hij pakte het grote glas dat tijdelijk dienst deed als vaas en gaf het haar aan. 'Hoe lang kun je in de stad blijven?' vroeg ze, terwijl hij haar voorging naar de parkeerplaats.

'Mijn vlucht vertrekt morgenochtend om vijf uur.'

'Vervelend.'

'Oh, maar ik ben vast wel in staat die ene gezamenlijke dag zo vol te proppen dat het er wel vijf lijken. Aangenomen tenminste dat jij wakker kunt blijven.'

'Dat kon wel eens een probleem worden.'

De parkeerplaats begon al leeg te lopen. Bruce liet haar hand los en opende het portier voor haar. Op de passagiers-plaats lag een pakje. 'Mijn welkomstgeschenk voor jou', bood hij aan, toen ze het opraapte.

'Maar ik heb ook al bloemen gehad!' Ze zette de proviso-rische vaas tussen haar voeten. 'En ik heb niks voor jou gekocht.'

Hij grinnikte. 'Vooruit, maak het maar open.'

Ze wilde het niet overhaasten. Tegen de tijd dat ze einde-lijk het deksel van het doosje deed, reed hij de parkeerplaats al af. Hij had onthouden wat ze in Incirlik tegen hem had gezegd en had de opsomming van dingen die ze miste voor haar ingelijst. Ze vond het prachtig en dat zei ze hem ook.

'Het zal je van pas komen als je de komende dagen geen idee hebt wat je nu weer eens moet gaan doen.'

'Het is een volmaakt cadeau.'

Langs het raampje gleed het vertrouwde landschap voor-bij. Het viel haar op dat ze hem niet de weg naar haar huis hoefde te wijzen. Hij parkeerde achter het gebouw en haalde haar bagage tevoorschijn. In de bakkerij was het druk. Grace stak haar hoofd even om het hoekje om de eigenaar gedag te zeggen en te beloven dat ze later nog even langs zou komen, daarna klom ze de trap op naar haar appartement.

De woning rook naar citroenolie en kaneel. 'Zet maar in de hal', mompelde ze en begon door de kamers te dwalen om weer met haar leefruimte vertrouwd te raken. Op de koffietafel lagen recente tijdschriften, de post lag netjes gesorteerd op haar bureau en op tafel ontdekte ze een stapel video's uit de videotheek. Geleund tegen de boogvormige doorgang naar de woonkamer stond Bruce naar haar te kijken. Er zaten zelfs eigengebakken koekjes in de trommel. Haar antwoordapparaat stond vol welkomstwoorden van goede vrienden. En overal stonden bloemen.

Ze had verse bloemen gemist. Op haar rondgang door het appartement telde ze maar liefst zes vazen. Jill had zichzelf overtroffen. Bruce keek alleen maar, zonder iets te zeggen, zodat ze alles in haar eigen tempo in zich op kon nemen. Toen ze overal was geweest, glimlachte ze naar hem. 'Het is fijn om weer thuis te zijn. Ik ga me even verkleden.'

'Doe rustig aan. Ik weet uit ervaring hoe leuk het is om weer te kunnen kiezen wat je aantrekt.'

Ze liep de slaapkamer in, waar haar kast vol hing met kleren. 'Ik wist niet dat mannen ook op die manier tegen kleren aankeken.'

'Het gaat om het principe, dat je weer een keuze hebt.'

Terwijl ze de eerste blouse tevoorschijn trok, hoorde ze hem de tv aanzetten. Dit werd niet eenvoudig. 'Moet ik iets makkelijks aantrekken of juist iets elegants?'

'Maak er maar een verrassing van. Ik pas mijn plannen er wel bij aan.'

Uiteindelijk besloot ze tot een spijkerbroek en een gebreid truitje, oude favorieten. Ze bleef even staan om van de rozen op haar nachtkastje te genieten. 'Moet ik jou bedanken voor al die bloemen?'

'Wolf heeft er ook een paar gestuurd.'

Haar neef had vast de madeliefjes gestuurd, maar de rozen – Bruce had alles op alles gezet om haar iets duidelijk te maken. Terwijl ze haar haren borstelde, gleden haar ogen telkens weer naar het boeket. Ze nam de tijd voor haar make-up. 'Waar is Emily?'

'Ik heb haar voor het weekend naar Rich gebracht.'

'Gaat het goed met haar?'

'Ze is dol op het strand.'

Grace piekerde even over sokken en schoenen, maar liep uiteindelijk blootsvoets terug naar de woonkamer. Bruce was net een videoband aan het terugspoelen. Zijn aanwezigheid leek haar appartement kleiner te maken.

'Je ziet er geweldig uit.'

'Hè, Bruce.'

'Ik meen het.'

'Je maakt me verlegen', zei ze met een glimlach, blij dat hij niets zei over haar sproeten en de grijze strepen in haar haardos. Ze liep naar de keuken; ze snakte naar vers fruit.

'Er is een nieuw restaurant in de straat hierachter; dat kunnen we wel eens uitproberen voor een late lunch.'

'Dat klinkt goed.' Ze had geen haast om weer weg te gaan. Met een peer in haar hand ging ze op de stoel naast de bank zitten om de eerste stapel welkomstkaarten te bekijken, afkomstig van de kinderen van de vliegclub.

'Ik heb al je brieven bewaard.'

'Echt waar?' Ze maakte de eerste envelop open en durfde hem niet aan te kijken. Hij klonk zo ongelooflijk zelfverzekerd.

'Heb jij de mijne bewaard?'

'Als ik nu eens zei van niet?'

'Die blos vertelt me van wel.'

Nu keek ze wel naar hem, geamuseerd en betoverd, en ze besloot de sprong te wagen. 'Wat verwacht je eigenlijk precies van deze vriendschap?'

'Precies zoveel als we ervan kunnen maken.'

Haar hoofd een beetje schuin dacht ze daarover na. Het was niets voor hem om het zo open te laten, daarvoor organiseerde hij te graag, maar hij speelde blijkbaar op safe.

'Dat vind ik een goed antwoord.'

'Ga je schoenen zoeken. Laten we een eindje lopen, gaan winkelen, ergens gaan lunchen.'

'Maar dat is werk', voelde ze zich gedrongen te protesteren.

'Zonneschijn die net lekker warm is, mensen, lichaamsbeweging…'

Ze liet toe dat hij haar overeind trok en ging haar schoenen zoeken.

Terwijl ze door de buurt liepen, nam hij haar bij de hand. Ze praatten over wat er met Jill gebeurd was, en over alle nieuwtjes die de afgelopen maanden aan haar voorbij waren gegaan. De buurt was veranderd.

'Je luistert helemaal niet.'

'Wat zeg je?'

Hij grinnikte. 'Dat bedoel ik nou.'

'Sorry. Ik ben een paar maanden weg en het wemelt ineens van de nieuwe winkels.'

'We gaan eerst lunchen en dan zullen we er eens een paar aflopen.'

Hij was een man van zijn woord. Bruce nam haar mee uit lunchen en daarna neusden ze door een nieuwe cadeauwinkel, waar hij haar de ene na de andere kaart liet zien, van grappig tot serieus. 'Wanneer ben je jarig?'

Haar hoofd een beetje schuin keek ze schattend in zijn twinkelende ogen. 'Zeg ik lekker niet.'

'Grijze haren. Het wordt minstens je derde kruisje.'

Ze was de dertig al gepasseerd en vermoedde dat hij dat heel goed wist. Reikend naar een verjaardagskaart met een zwarte ballon erop, ging ze zogenaamd per ongeluk op zijn tenen staan. 'Ik weet wanneer jij jarig bent.'

'Alleen maar omdat Jill er de laatste keer op stond me een serenade te brengen.'

Ze glimlachte.

Zijn ogen vernauwden zich. 'Of zat jij daar soms achter?'

'Zeg ik lekker niet.'

Hij legde zijn arm om haar schouder en trok aan een lokje haar. 'Wel zo slim; ik zou me verplicht voelen het je betaald te zetten.'

Het dreigement bracht haar aan het giechelen. 'Kijk, deze is voor jou.' Ze gaf hem de kaart.

'Je kwetst mijn gevoelens; hier' en hij gaf haar de kaart waar hij zelf naar had staan kijken.

Ze verwachtte een felicitatiekaart te zien, maar dat was het niet: het was een liefdeskaart. Ze stond sprakeloos en hij omhelsde haar. 'Zal ik een van die opgestopte pinguïns voor je kopen?'

Er klonk een vleugje hoopvolle verwachting in de vraag en dat doorbrak de geladenheid van het moment. Ze keek naar de uitstalling die hij aanwees en begon te lachen. 'Als je het maar laat. Ik snap niet waar Wolf dat geintje van die neerstortende pinguïns vandaan heeft.'

'Ik vind ze schattig.'

'Emily is schattig. Pinguïnknuffels zijn gewoon pinguïnknuffels.'

'Hoe kom ik er toch bij dat jij als kind al serieus was?'

'Wolf had iemand nodig die een toonbeeld was van gezond verstand.'

'Dat klopt.' Hij trok haar een boekwinkel binnen. 'Wat je ook uitkiest, ik betaal.'

'Een gevaarlijk aanbod. Ga je het ook voor me dragen?'

'Beslist.'

Ze wees naar links. 'Eerst de detectives.'

Zo af en toe liet hij haar alleen om een zijpad te nemen. Eén van de boeken had haar bij het eerste hoofdstuk onmiddellijk te pakken en ze verloor elk besef van tijd. Hij sloeg zijn arm om haar schouder en lachte zachtjes in haar oor. 'Koop het maar.'

Ze keek op, glimlachte naar hem en klapte het boek dicht. 'Zo goed is het niet.'

'Vast niet.' Bruce grinnikte en ze voegde het bij de stapel die hij al had. 'Ik heb iets moois voor je, Grace. Het tweede boek van boven.'

Ze trok het uit de stapel. Het was een verzameling brieven uit de Burgeroorlog, geschreven door soldaten aan hun families thuis. Ze bladerde er gefascineerd doorheen. 'Ik wist niet dat je belangstelling had voor geschiedenis.'

'Voor de menselijke kant ervan.'

Ze gaapte onverwacht. 'Ik zak een beetje in.' Ze was vanmorgen om vijf uur opgestaan en had daarvoor zes maanden lang op volle kracht gedraaid. Nu sloeg de vermoeidheid toe.

'Dat mag.' Hij stuurde haar in de richting van de kassa. 'Laten we deze kopen en dan kun je je thuis lekker opkrullen met een goed boek.'

Op hun gemak wandelden ze terug naar het appartement. Onderweg las Grace hem een paar brieven voor, terwijl Bruce haar om de obstakels heen leidde waar ze al lezend tegenaan dreigde te botsen.

Terug in de flat liep ze regelrecht naar de bank en schopte haar schoenen uit. Ze had in lange tijd niet zo'n leuke middag gehad.

'Doe even een tukje. Ik ga wel zitten lezen en naar je kijken als je slaapt.'

Geamuseerd keek ze toe hoe hij in de stoel tegenover haar ging zitten. 'Meen je dat?'

'Absoluut.'

Ze kon best een dutje gebruiken en het laatste waar ze zin in had, was hem de deur uit te sturen. Dus vlijde ze zichzelf in de kussens. 'Wat heb ik deze bank gemist, zeg.' Ze maakte het zich gemakkelijk en voelde zich volkomen ontspannen.

'Grace?'

'Hmmm?'

'Welkom thuis.'

Met een glimlach gleed ze weg in de slaap. 'Ik geloof dat ik besloten heb je aardig te vinden.'

Bruce,

Je hebt mijn eerste dag thuis zo bijzonder gemaakt. Ik heb gewoon geen woorden om je duidelijk te maken hoeveel het voor me heeft betekend. Bedankt voor de bloemen. Voor het dutje waarvoor je me 's middags de gelegenheid gaf. Voor de films die me bijna deden stikken van het lachen. Voor de omhelzing bij het afscheid.

Het is vreemd om je een brief per e-mail te sturen en te weten dat je hem ontvangt, zodra ik op 'verzenden' klik. Wees voorzichtig met trainen. Ik heb je wel geplaagd met je blauwe oog, maar ik weet best dat het voor hetzelfde geld een gebroken been had kunnen zijn. Ik heb vannacht een paar uur wakker gelegen, omdat ik opnieuw moest wennen aan de schaduwen en de geluiden en de stilte. Het is hier thuis toch wel heel anders dan op het schip. Ik heb aan jou liggen denken. Sommige vriendschappen zijn een geschenk, en die met jou valt in deze categorie. Ik weet niet waar het op uit zal lopen, maar vind het een fascinerende ontdekkings-reis.

Grace

Grace,

Het loopt vast uit op iets boeiends en we doen er wijs aan bij de dag te leven. (Je bent echt oogverblindend; heb ik dat wel gezegd toen ik bij je was?)

Je Bruce

Eenentwintig

Wat was je eigen kussen toch iets heerlijks; om nog maar te zwijgen van de privacy, de stilte en het comfortabele bed. Dankbaar sloeg Grace haar armen om het dikke veren kussen heen. Ze smoorde een geeuw en liet zichzelf langzaam uit de diepte van de slaap naar boven drijven. Het was fantastisch om weer thuis te zijn. Na een week was het nog steeds niet helemaal tot haar doorgedrongen.

Jammer genoeg had ze er nog niet genoeg naar haar zin van kunnen genieten; van lekker uitslapen kwam niets terecht. Het leven aan de wal was ongelooflijk hectisch. Er moesten twee nieuwe piloten – groentjes – in het squadron worden ingewerkt. Dan had je de noodzakelijke vervanging van de apparatuur; binnenkort de raketproeven in Nevada; oefeningen op zee met de volledige vloot ter voorbereiding op de volgende uitzending. Haar agenda liep alweer vol met afspraken.

Het was heet in het appartement en het rook er naar gist. In de bakkerij beneden begon de werkdag om drie uur 's ochtends. Ze was beslist de grootste geluksvogel van alle officieren in heel Norfolk: een ruim, betaalbaar appartement boven een bakkerij, met een bibliotheek aan de overkant van de straat en op een paar minuten afstand van het marinevliegveld, waar een vliegtuig stond met haar naam erop. Het leven was goed.

Het rinkelen van de telefoon dwong haar de dagelijkse realiteit onder ogen te zien. Ze had sterk de neiging het aannemen van de boodschap aan het antwoordapparaat over te laten, maar nam toch op. 'Luitenant Yates.'

'Goedemorgen, Gracie.'

'Ha, Bruce.' Ze propte de telefoon tussen haar wang en het kussen, overspoeld door blijdschap bij het horen van zijn stem. 'Ik weet niet of ik ooit zal wennen aan die directe communicatie.'

'Het is gewoon leuk om aan je te denken, en dan de telefoon te kunnen pakken om het aan je te vertellen. Wat zijn je plannen voor vandaag?'

'Uitslapen. Op m'n gemak naar beneden gaan en ontbijten in mijn favoriete broodjeszaak; misschien ga ik zelfs stiekem naar de zaterdagse tekenfilms kijken, terwijl ik net doe of ik ijverig mijn huis aan het schoonmaken ben.'

'Ik heb je blijkbaar wakker gemaakt.'

Ze wikkelde het snoer rond haar vinger. 'Daar zal ik maar geen antwoord op geven. Wat ga jij doen?'

'Ik zit al op kantoor.' Het klonk duidelijk geamuseerd.

'Is er iets aan de hand?'

'Nee hoor, gewoon de normale weekenddienst. Het weer in de Golf is goed, Cape Canaveral houdt zich een paar dagen gedeisd, we zijn ons aan het voorbereiden op de evaluaties van volgende week en ik zit m'n paperassen bij te werken.'

'Dat klinkt als een rustig en saai weekend.' Ze was er blij om. Weliswaar wist ze dat het er na één telefoontje opeens heel anders uit kon zien, maar op dit moment was hij tenminste niet iets levensgevaarlijks aan het doen.

'Van het beste soort. Ik heb al drie kilometers joggen op het strand achter de rug, plus een uur parachutetraining met de andere lui.'

Ze zou niet moeten happen, maar kon de verleiding toch niet weerstaan. Hij had haar zitten pesten met haar manier van fitnessen, die voornamelijk bestond uit drie kwartier afzien op de loopband in het fitnesscentrum van de basis. 'Wat was je tijd?'

'Loop maar mee als je dat wilt weten.'

Het was niet de eerste keer dat hij het vroeg, maar ze gaf hem weer hetzelfde antwoord: 'Ik zie nog wel.' Ze was nog niet klaar voor een stap die hun relatie ongetwijfeld in een stroomversnelling zou brengen; ze wilde het graag nog een paar dagen uitstellen om aan het idee te kunnen wennen.

Ze hoorde een telefoon overgaan. 'Ik moet ophangen, Grace. Een prettige dag. Denk je nog eens aan me?'

'Waarschijnlijk wel', gaf ze lachend toe en nam afscheid.

8 september
Bruce,

Het is leuk om al bij het opstaan een e-mail te vinden. Zelf vind ik elektronische ansichtkaarten een beetje nep, maar ik moet toegeven dat die neerstortende pinguïns echt geestig zijn. Ik vind het alleen jammer dat Wolf ermee begonnen is. Hij heeft me eens van die opgestopte dingen gegeven als welkomstcadeau (iets wat je ongetwijfeld wel weet). Eens kijken, wat heb ik nog meer te melden… Na zo'n week van telefoontjes en e-mails valt het gewoon niet mee nog een onderwerp te verzinnen.

Het was heerlijk om weer naar de kerk te kunnen gaan. De kapel op de GW ligt net onder het vluchtdek en wanneer de katapult in werking trad, moesten we even ophouden met zingen. Dus het was fijn om weer eens een kerkdienst mee te maken die zonder haperingen verliep, en daarna nog met mensen te kunnen blijven hangen. Er is een nieuwe bijbelkring op de vrijdagavond, en volgende week wordt die bij mij thuis gehouden. Voor de gasten wordt het nog een hele toer om een parkeerplaats te vinden, maar over de catering hoef ik me niet druk te maken. Als ik thuiskom van mijn werk, loop ik gewoon even hier beneden aan.

De eerste groentjesvluchten beginnen maandag, om ze te laten wennen aan onze manier van formatievliegen en van briefen. Er zitten twee piloten bij die regelrecht van Pensacola komen. Ben ik ooit ook zo jong en zo groen geweest? Ik leid nu piloten op die hooguit tien keer op een vliegdekschip zijn geland. In vergelijking daarmee is Bushman zo gek nog niet.

Thunder heeft nu officieel promotie gemaakt; hij wordt in oktober bevorderd tot bevelvoerend officier. Ik ben echt blij voor hem. Hij is een geweldige baas. Dit is zo'n beetje al het nieuws. Nu moet ik naar m'n werk. Vanavond ben ik laat thuis; we doen een vlucht bij zonsondergang.

Ik denk aan je,
Grace

9 september
Grace,

Hoe ging het met die vlucht? Ik kan me niets mooiers voorstellen dan een zonsondergang boven zee vanaf een hoogte van 15 angels. Ik ben begin volgende week een paar dagen weg. We hebben brandoefeningen bij Fort Bragg. Vermoedelijk zal dat duren van maandag tot woensdag; we vliegen heen en weer terug.

Jammer dat ik je vandaag niet te pakken kreeg. Ik schrijf je nu liever een briefje dan eindeloos te blijven bellen. Ik houd van pen en papier. Emily heeft me vandaag de stuipen op het lijf gejaagd: ze kreeg een paar kippenbotjes te pakken. Nu verwacht ik haar elk moment Spaans benauwd in de deuropening, met een van de botjes dwars in haar ingewanden. Ondertussen zit ik te genieten van een late avond op mijn nieuw aangelegde patio. (Het beton is mooi glad, ondanks het feit dat Rich me heeft 'geholpen'.) Ik heb geprobeerd het boek door te ploeteren dat je me hebt gestuurd, maar dat viel niet mee. Dat je ertegen kunt, zeg! Ik vind al die moorden maar angstaanjagend, ik kan het niet anders zien.

En dan je filmsmaak… we zullen daarin echt een compromis moeten vinden, lieverd. *Castaway* is ongetwijfeld een prachtige film, maar een realistisch vliegtuigongeluk is wel het laatste waar ik voor mijn plezier naar zou kijken. *Saving Private Ryan* van Spielberg was uitstekend, maar ik kreeg er wel een ongemakkelijk gevoel van. Ik heb vliegtuigongelukken en oorlogen meegemaakt; ik zie genoeg van het echte leven. Als het ons ooit nog eens lukt een avondje af te spreken, wat denk je dan van iets onschuldigs als *101 Dalmatiërs*? Ik heb (van de PJ's die er met hun kinderen heen zijn geweest) gehoord dat die best goed is.

Hoe ging de repetitie van het kerkkoor? Op zondag denk ik altijd speciaal aan je. Ons koor telt nog maar zeven leden;

ze hebben mij gevraagd lid te worden, dus dan weet je wel dat ze echt in de problemen zitten. Pas goed op jezelf. Ik mis je.

Bruce

Tweeëntwintig

14 SEPTEMBER
NORFOLK, VIRGINIA

Toen Grace op donderdagavond thuiskwam, trof ze de auto van haar neef op haar parkeerplaats aan. Daarom parkeerde ze tijdelijk op de plek van haar buurman. Wolf zat in de bakkerij met de eigenaar te kletsen, terwijl hij met een hete donut zat te jongleren om die te laten afkoelen. 'Heb je deze wel eens geproefd, Grace? Ze zijn verrukkelijk.'

'Het zijn zelfs mijn lievelingsdonuts.' Ze nam er een van hem aan en hij kocht een doos vol. 'Ik dacht dat je voor vanavond met Jill had afgesproken', zei ze terwijl ze hem voorging naar boven.

'Ik zie haar over een uur.' Eenmaal binnen schonk Wolf zich wat frisdrank in.

Grace controleerde haar antwoordapparaat en kon de verleiding niet weerstaan ook haar e-mail na te kijken.

'Nog iets van je grote vriend?'

De vraag deed haar glimlachen, maar de lijst van ingekomen berichten stelde haar teleur. 'Nee.'

'We gaan morgen voor een lang weekend naar Florida. Je hebt me beloofd dat je na de afgelopen periode een nieuw begin zou maken. Doe dat dan ook. Bruce is een geweldige vent. Ga met ons mee.'

Ze keek hem over haar schouder aan. 'Ik kan mezelf toch niet zomaar uitnodigen?'

'Ik heb je nu toch uitgenodigd? Ik zit de komende vier weken in Pensacola voor allerlei cursussen; ik moet al mijn spullen daarheen transporteren. Jill wil het huis van Bruce wel eens zien en bovendien is ze aan vakantie toe. Je kunt een kamer met haar delen in het hotel. Je hoeft alleen maar je spijkerbroek en je badpak in een koffer te gooien en mee te gaan.'

Ze leunde tegen haar bureau. Het plan trok haar wel aan. Impulsieve acties waren nu eenmaal Wolfs specialiteit; het was een goed plan om Jill een weekendje uit te bezorgen en haar meteen de gelegenheid te geven Bruce weer eens te zien. 'Ik kan vast niet zo gauw vrij krijgen.'

'Je hebt me al verteld dat je vliegtuig voor een onderhoudsbeurt gaat. Ik heb het nagevraagd bij je bevelvoerend officier. Je kunt een paar dagen weg.'

Wat hij niet zei, pikte ze wel op: met al zijn impulsiviteit zorgde Wolf er toch wel voor dat zijn plannen niet door onvoorziene factoren werden gedwarsboomd. 'Hoe had je het je voorgesteld?'

'Morgenmiddag op het vliegtuig, dan zijn we rond etenstijd daar, en terug op dinsdag rond het ochtendgloren.'

'Oké, dan handel ik even wat telefoontjes af. Als jij Bruce maar vertelt dat ik misschien meekom.'

'Bangerik. Maak je koffer niet te zwaar, anders draag ik hem niet voor je.'

'Heb je dat ook tegen Jill gezegd?' Ze lachte om het gezicht dat hij trok. 'Ga nu maar. Ik bel je morgenochtend wel of ik mee kan.' Een ontmoeting met Bruce met nog twee anderen erbij klonk haar wel als een verstandig plan in de oren.

15 SEPTEMBER
PENSACOLA, FLORIDA

Hij zou dit weekend gasten krijgen: Jill en Wolf kwamen langs om het huis te bekijken.

Bruce roerde in de spaghettisaus met aan zijn oor de telefoon die maar bleef overgaan. *Grace, waar hang je uit?* Ze nam niet op.

Wolf had al opgebeld vanuit het hotel. Bruce wist dat het maar een kwartier rijden was, maar het vakantietempo van zijn zuster kennende, rekende hij op vijfentwintig minuten. Hij zette water op en keek nogmaals in de eetkamer of hij de geraspte kaas wel had klaargezet. Salade en pasta vormden maar een eenvoudig maal; hij zou het een beetje aankleden met geroosterd knoflookbrood en als toetje kwarktaart geven. Wolf had het niet gezegd, maar Bruce had het gevoel dat ze ook de details van de bruiloft met hem wilden bespreken.

Als hij Grace te pakken kreeg, zou hij haar wel vragen om ideeën voor het huwelijkscadeau.

Daar klonk autogeronk op de inrit en hij draaide het vuur onder de saus laag. 'Er is bezoek, Emily.' Als hij haar nu zover kon krijgen dat ze overwoog op te staan, kon ze misschien bij de deur zijn tegen de tijd dat ze binnenkwamen. Toen hij de auto zag, bleef hij op de bovenste stoeptrede staan. Daar waren Wolf en Jill, maar ze hadden nog een derde persoon meegebracht. Bruce duwde de vaatdoek die hij in zijn hand had snel in zijn broekzak en wenste dat hij zich even had verkleed. Toen liep hij de stoep af om hen te begroeten.

'Je had toch wel op me gerekend?'

'Nee, eigenlijk niet. Maar de wens was zeker aanwezig. Welkom, Grace.'

Ze wierp Wolf, die tegen de auto geleund stond, een vernietigende blik toe en hij grijnsde breed. Bruce begreep onmiddellijk hoe de vork in de steel stak. Die man had nog iets van hem te goed. Voor dit moment moest hij hem even uit de vuurlinie zien te krijgen. 'Ik heb geprobeerd je te bereiken, dus het komt goed uit dat je er nu bent.' Hij nam haar bij de hand. 'Ik wil je iets laten zien. Jill, het eten staat op. Wil jij het in de gaten houden?'

'Wat dan?' vroeg Grace, terwijl hij haar meetrok.

Bruce leidde haar door het huis naar de bibliotheek, waar hij net aan was begonnen. De nieuwe ramen zaten er al in, de muren waren geschilderd en de ingebouwde kastplanken waren half af. De eerstvolgende vier waren gelakt en lagen te drogen. 'Het ligt hier ergens.' Hij zocht langs de dozen met spullen die hij ter bescherming had ingepakt en gokte zo'n beetje waar hij het gezochte kon vinden. 'Hou dit eens vast.'

Hij gaf haar het blikje met stopverf dat boven op een doos stond, en trok de doos open.

De gok was juist en hij haalde het album tevoorschijn. 'Ga maar zitten, de vloerbedekking is net nieuw.'

Ze lachte, maar deed wat hij haar vroeg.

Bruce opende het album ergens halverwege en legde het op haar schoot. 'Ik ontdekte dit en moest meteen aan jou denken.'

'O, Bruce!' Haar vingers gleden over de patch van de STS-71, een van de eerste shuttlevluchten waar hij de wacht had gehad en waarmee Ben had gevlogen. Langzaam sloeg ze de bladzijden om. Voorafgaand aan de vlucht was er een feestje geweest, waar de hele bemanning aanwezig was geweest. Er waren verscheidene foto's van Ben. 'Ik zat op de Balkan toen hij deze missie vloog.' Ze vocht tegen haar tranen en Bruce streelde haar rug.

'Ik dacht dat je ze wel graag zou willen zien.'

Ze omhelsde hem. 'Dank je wel.'

Hij kuste haar op het voorhoofd. 'Je hebt nog twintig minuten, terwijl ik de finishing touch voor het diner verzorg.'

Hij stond op, maar ze greep nog snel zijn hand. 'Wat zit hierachter?'

'Grace, je hebt in heel je appartement niet één foto van Ben. Het wordt tijd om ze tevoorschijn te halen.' Hij kneep even in haar hand. 'Ik hoop dat je spaghetti lust.'

'Ik ben er dol op.'

'Mooi zo.' Zijn hond dook op in de deuropening en liep kwispelstaartend naar Grace toe. 'Em, zet je beste beentje voor. We willen graag dat ze nog even blijft.'

Grace lachte en woelde door de vacht van het dier. 'Ze is nog steeds hartveroverend.'

'Ze wordt met de dag ouder. Tot zo.'

Grace knikte en hij liet haar achter met het fotoalbum en zijn hond.

'Hoe gaat het nu met je huis?' vroeg Grace.

'De renovatie ligt voor op schema', antwoordde Bruce luchtig en zette de slaschaaltjes in elkaar. Grace had erop gestaan hem te helpen met tafel afruimen. Hij had Wolf over haar hoofd een veelbetekenende blik toegezonden, zodat die Jill had meegenomen voor een wandeling over het strand. Nu had hij Grace een paar minuten voor zichzelf. 'Ik ben bezig met de laatste loodjes van de bibliotheek en daarna begin ik aan de logeerkamer met de bijbehorende badkamer.'

'Ambitieus.'

Hij grinnikte. 'Tijd zat. Als ik iets fout doe, breek ik het er gewoon uit en begin opnieuw.'

'Je geduld is bewonderenswaardig.'

'Alleen als ik er zin in heb. En er is niemand in de buurt die hoort wat ik uitkraam als er iets misgaat.'

'Vind je het goed als ik een paar foto's uit je plakboek mee-neem om er afdrukken van te laten maken? Je krijgt ze terug.'

'Neem er zo veel als je wilt.' Bruce schonk haar een kop koffie in en gebaarde naar de patio. 'Laat die borden maar in de gootsteen staan; die nemen we straks wel onder handen.'

'Uitstel leidt tot rommel.'

Hij glimlachte. 'Het is mijn eigen huis.' Hij hield de deur voor haar open. 'Die witte stoel prikt niet in je rug, maar hij wiebelt wel.'

Ze ging er voorzichtig in zitten en lachte zachtjes. 'Een gewaarschuwd mens telt voor twee.'

'Dat is nog een project voor de toekomst.' Emily kwam bij hen zitten en Bruce aaide haar over de kop. 'Ik ben erg blij dat je gekomen bent, Grace.'

Ze legde haar hoofd tegen de rugleuning van de stoel om naar de sterren te kunnen kijken en kruiste haar enkels over elkaar. 'Weet je waarom een avond als deze zo'n geschenk is?'

Hij nam haar aandachtig op; haar ontspannen houding boeide hem evenzeer als de vraag. 'Nou?'

'Ik voel me niet schuldig dat ik de tijd neem om ervan te genieten.'

'Een schuldgevoel over een vrije dag? Dat is toch geen manier van leven!'

'Ik heb het niet altijd.'

'Ik had willen voorstellen om dit weekend te gaan sky-diven, maar dat doet je misschien weer teveel aan je werk denken?'

'Ik ben gemaakt om een vliegtuig te besturen, niet om eruit te springen. Ik heb trouwens de foto's in de hal gezien. Je hebt heel wat sprongen op je naam staan!'

'Dat gaat wel. Rich en ik vinden het leuk om in onze vrije tijd de lucht in te gaan.'

'Wat voor plannen heb ik eigenlijk in de war geschopt? Hadden jullie afgesproken dit weekend samen te gaan parachutespringen?'

'Grace, het is alleen maar leuk om Rich eens te laten zitten. Een goede vriend weet wanneer hij teveel is en beter de plaat kan poetsen.'

'Jill en Wolf zijn er daarnet ook tussenuit geknepen.'

'Ik vermoed dat Wolf Jill wilde zoenen zonder een pottenkijkende grote broer erbij, die alleen maar last zou krijgen van zijn ingebakken beschermingsdrift.'

Ze grinnikte. 'Je hebt waarschijnlijk gelijk. Mijn neef heeft een goeie aan jouw zus.'

'Dat is wederzijds.' Bruce keek haar aan, terwijl hij zijn koffie opdronk. 'Wolf was flink van zijn stuk door Incirlik.'

'Dat weet ik.'

Hij wachtte of ze er nog iets aan toe zou voegen, maar ze deed er verder het zwijgen toe.

Hoeveel Incirliks hadden haar gemaakt tot wie ze nu was? Hoe vaak was het op het nippertje goed gegaan, hoe vaak had ze het alleen maar overleefd, omdat ze haar vak met uiterste precisie uitoefende? Hoe veel van die situaties telde haar levensgeschiedenis? Zelf was hij veranderd door Ecuador en andere, vergelijkbare nachten. Grace had ongetwijfeld haar eigen verhalen.

Hij hoorde Wolf en Jill voor hij hen zag, door het gelach van zijn zus. 'Het is een leuk stel om te zien.'

'Dat klopt. Ik ben blij dat ik ze aan elkaar heb voorgesteld.' Ze glimlachte. 'Iemand moet toch op Wolf letten.'

'Je hoeft niet het hele weekend aan mijn zijde te blijven, hoor.'

Bruce, warm en tevreden en half van plan een dutje te gaan doen, deed zijn ene oog net lang genoeg open om Grace een blik toe te werpen. 'Ik ben volmaakt tevreden als ik jou dit weekend kan schaduwen. Ik zie geen enkele reden waarom een andere PJ je kostbare tijd in beslag zou nemen. Ze vertellen je toch alleen maar kletsverhalen over mij.'

Ze lachte en nestelde zich met haar bord in de tuinstoel. Het gezelschap, dat gedurende het weekend voortdurend in aantal had gevarieerd, had zich verzameld bij het zwembad van het hotel om gezamenlijk te lunchen en plezier te maken. Jill had wat vrienden uitgenodigd, Wolf had bericht gestuurd naar de andere commando's die voor de training waren overgekomen, en de PJ's hadden lucht van de gebeurtenissen gekregen via Rich. Met elkaar vormden zij een prettig gezelschap, een goede mix van marine- en luchtmachtmensen. Op dit moment was er een spelletje golf in volle gang op de golfbaan van het hotel; de wedstrijd watervolleybal was even gestaakt. Grace had eerder op de dag gezwommen en zich daarna verkleed in een korte broek en witte top. Bruce had er genoeg aan om lekker in een stoel te zitten en de anderen om hem heen hun gang te laten gaan; hij maakte absoluut geen aanstalten om mee te doen. Hij was van plan Grace over te halen straks met hem naar het strand te gaan.

'Ik sta altijd weer verbaasd dat je je in deze omstandigheden zo goed kunt ontspannen. Je bent niet zozeer lui, je… spaart je energie', merkte Grace op.

'Moet ik je bedanken? Het klonk als een compliment.'

'Dat was het ook.'

'Ik kies bewust waar ik mijn aandacht op wil richten', antwoordde Bruce.

'Nou zit je alweer naar me te kijken.'

Hij glimlachte. 'Dat vind ik nou eenmaal fijn.'

Er schoof een schaduw tussen hen en de zon. 'De lunch is voorbij; ben je klaar voor de zwempartij?'

Geamuseerd keek Bruce naar Wolf op. 'Ik dacht dat je de vorige keer je lesje wel geleerd had.'

'Kom op, Striker. Ik wil een herkansing.'

Bruce keek naar Grace, maar die trok alleen een wenkbrauw op. Hij keek weer naar zijn vriend. 'Oké dan, je krijgt je herkansing.' Hij voelde zich niet te goed om een beetje op te scheppen. Hij stond op.

'Rich is scheidsrechter. Degene die het verst onder water kan zwemmen, heeft gewonnen.'

'Prima', stemde Bruce toe.

De PJ's en commando's die aan het golfen waren, lieten hun spel in de steek en verzamelden zich bij de achterrand van het zwembad.

'Mannen! In hun hart blijven het altijd jongens', zei Jill en Grace moest erom lachen. 'Zet hem op, Wolf!'

Bruce glimlachte naar zijn zus. 'Het spijt me, zussie, maar hij gaat echt verliezen.'

'Jij hebt een hekel aan water', reageerde ze zelfverzekerd.

Respect voor water was een betere omschrijving, maar daar ging het nu niet om. Bruce was niet van plan te verliezen. Hij keek naar Grace, die zich had verplaatst naar de dichtstbijzijnde ligstoel om te kunnen kijken. Ze genoot hiervan. Hij richtte zijn aandacht op het bad en op de uitdaging.

Hij kende Wolf langer dan vandaag. Deze wedstrijd zou niet uit een, maar uit meer ronden bestaan. Het ondiepe gedeelte van het bad vormde daarbij een groot probleem. Hij kon in die anderhalve meter niet genoeg kracht zetten om vaart te houden, en de poging daartoe zou extra energie kosten. Bij het inhouden van je adem ging het om de juiste verdeling van de energie waarvoor zuurstof nodig was. In deze wedstrijd ging het om afstand, niet om snelheid. Hij zou inzetten op kracht door zich af te duwen van de muur. Bruce knikte bij zichzelf; dat zou de beste strategie zijn.

Wolf strekte zich al uit op de rand van het diepe, klaar om te duiken. Bruce liet zich in het water glijden; hij wilde niet met een duik beginnen. Het verbaasde commentaar negeerde hij.

'Klaar, heren?' riep Rich. 'Klaar voor de start! Af!'

Wolf dook in het zwembad.

Bruce liet zich onder water zakken en duwde zich af van de muur. Wolf had al verloren; Bruce was er zeker van. Hij hoefde alleen maar verder te zwemmen dan Wolf, en omdat hij de nummer twee was hoefde hij geen energie te verspillen aan het bepalen van het tempo. Het was gemakkelijk om gewoon iets meer te doen dan de ander. Als voorste moest

Wolf zich omdraaien om te kunnen zien waar Bruce zich bevond.

Terwijl Bruce dichterbij kwam, maakte Wolf het keerpunt in het ondiepe. Onder water zag Bruce hoe Wolfs voet tegen de trap aan sloeg. Hij deed er zijn voordeel mee, gebruikte zijn handen om vaart te maken en duwde zich zo hard mogelijk af van de muur om voorbij de trap te schieten voordat hij zijn snelheid verloor.

Daarmee lag het patroon van de wedstrijd vast. Bij het begin van de tweede ronde was Wolf begonnen zijn tempo op te voeren. Bij de derde lag hij een volle ronde voor. Bij de vijfde ronde zag Bruce zijn snelheid terugzakken. Vechtend tegen het brandende gevoel in zijn longen, bereikte hij de muur van het diepe gedeelte en zette af met alle kracht die hij nog had. Het zwemmen beperkte hij tot de bewegingen die nodig waren om hem in een rechte lijn te houden. Eindelijk schoot Wolf naar boven om lucht te happen.

Bruce lag twee ronden achter; hij probeerde uit alle macht de gedachte te verdringen dat hij nu de enige was die nog zwom. Het was zoveel eenvoudiger om gewoon achter Wolf aan te zwemmen. Nog vier ronden, nam hij zich voor, ook al moest hij nu al zijn lippen op elkaar persen tegen de overweldigende aandrang om te ademen. Wanhopig snakte hij naar lucht, maar die zou hij zichzelf pas gunnen als hij zijn doel had bereikt.

Hij bleef zwemmen.

Het water vervormde alle geluiden. Hij hoorde verscheidene mensen zijn naam roepen, maar pas na het keerpunt voor de vierde ronde liet hij zichzelf eindelijk omhoog drijven. Hij had gewonnen, maar dat was niet de reden geweest voor zijn besluit om nog een extra ronde onder water te blijven. Bruce wentelde zich op zijn rug en hapte naar zuurstof.

'Jij bent echt een zeekoe.'

Hij keek naar Wolf, die zwaar ademend aan de rand van het zwembad hing.

'Energie en wil. Ik wilde het gewoon meer dan jij', antwoordde Bruce, met adempauzes tussen de woorden.

'Je hebt het verdiend.'

Wolf trok zichzelf uit het water. Bruce zwom naar de kant en liet zich door hem omhoog hijsen. Daar stond Grace klaar met een handdoek en hij pakte die met een gemompeld dankjewel van haar aan. 'Jij hield echt je adem eindeloos in, zeg.'

Hij streelde haar neus met zijn wijsvinger en glimlachte naar haar.

'Waarom?' fluisterde ze.

Hij keek naar haar en daarna naar Wolf. 'Hij moet weten dat ik hem kan redden, hoe hij ook in de nesten zit', zei hij. 'Ik moet in staat zijn langer onder water te blijven dan hij, als ik hem of wie dan ook moet helpen.'

'Weer zo'n stilzwijgende boodschap van een PJ aan een commando, dus.'

'Wij zijn van elkaar afhankelijk, Grace. In vredestijd moet je de man naast je op de proef stellen, zodat je hem in tijden van oorlog kunt vertrouwen.'

'Wolf vertrouwt jou helemaal.'

'Dat weet ik, en daarom moest ik hem verslaan. Ik ben van plan dat vertrouwen waard te blijven.'

'Je hebt gezwommen met je horloge om.'

Geschrokken keek hij omlaag. 'En het is niet eens waterbestendig.'

'Daar was ik al bang voor.'

Hij deed het af en hield het omhoog. 'Een verjaardagscadeau. Je moet Wolf maar de tip geven om het te vervangen.'

Ze lachte zachtjes, nam het van hem over en liet het in haar broekzak glijden. 'Dat moet wel lukken.'

Wat was hij toch een fascinerende man. Grace volgde Bruce met haar ogen, toen hij met een voor haar bestemde pilotenspecialiteit door het volgepakte vertrek laveerde. De plek voor het etentje was haar keuze; ze had er goede herinneringen aan uit de tijd dat ze nog in Pensacola trainde. De muziek stond hard en het visrestaurant zat bomvol, maar dat was slechts lawaai op de achtergrond. Ze was omringd door luchtmachtpersoneel en voelde zich een beetje op vijandelijk terrein. De Berenwelpen leken daar echter helemaal geen last van te hebben. Wolf en Cougar vonden overal aansluiting, en nu hadden ze Rich ontdekt. Met z'n drieën hadden ze genoeg aantrekkingskracht om een tafel vol luidruchtige mensen te trekken.

Wolf was Jill een of ander sterk verhaal aan het vertellen, daarbij met groot plezier geassisteerd door Cougar en Rich. Grace zat glimlachend toe te kijken. Het was fijn om te zien hoe de Berenwelpen genoten van een gezellig avondje uit.

Ze was zich ervan bewust dat Bruce haar leven op z'n kop zou zetten. Ze kon niet zeggen dat ze er bezwaar tegen had. Hij paste hier, net zoals hij vanmiddag had gepast in de groep rond het zwembad en een poos geleden op het afscheidsfeest van Jill.

'Weet je zeker dat je dit bedoelt met een leuke avond?'

Grace lachte bij de slecht verborgen hoopvolle klank in zijn stem en pakte het glas van hem aan. 'Zo erg is het niet, hoor. Ze zijn alleen allemaal iets jonger dan ik me herinnerde.'

'De doorgewinterde kerels zitten meestal in het restaurant bij de pier.'

'Daar ben ik wel eens geweest. Rustiger, een beetje bezadigd, lang zo leuk niet.'

Hij ging naast haar aan het tafeltje zitten en trok het broodmandje naar zich toe. 'De knabbels zijn lekkerder, je kunt het sportprogramma op tv verstaan, de menukaart is uitgebreider…'

'Je wordt oud.'

Hij glimlachte. 'Een beetje wel, ja.'

Ze glimlachte terug, proefde van haar drankje en tikte haar glas tegen het zijne. 'Het is niet slecht. Niet helemaal volgens het recept, maar toch goed te doen.'

'Je moet me gewoon genoeg tijd geven om te oefenen.' Hij maakte een hoofdbeweging naar de andere tafel. 'Denk je dat ik Jill moet redden? Ze lijkt wel een porseleinen poppetje in die massa kerels.'

'Maar ze staat in het middelpunt van de belangstelling! Ik voel me beledigd, hoor. Wolf past heus wel goed op haar.'

'Het gaat om het principe.'

'Dat is waar.' Ze vond het leuk hem nu eens van deze kant te zien: Jill zou altijd zijn kleine zusje blijven. 'Ik mag je wel, Bruce.'

Hij knipoogde. 'Dat is dan wederzijds, juffrouw Grace.'

Zijn intense blik deed haar blozen. 'Zullen we Beer en Kelly vragen om erbij te komen zitten?' De twee zaten aan een tafeltje aan de overkant van het gangpad.

Bruce knikte. 'Dat zouden we kunnen doen. En Beer zou me met een veelbetekenende blik duidelijk maken dat ik dat beter kon laten. Hij probeert haar af te brengen van het plan om morgen te gaan surfen.'

'Waarom? Kelly is er heel goed in.'

'Hij niet.'

'Oh, vandaar.'

Bruce glimlachte. 'Precies. Hij heeft een goeie aan Kelly. Hij is bij de commando's zo legendarisch, dat dit huwelijk heel goed voor hem is. Het voegt een vleugje marshmallow toe.'

Ze verslikte zich bijna en begon te lachen. 'Marshmallow?'

'Kelly's omschrijving.'

'Als ik me je lot eens aantrok en voorstelde om samen naar de zeilboten te gaan kijken?'

'Maar die liggen allemaal aangemeerd.'

'Alleen wandelen, Bruce. Heel simpel, niets ingewikkelds.'

'Ik ben blijkbaar niet zo vlug van begrip.'

Ze stond op en pakte het glas. 'Ik zal het je wel leren. Zeg jij even tegen Wolf waar we heengaan, anders gaat hij nog de nieuwsgierige neef uithangen en kijken waar ik ben.'

'Hoe kom ik op het idee dat je een beetje tegen hem opkijkt?'

'Tegen Wolfie? Hij is alleen maar... vasthoudend.'

'Als we toch de zeilboten gaan inspecteren, wat dacht je er dan van dat ik iemand opscharrel van wie we voor een paar uur een boot mogen lenen?'

'Dit is nog maar ons eerste weekend en nou bederf je al alles voor de toekomst. Alleen een wandeling. Kunnen we Emily straks nog gaan halen?'

'Ik weet heus wel dat mijn hond de eigenlijke attractie van dit weekend is.'

Ze zeiden hun nieuwe en oude vrienden gedag en verlieten het restaurant. Bruce stak zijn hand uit en Grace aanvaardde die.

'Mijn oren tuiten nog steeds.'

Grace lachte en kneep in zijn hand.

'Kun je zeilen?'

'Een beetje. Ik ben er niet zo heel goed in.'

'Dan kun je er nog wel plezier aan beleven. We zouden ook eens een weekend kunnen gaan vissen, of sportduiken.'

'Dat zou ik geweldig vinden.' Ze probeerde niet krampachtig het gesprek op gang te houden, maar genoot van de gezamenlijke wandeling. Hij had evenmin haast om de stiltes op te vullen. Het was lang geleden dat ze zichzelf had toegestaan zo van een avondje uit te genieten. Het werk leek nu zo ver weg – Norfolk, vliegen, het gejacht en gejaag om een overvolle agenda af te werken. 'Mag ik je iets vragen?'

'Natuurlijk.'

'Waarom heb je zo'n stokoude hond gekocht?'

Hij glimlachte. 'Daar zit een verhaal achter.'

'Wat dan?'

'Ik wou graag een hond. Uiteindelijk kwam ik bij het asiel terecht. Emily was een van de honden die niet veel emotie toonden bij het zien van een bezoeker, maar ze had zulke geduldige ogen; net alsof ze er gewoon vanuit ging dat ik voor haar was gekomen.'

'Echt waar?'

'Denk je dat ik het sta te verzinnen?'

'Nee. Het intrigeert me alleen maar dat je zo'n oude dameshond hebt aangeschaft in plaats van een collie of een herder in de kracht van zijn leven.'

'Ik wilde een hond die het prettig vond om lekker op de patio te zitten. Die zijn zeldzaam. Waarom heb jij eigenlijk nooit een huisdier gehad?'

'Hoe weet je dat dat zo is?'

'Vissen tellen niet mee. En ik weet het, omdat ik nieuwsgierig genoeg was om het uit te zoeken.'

Het fascineerde haar dat hij zoiets eenvoudigs zomaar toegaf. 'Huisdieren vragen... ruimte en tijd, en je moet er steeds aan denken ze te voeren, en dan de bezoekjes aan de dierenarts en al die zorgen over wormen en vlooien.'

'Klopt. Nou en?'

'Geef het maar toe, je was gewoon toe aan een huisdier.'

Hij trok haar even tegen zich aan. 'Ik praat je nog wel om. Een kat of een hond?'

Daar wist ze geen antwoord op. Ze had er nog nooit over nagedacht.

'Dat wordt dus een probleem. Donzig en koninklijk? Vriendelijk en lui? Een opgewonden keffertje, dat altijd blij is je te zien?' vroeg hij verwachtingsvol.

Ze lachte om zijn typeringen. 'Geen terrier, zoveel weet ik wel zeker.'

'Zie je wel? Je bent al een stapje dichter bij een huisdier.'

'Bruce, jij gaat mijn leven veranderen.'

Hij wreef met zijn duim langs haar schouderbladen. 'Waarschijnlijk wel.'

'En je vindt het nog leuk ook.'

'Absoluut.'

Ze beantwoordde zijn omhelzing.

'Ik ben blij dat je gekomen bent.' Op dat vroege uur was het strand nog verlaten en Bruce deed er zijn voordeel mee. Hij gebruikte het uitlaten van Emily als een excuus om nog even met Grace alleen te kunnen zijn, voordat ze met Jill en Wolf weer vertrok.

'Ik ook.'

Bruce duwde een plukje haar achter haar oor. 'Misschien kan ik ook eens een weekend naar jou toe komen?'

'Dat zou ik fijn vinden.'

'Mag ik je een zoen geven als afscheid?' Hij had er het hele weekend aan moeten denken.

Ze glimlachte alleen maar. Dat was tenminste geen nee. Hij boog zich voorover, tilde haar kin omhoog en kuste haar voorzichtig. 'Ik ben echt heel blij dat je bent gekomen.'

Haar handen gleden naar zijn schouders. 'Kun je al gauw komen?'

Hij liet zijn voorhoofd tegen het hare rusten. 'Volgens mij heb ik de sleutel van Jills huis. Ik zou zelfs Emily mee kunnen nemen. Je mee uit lunchen nemen, weer een romantische kaart voor je kopen...'

'Ik beloof je dat ik een minder enge film uit zal zoeken.'

'Dat opent perspectieven. Zullen we er voor de zekerheid een dubbele afspraak van maken? Ik kan Wolf en Jill vragen om mee te gaan, en dan kunnen Wolf en ik samen uitvechten wie de rondjes gaat geven.'

'Koop je dan weer een pilotenspecialiteit voor me?'

'Ik weet iets veel beters: ik maak hem zelf. Ik heb het officiële recept te pakken gekregen.'

'Echt waar?'

'Rib uit m'n lijf. Het kostte me een mooie vishengel.'

'Dan moet je zeker op bezoek komen, en dan zorg ik dat ik alle ingrediënten in huis heb.'

'Grace! Kom je?' riep een stem vanaf de parkeerplaats.

'Ik word geroepen.'

'Laat-ie je maar komen halen en zich dan schamen, omdat hij stoort.'

Ze grinnikte en deed een stapje achteruit. 'Je bent een gevaar voor mijn gemoedsrust.'

'Wederzijds, dame. Denk deze week nog eens aan me.'

'Dat zal wel gaan, al was het alleen maar als ik me afvraag hoe de training verloopt.'

'Doe me een lol, zeg. Ik ben te oud om geconfronteerd te worden met een vliegtochtje om vier uur 's ochtends.'

'Alleen een PJ haalt het in zijn hoofd om voor dag en dauw op te staan om in zee te springen.'

'Dat klopt. Dapperheid en slimheid gaan niet altijd hand in hand.'

'Ik moet gaan.'

'Volgens mij is Wolf op de claxon gaan liggen.'

Ze liep achterwaarts het pad op, in de richting van de trap die naar de parkeerplaats leidde.

'Zeg je me nog gedag?'

'Dames gaan voor.'

'Dat wil ik niet.'

'Dan doen we het niet', antwoordde Bruce, volkomen op z'n gemak. Hij trok een bonbon uit zijn zak. 'Vangen.'

Ze ving het buitelende snoepje op. 'Waar heb je die vandaan?'

'Zie het als een vroeg valentijnscadeautje.' Het was een hartvormig stuk chocola.

'Je bedoelt dat het nog over was van het afgelopen jaar.'

'Eerder nog van het jaar daarvoor', verbeterde hij. 'Ik heb het in de vriezer bewaard, speciaal voor jou.'

'Romantisch.'

'Praktisch. Ik had meer ruimte nodig voor mijn ingevroren vis.'

Ze lachte en beet er een stukje af, terwijl ze de trap op begon te lopen. 'Bel me nog eens.'

'Daar kun je op rekenen.'

'Wolf, ik kom al! Ik ben niet doof.' Nog één keer wierp ze een blik over haar schouder. 'Niet bellen voor je training van vier uur, hoor.'

'Geen haar op mijn hoofd die daaraan dacht.'

Ze glimlachte alleen maar, zwaaide nog eens en verdween uit het zicht.

Wolf droeg haar koffer naar boven. Grace maakte de voordeur open en nam de koffer aan. 'Krijg ik nog een afscheidsknuffel?' vroeg Wolf.

Ze leunde tegen hem aan en sloeg haar vrije arm om hem heen. 'Je gaat vooruit. Normaal gesproken duik je ervoor weg.'

'Ik ben een ander mens sinds Incirlik', antwoordde hij, en hield haar stevig vast. 'Bedankt dat je meegegaan bent.'

'Ik heb het geweldig naar m'n zin gehad.'

'Jij en Bruce leken het uitstekend met elkaar te kunnen vinden.'

Ze glimlachte alleen. Wolf probeerde haar beslist uit te horen, maar ze wist dat ze er op dit moment beter het zwijgen toe kon doen. 'Je moet Jill thuisbrengen en dan terug naar Pensacola voor de cursus, en ik moet naar m'n werk.'

'Zo af en toe ben je zo gesloten als een pot.'

'Daar wordt aan gewerkt.'

'Ik wil die kletskous terug, die me altijd meer vertelt dan ik weten wil.'

'Tot ziens, Wolf.'

'Voor dit moment, meissie. Alleen voor dit moment.' Fluitend liep hij de trap af om Jill naar huis te gaan brengen.

Grace trok de deur achter zich dicht, keek haar flat rond en pakte haar koffer. Er speelde een lachje om haar lippen. En dan te bedenken dat ze er vrijdag van overtuigd was geweest dat ze bij thuiskomst wel door de grond zou willen zinken bij de herinnering aan de mislukte logeerpartij.

'Was het boven alle verwachting? O, zeker', zei ze tegen zichzelf, terwijl ze de koffer naar de slaapkamer droeg. Ze opende haar kast en haalde haar uniform tevoorschijn. Om een uur moest ze op de basis zijn en het kon geen kwaad om een beetje vroeg te gaan.

Terwijl ze haar schoenen zat te poetsen, ging de bel.

Was ze iets vergeten? Hopelijk niet haar portemonnee, want daar zouden ze nooit meer over ophouden.

'Luitenant Yates?'

'Inderdaad.' Er stond een bezorger met een enorm boeket. Blij nam ze de vaas in ontvangst. 'Momentje', zei ze en gaf hem een fooi die de moeite dubbel en dwars waard was.

De bloemen kwamen van Bruce, daar twijfelde ze niet aan. Maar dat die bezorger zo precies op tijd was... Wolf moest hem gebeld hebben, nadat hij haar had afgezet.

Er stak een kaartje in. 'Grace, check je e-mail.'

Ze maakte op haar bureau een plekje vrij voor de vaas en riep haar e-mail op.

Grace,

Ik ben gisteravond aan dit briefje begonnen. Ik wilde dat je het bij thuiskomst zou vinden. Bedankt voor de blijdschap die je me dit weekend hebt gegeven. Ik kan niets bedenken dat ik graag anders had gezien, behalve misschien dat gênante moment waarop Emily meende dat zaagsel best eetbaar was. Ik mis je nu al.

Bruce

Bruce,

De bloemen zijn prachtig en ik zal vaak aan je denken. Ik wilde dat ik me eleganter kon uitdrukken om je naar behoren te bedanken.

Grace

Grace,

Je hebt het anders heel mooi gedaan.

Bruce

Drieëntwintig

Bruce deed de achterdeur van het slot en pakte de plunjezak met kleren die de volgende ochtend in de was moesten. Het was heet geweest op luchtmachtbasis Lackland in Texas. In de zithoek stond de televisie aan. 'Rich, ik ben terug.' Omdat hij snakte naar wat drinken liep hij meteen door naar de keuken. Zijn collega zette de televisie uit en kwam aanlopen om hem te begroeten. 'Alles kits met Emily? En zijn de dakdekker en de kerels van de ramen al vertrokken?'

'Emily heeft je straatarm gevreten en geslapen, de offerte voor het dak ligt op tafel en de man van de ramen begon eerst te lachen, maar heeft daarna een prijsopgave gedaan. Volgens mij stond hij er niet om te springen dat je hem zou kiezen.'

'Dat kan ik hem niet kwalijk nemen. Die zolderramen vormen een zelfmoordproject. Wil jij de klus niet doen?' vroeg Bruce.

'Niet als jij later boos wordt omdat ze lekken.'

'Verstandig. Ik ken mijn grenzen. Er zal ooit wel iemand iets aan de vervanging van die twee dingen verdienen.'

'Hoe was de vergadering?' vroeg Rich.

'Heb je zin in een uitzending naar Argentinië?'

'Niet bepaald.'

Bruce bestudeerde de keuzemogelijkheden die de koelkast hem te bieden had. 'Dan was het tijdverspilling. Bedankt dat je hier wilde logeren om de boel aan de gang te houden.'

'Gratis eten, een werkende kabeltelevisie – ik heb in mijn leven wel voor hetere vuren gestaan.'

Bruce pakte het sinaasappelsap en ontdekte bij het licht van de koelkast plotseling wat er op tafel stond. De keukentafel was afgeladen vol, niet met kranten en een enkele rekening, maar met twee kratten vol brieven.

'Wat is dit nou?' Hij pakte er eentje en zag dat de brief aan hem was geadresseerd, per adres van het squadron. Hij kreeg een raar gevoel in zijn maag.

Rich keek naar de kratten. 'Je gelooft het nooit, maar de postdienst van de luchtmacht was een complete postzak kwijtgeraakt.'

'Wat moet ik hiermee?'

'Beantwoorden?' Rich schoot in de lach bij de uitdrukking op zijn gezicht. 'Hebben ze je nooit verteld dat legenden onsterfelijk zijn?'

'We kunnen er een kampvuur mee stoken.'

'Geef nou toe, post is gewoon leuk. Tussen twee haakjes, Grace heeft gebeld.'

Bruce zette de sinaasappelsap neer. 'Wanneer?'

'Gisteravond, rond een uur of negen. Ik heb haar nummer ergens opgeschreven.'

'Heeft ze geen boodschap achtergelaten?'

'Nee. We hebben een minuut of twintig zitten kletsen. Ik vroeg het nog wel, maar ik hoefde alleen maar even te zeggen dat ze gebeld had. Hier heb ik het al. Ze zit vanavond in Phoenix.' Rich gaf hem het vodje papier en grijnsde. 'Ik maak mezelf wel even uit de voeten, zodat je terug kunt bellen.'

'Wordt gewaardeerd', antwoordde Bruce, die het nummer al aan het draaien was.

Rich lachte en pakte een blikje fris. 'Je hebt het zwaar te pakken, zeg. Ik geef je geen ongelijk. Het is een aardige dame.'

'Maak dat je wegkomt!'

'Ik ben al weg!'

'Grace, met Bruce. Bel ik gelegen? Wat voer jij uit in Phoenix?' Hij graaide de dichtstbijzijnde stoel naar zich toe.

Grace nam nog een blikje frisdrank uit de ijsemmer waar meer water in zat dan ijs. 'De airconditioning van het hotel kan het nauwelijks bolwerken. Ik zou wel een raam open kunnen zetten, maar het is buiten ongeveer honderd graden en benauwd ook nog. En dat in Phoenix! De hitte hoort hier droog te zijn.' Ze trok het lipje open en de frisdrank spoot eruit. 'Momentje, Bruce.'

Ze legde de hoorn neer en grabbelde naar een doekje. Geweldig, hoor; die paarse vlekken op haar witte shirt gingen er nooit meer uit. 'Dat was die nieuwe druivensap met prik; ik heb er zojuist een douche mee genomen. Wat een plakzooi.' Ze begon allerlei papieren op te rapen die op de vloer lagen uitgespreid. De tafel was te klein.

'Je uitstapje klinkt steeds meer net als dat van mij.'

Ze glimlachte en wou maar dat hij niet zo ver weg was. 'Nou, ik krijg wel een superkist als vergoeding voor het ongemak.'

'Heb je hem al gezien?'

'Ik heb twee uur geleden een introvlucht gedaan. Tof, Bruce, echt tof. Een Tomcat is er een sportvliegtuigje bij. Ik kan gewoon niet wachten om er meer mee te doen dan het alleen maar af te leveren.'

'Denk je dat het squadron de gemoderniseerde toestellen zal krijgen?'

'Over achttien maanden, net tegen de tijd dat ik de derde zeereis maak. Is dat geen fantastische planning? Een gemoderniseerde Hornet en een nieuwe baan als chef van de toko. Ik zou zelfs een monteurscursus gaan volgen om die schoonheden te kunnen vertroetelen.'

'Je klinkt net als een vent bij een autoshow.'

'Erger. Alles waar ik hartkloppingen van krijg, gaat ver boven mijn budget.' Grace trok de handleiding naar zich toe. 'Ik kan zelfs de indexen voor de hoogtemanoeuvres aflezen. En de statistieken! Ongelooflijk!'

'Welk prijskaartje hangt eraan?'

'62 miljoen dollar per stuk. Niet duur, vergeleken bij wat jullie bij de luchtmacht allemaal uitgeven.'

Bruce lachte. 'Een koopje. Hoe ziet je vluchtschema eruit?'

Ze leunde tegen het bed en duwde een stapel papieren die dreigde om te vallen met haar teen weer recht. 'Ik vlieg heel braafjes over land naar Texas en vervolgens naar Norfolk. Het toestel gaat dan voor de eerste landingsproeven naar het vliegdekschip en daarna wordt het laden getest. Ik wou dat ik dat ook mocht doen.'

'Hoe komt het dat jij met de aflevering zit opgezadeld?'

'Peter heeft griep.'

'Arme Peter. Heb jij hem aangestoken?'

'Als ik eraan gedacht had, had ik het gedaan', gaf ze toe.

'Je hebt een goeie week, zo te horen.'

'Ja. Vertel me eens over de jouwe.'

'Laat maar. Die van jou is veel interessanter.'

Grace lachte. 'Zeker weer zo'n vergadering.'

'Ze hoopten vrijwilligers te charteren voor een speciale uitzending naar Argentinië, zodat ze niet heen en weer hoeven te schuiven met de verschillende eenheden. We zijn allemaal al over de limiet van twaalf maanden heen, en de luchtmacht heeft een vreselijke hekel aan de papierwinkel die nodig is wanneer mensen van hun verlofrechten afzien', antwoordde Bruce.

'Ze krijgen die lui heus wel en dan kiezen ze gewoon een bepaald squadron.'

'Dat weet ik. Ik voelde me een beetje schuldig dat ik me niet als vrijwilliger aanbood, maar toen bedacht ik dat ik ook al vrijwillig naar Ecuador was gegaan, en daarvoor naar Honduras. Deze maand mag iemand anders het doen, en hopelijk is dat dan een vrije jongen.'

'Als je het zou doen, zou ik daar heus wel begrip voor hebben.'

'Dat weet ik wel, Grace. Ik wil gewoon hier blijven. Zo af en toe is dat goed.'

'Dat is waar. Het was leuk om eens met Rich te praten.'

'Ja, ik hoorde dat jullie hadden zitten kletsen.'

'Zijn jullie echt vorige week op zee verdwaald?'

'Alleen in die zin dat wij wel wisten waar we waren, maar de reddingsvliegtuigen niet', zei Bruce.

'Maar je hebt een noodsignaal afgegeven!'

'Ja, en toen hadden we de rest van de dag nodig om uit te leggen waarom we van een oefening een echte reddingsoperatie hadden gemaakt. Een hersenschudding kan een PJ zijn baan kosten en Rich had een behoorlijke smak gemaakt, omdat de opblaasboot niet goed volliep. In plaats van ons te helpen overleven, stelde dat ding een paar minuten lang alles in het werk om ons te verzuipen.'

'Een fraai toneel.'

Bruce grinnikte. 'Het is maar water, en ik kan mijn adem heel lang inhouden. Ik was alleen maar doodsbenauwd dat ik Rich mond-op-mondbeademing zou moeten geven. Dat was pas echt angstaanjagend geweest.'

'Is hij in orde?'

'Mijn partner is onverwoestbaar. Hij kreeg de boot onder de duim, schold de zee uit omdat ze hem heen en weer smeet, en slaagde erin te draaien en het spoor van de andere PJ's op te pikken, die inmiddels bijna een kilometer waren afgedreven vanwege de sterke stroming. Als je alle problemen bij elkaar optelt, is het een uitstekende en complete oefening geweest.'

'En dit deed je allemaal, terwijl het nog vrijwel donker was', zei Grace.

'De zon was net aan het overwegen om op te gaan', zei Bruce. 'Maar er waren tenminste geen haaien in de buurt om het spannend te houden, en ook geen boten die over ons heen dreigden te varen.'

'Dat klinkt alsof je beide in het verleden hebt meegemaakt.'

'Zo af en toe', gaf Bruce toe. 'En hoe vaak heb jij een Incirlik beleefd?'

'Daar heb je een punt. Een paar keer, en meestal spannender dan deze keer.'

'Dat dacht ik al. Maar wat doe jij eigenlijk nog op, zo laat op de avond?'

'Bruce, het tijdsverschil werkt in mijn voordeel; het is hier nog vroeg.'

'Even een klein rekenfoutje. Heb je al gegeten?'

'Roomservice. Maar de marine beknibbelt wel op de dag-vergoeding. Ik heb een salade genomen.'

'Verlepte kropsla, zeker?'

Ze grinnikte. 'Hoe wist je dat?'

'Ik heb vaker in hotelkamers gezeten. Gaat het weekend nog steeds door?'

'Zaterdagmorgen om elf uur bij Jill. Vrijetijdskleding.'

'Waar neem je me mee naar toe?'

'Je moet gewoon komen en dan zul je wel zien.'

'Een verrassing.'

'Dat zijn de beste weekends. Ga slapen, Bruce. Je moet uitgerust zijn.'

'Bedankt voor de waarschuwing. Droom vannacht maar over mij, of over je vliegtuig.'

'Dat wordt waarschijnlijk het vliegtuig.'

'Dat zit er wel in. Welterusten, Grace.

Ze hing op, haar hart licht en gelukkig. Het was leuk om elkaar zomaar te kunnen bellen. Je kon goed met hem praten. Hij had haar binnengelaten in zijn wereld; ze keek naar het komende weekend uit, om de kans die het haar gaf hem te laten delen in de hare.

, 30 SEPTEMBER

NORFOLK, VIRGINIA

Bruce duwde de deur van Jills huis open. 'Ik zie dat het je ernst was met die vrijetijdskleding.' Grace had een stokoud shirt aan met afgeknipte mouwen en vol witte verfvegen, en ze droeg een spijkerbroek waarvan de zakken en de knieën wit uitgesleten waren.

'Dat klopt. Jij was wat minder zeker van je zaak, zie ik.'

'Ik vermoedde dat je niet zo weg zou zijn van de spijker-broek die Emily heeft geprobeerd te begraven.'

'Was het zo erg?'

'Behoorlijk.' Hij leunde tegen de deurpost. 'Je mag best binnenkomen, Grace. Je bent hier vast al vaker geweest en Jill is nu wel op. Je bent trouwens mooi op tijd.'

'Ik dacht wel dat Jill inmiddels in beweging was gekomen; ik heb haar om tien uur wakker gebeld. Waarom gaan we niet gewoon weg en komen haar pas later op de dag weer lastigvallen? Neem Emily mee.'

'Waar gaan we heen?'

'Dat is een geheim tot je in de auto zit en er niets anders meer op zit dan mee te gaan.'

Bruce lachte en knipte met zijn vingers. 'Kom hier, Emily. Het is een echte gravin, met een eigen tijdsbesef.'

'Dat krijg ik in de gaten.'

De hond bleef even bij de deur staan, treuzelde boven aan de trap om de lucht op te snuiven, keek enige tijd bedenkelijk naar de treden voordat ze haar poot op de eerste tree zette, en danste toen in één run naar beneden.

Grace opende het portier. 'Ze mag wel voorin bij ons zitten.'

'Heb je een handdoek? Ze kan slapen op de achterbank. Ze houdt er niet zo van haar kop uit het raam te steken. Ze doet het misschien een of twee keer en dan begint ze te niezen, en legt haar oren in haar nek omdat ze een hekel heeft aan de wind.'

'Ik heb iets veel beters, een paar dekens.' Ze pakte er een uit de kofferbak.

Met een lach tilde Bruce Emily op en hielp haar de auto in. 'Ik weet het nog zo net niet.'

'Vertrouw me nou maar; ze is een noodzakelijk onderdeel van de plannen voor vandaag.'

Terwijl ze de oprit uitreed, trok Grace een vel papier uit haar zak en overhandigde het hem. 'Welkom in een dag uit het leven van Grace.'

'Waar moeten de tomaten heen?'

Grace zakte voorover op de bank neer, schopte haar schoenen uit en kreunde. 'Maakt me niet uit. Ergens. Ik ben te moe om na te denken.'

Bruce verscheen in de deuropening. 'Ik heb je helemaal uitgeput.'

'Volgens mij ben ik ergens onderweg overleden, zo tussen het zoeken naar een verjaardagscadeau voor Wolf en de wasserij. Dat bezoek aan het fitnesscentrum heeft me de das omgedaan.'

'We moeten nog naar de bibliotheek, de bank, de groentekas en even langs je vader. Dat laatste lijkt me wel wat.'

'Schrap die maar. Pa is naar Washington om de senator van onze staat aan zijn hoofd te zeuren over het wetsontwerp voor de financiën van Defensie. Hij heeft niet gebeld, en dat betekent dat zijn vliegtuig weer eens vertraging heeft. Hij heeft zo langzamerhand een hele reputatie vanwege zijn felle ingezonden brieven over de service in de luchtvaart.'

'Een andere keer dan misschien. Ik zou hem graag willen ontmoeten.'

'Ik weet zeker dat hij dat ook leuk zou vinden.'

'Val niet in slaap. We moeten om vier uur in het kantoor van Jill zijn om haar te helpen met het sjouwen van de archiefkasten.'

'Oké.'

'Je valt wel in slaap.'

'Een klein dutje maar. Ik ben gisteravond heel laat naar bed gegaan om alles klaar te krijgen voor vandaag.'

Hij kwam de woonkamer in en tilde haar voeten op, zodat hij op de punt van de bank kon gaan zitten, en begon haar voetzool te masseren. 'Wil je me niet vertellen wat er gisteravond gebeurde? De boodschap op je antwoordapparaat was een beetje cryptisch, maar zelfs ik kon begrijpen dat je om twee uur 's nachts niet thuis was.'

'Wolf had hulp nodig voor een vriend. Dat voelt prettig, zeg.' Ze had tot vier uur 's ochtends moeten babysitten. Wolf kon niks met kinderen beginnen.

'Zoiets dacht ik al. Alles in orde?'

Ze haalde haar schouders op.

'Missies eisen hun tol in de gezinnen.'

'Klopt. Hij belt altijd als hij me nodig heeft.'

'Waarom heeft hij Jill niet gebeld?'

Grace glimlachte. Jill wist zich geen raad met huilende kinderen.

'Oh.'

'Twintig minuten slapen, dan gaan we weer. En zet even op de lijst dat we moeten tanken.'

Hij trok de hoes van de bank recht. 'Komt voor elkaar.'

'Nu weet ik zeker dat ik je wel mag. Vanavond naar het strand. Dan maak ik je dag weer goed.'

'Verontschuldig je maar niet. Ik heb genoten van een dag uit het leven van Grace.'

Het licht van de maan danste op de golven. Ze hadden het strand vrijwel voor zichzelf. Bruce pookte het vuur op de openbare stookplek een beetje op. Het was een van die vredige avonden die ervoor gemaakt lijken om al pratend bij elkaar te zitten. De sterren straalden, er stond een milde bries en de maan was volmaakt rond.

'Jij houdt ervan om dingen te redden, of niet soms?'

Bruce keek naar Grace die Emily's vacht aan het borstelen was met een borstel die ze daarvoor speciaal had meegenomen. Als hij het scenario voor een weekend met haar had mogen bepalen, had hij niets beters kunnen verzinnen dan de afgelopen paar uur. De vlammengloed speelde over Gracies haar, gaf er een gouden glans aan en legde diepte in haar blauwe ogen. 'Wat bedoel je?'

'Je hebt Emily gered.'

'Dat zal wel, ja.'

'Wanneer kwam je tot de conclusie dat ik gered moest worden?'

De vraag bracht hem van zijn stuk. 'Maar Grace!'

'Nou, wanneer?'

'Met Kerst zag je er een beetje verloren uit', gaf hij langzaam toe. Was ze nou gek geworden? 'Het leek me wel zinvol om daar iets aan te doen.'

'Dus je had deze vriendschap al zo'n beetje uitgestippeld voordat je me die eerste brief stuurde.'

Haar milde toon luchtte hem op. 'Je schrijft me meer macht toe dan ik heb, maar inderdaad, over die eerste brief heb ik heel veel nagedacht. Verbaast het je dat het zo belangrijk voor me was?'

'Ja.'

Bruce legde de stok waarmee hij het vuur tot leven probeerde te wekken weg en stond op. Hij klopte zijn spijkerbroek af en zij keek met haar hoofd een beetje schuin nieuwsgierig naar hem op. 'Kom eens hier.' Hij stak zijn handen uit.

'Wat is er?'

'Ik wil je iets vragen, maar dan moeten we op gelijke hoogte staan.'

Ze liet zich overeind trekken. Hij legde zijn handen om haar gezicht. 'Je bent erg mooi, wist je dat?'

'Je zei dat je iets wilde vragen.'

Hij duwde een plukje haar achter haar oor. 'Dat weet ik, maar het werd tijd dat je eens wat complimenten te horen krijgt in plaats van ze alleen maar te lezen. Juffrouw Grace, zou je mijn meisje willen zijn?'

Ze liet haar hoofd tegen zijn borst rusten. 'Je kunt de dingen zo mooi zeggen, Striker.'

Hij sloeg zijn armen losjes om haar heen. 'Ik zou niets liever willen dan nog veel meer weekenden met jou.'

Ze zweeg een hele poos en wreef toen haar wang langs zijn shirt. 'Ik wou dat ik wist hoe ik iets van deze relatie kan maken.'

Hij tilde met zijn duim haar kin omhoog. 'Laat mij dat maar uitdenken.' Hij boog zich voorover en kuste haar voorzichtig.

Bruce,

Je vroeg me naar mijn toekomstdromen. Je vragen stemmen altijd weer tot nadenken. Ik heb werk waar ik van houd en ik heb vrede met God. Mijn leven is goed zoals het is. Wat ik het liefste wil, is een relatie die in dat leven past en het niet zo onder druk zet dat ik verlies wat ik heb. Klinkt dat zinnig? Het lijkt zo egocentrisch. Het kan niet anders of je bespeurt in mij een voortdurende aarzeling, waardoor je je misschien afvraagt of ik me wel voor onze relatie wil inzetten. Ik vind je echt heel aardig; ik geniet van je gezelschap en de gesprekken met jou maken mijn dagen goed. Ik wil met je meegaan zo ver als je wilt, omdat ik je vertrouw. Maar het kan best zijn dat deze vriendschap nog jarenlang een gewone vriendschap moet blijven.

Ik wil niet zeggen dat ik mijn carrière nooit zou kunnen opgeven voor iets wat zo belangrijk was dat stoppen met werken de beste beslissing zou zijn. Ik bedoel meer dat ik nu geen stappen wil zetten die tot een dergelijke radicale verandering zouden kunnen leiden. Wat zit ik vreselijk te hakkelen! Ik ben gewoon bang dat het onwerkbaar zal blijken, omdat we allebei een baan in het leger hebben. Alleen al de geografische afstand zal ons de das omdoen. Ik stop maar met deze brief voor ik alles nog verwarrender maak.

Je Grace

Grace,

Rustig maar. We vinden wel een weg door veel naar elkaar te luisteren en eerlijk tegen elkaar te zijn. Je maakt je zorgen over afstanden; ik maak me druk om eenvoudiger dingen, zoals de manier waarop we die afstanden kunnen overwinnen. We hebben allebei bloeiende legerhuwelijken gezien, dus onmogelijk is het niet. Stel je eens een dag in de toekomst voor die er bijvoorbeeld zo uitziet: brieven, e-mails en telefoontjes kunnen de afstand overbruggen, zodat we toch contact met elkaar houden. Als je allebei een militaire functie hebt, heb je ook twee thuisbases, afhankelijk van waar je op een willekeurig moment gestationeerd bent, dus heen en weer reizen is het volgende probleem. Zelfs met de manier van stationeren van marine en luchtmacht moet het toch mogelijk zijn allebei aan dezelfde kust geplaatst te worden.

Twee thuisbases, dus heb je alles dubbel. Je kunt binnenlopen en je thuis voelen, in welke stad je je ook bevindt. Kun je je nog herinneren hoe dat was tijdens je opleiding? Toen was je eigen huis ook heel ergens anders dan de basis waar je woonde. Dat had ook z'n voordelen. Ik zie eigenlijk meer mogelijkheden dan onoverkomelijke obstakels. We moeten alleen een beetje creatief zijn.

Wat ik wil, is eenvoudig. Ecuador heeft daarin voor mij een beslissende rol gespeeld, omdat het eindelijk tot me doordrong dat mijn leven misschien korter zal zijn dan ik wel zou willen, ongeacht of ik nog een of nog vijftig jaar te gaan heb. De tijd die ik nog heb, wil ik vullen met dingen die kostbaar voor me zijn. Ik wilde mijn huis verbouwen, omdat ik het fijn vind iets neer te zetten dat zolang het bestaat, iets weerspiegelt van de tijd en inspanning die ik eraan heb besteed. Ik wilde een hond, omdat dat een nog onvervulde wens uit mijn kindertijd was. En ik wilde meer prioriteit aan relaties geven, omdat dit leven bedoeld is om met anderen te delen.

Ik vind het fijn om het met jou te delen. Hoeveel mensen zijn er die echt kunnen begrijpen wat mijn baan inhoudt? Jij begrijpt het zo goed als maar kan. Voor een piloot zijn de PJ's de ridders die in hun glanzende wapenrusting te hulp schieten, en ik moet toegeven dat ik het leuk vind met iemand op te trekken die zo tegen mijn werk aankijkt. Jij hebt begrip voor mijn prioriteiten en ik voor de jouwe: God, het leger, je familie. Ze kunnen best samengaan.

Mis ik je? Verschrikkelijk. Denk ik de hele tijd aan je? Zonder twijfel. Meer dan ik onder woorden kan brengen. Maar ik ben toch tevreden. Ik word helemaal enthousiast van de wetenschap dat ik binnenkort weer eens een weekend naar je toe zal gaan om je te zien vliegen.

Je bent steeds in mijn gedachten,
Bruce

Matteüs 7:7-11

Vraag en er zal je gegeven worden, zoek en je zult vinden, klop en er zal voor je worden opengedaan. Want ieder die vraagt ontvangt, en wie zoekt vindt, en voor wie klopt zal worden opengedaan. Is er iemand onder jullie die zijn kind, als het om een brood vraagt, een steen zou geven? Of een slang, als het om een vis vraagt? Als jullie dus, ook al zijn jullie slecht, je kinderen al goede gaven schenken, hoeveel te meer zal jullie Vader in de hemel dan het goede geven aan wie hem daarom vragen.

Vierentwintig

21 OKTOBER
NORFOLK, VIRGINIA

'Hoe is het weer bij jullie?'

'Winderig en het begint net te regenen', zei Grace tegen Bruce en ze duwde de gordijnen opzij om naar het neervallende water te kunnen kijken. 'De vliegtuigen staan voor deze nacht aan de grond en de vliegoperaties naar de USS *Harry Truman* zijn afgeblazen tot het stormfront is gepasseerd. Ga jij er nog opuit?'

Ze was verliefd aan het worden. Het was beangstigend en fantastisch en overweldigend. Op avonden als deze liep ze zich zorgen te maken over Bruce. De storm waarvan zij nu net het staartje meemaakte, teisterde de smalle landstrook van Florida al urenlang. Het was heerlijk om even zijn stem te horen.

'Als de storm zo hevig blijft, zou dat me niet verbazen. Ik ga nu terug naar kantoor om daar de bui uit te zitten. Het heeft geen zin om thuis te blijven en dan te moeten rijden als de orkaan op z'n hoogtepunt is. Het ergste heeft de kust nog niet bereikt.'

'Is Wolf daar nog?'

'Hun vlucht is vertraagd door de storm; hij is nog op de basis.' Grace hoorde de donder op de achtergrond. 'Sh, meisje, het is in orde. Emily is bang voor de donder.'

'Arme ziel.'

'Ze ligt op dit moment onder de tafel te bibberen; ze wil niet bij me weg, ook al probeert ze zich te verstoppen. Het komt alleen door haar gedrag dat ik nog niet ben vertrokken.'

'Waarom breng je haar niet in de fitnessruimte in de kelder? Dan kun je die oude stereo aanzetten, je geeft haar een bot en zorgt dat ze ergens lekker kan liggen.'

'Dat zal ik proberen. Ik moet toch iets verzinnen.'

'Bel je me af en toe nog eens als je de kans krijgt.'

'Doe ik', beloofde Bruce. 'Hou je haaks, Grace. Ik zal voorzichtig zijn.'

Ze vond het fijn dat hij haar geruststelde zonder dat ze erom gevraagd had. Ze wist dat hij het meende. Maar het kon nu eenmaal lelijk spoken, en een gevecht van man tegen man was nog altijd eenvoudiger dan een gevecht tegen woedende elementen.

Grace hing op en liet haar hoofd tegen de keukenmuur rusten. Je kwam toch altijd weer voor verrassingen te staan. Bruce was van plan geweest dit weekend te komen; in plaats daarvan moest hij paraat zijn voor het geval er problemen kwamen, klaar om er opuit te gaan zodra hij werd opgeroepen.

Klaar om er opuit te gaan met de kans dat hij niet terug zou komen.

Ik had hem die kaart moeten sturen. Wat ben ik af en toe toch een lafaard, Heer. Het is een kaart die bijna precies uitdrukt wat ik voel. Help me om aan deze avond te denken, wanneer ik weer eens de kans heb om iets aardigs te doen en op het laatste moment dreig terug te krabbelen. Deze kans was in ieder geval verkeken.

Ze richtte haar aandacht weer op de studieboeken die ze mee naar huis had genomen en dwong zichzelf met behulp van de technische termen tot concentratie. Bruce zou beslist worden opgeroepen; veel te veel mensen waren geneigd de gevaren van dit weer te onderschatten. En Wolf zou uit verveling waarschijnlijk vrijwillig aanbieden om mee te gaan. Ze liet de weerzender aan staan en hield de radar in de gaten, daarbij speciaal lettend op de wind en de hoogte van de bewolking. Ze had geen idee hoe ze in deze omstandigheden een helikopter in de lucht moesten houden. Zelf vloog ze het liefst hoog boven de storm, niet eronder, wat wel nodig was als je de grond of het water moest kunnen zien.

Ze gaf het studeren op en pakte de bovenste krant van de stapel buitenlandse kranten die ze bijhield. De situatie in

Turkije werd steeds meer gespannen; Syrië had opnieuw een proef gedaan met een scudraket en in reactie daarop had Turkije zijn troepen naar het grensgebied verplaatst. Nu kibbelden beide landen over grensoverschrijdende rooftochten, over het waterpeil, over diplomatieke missies en over de vraag wie bij wie op bezoek moest gaan. Het was allemaal haantjesgedrag, maar wel met de bedoeling om de ander flink nijdig te maken.

Heer, ze hebben regen nodig. Het was niet de eerste keer dat ze hierom bad, maar de toestand werd iedere dag nijpender.

Dit groeiende probleem aan de andere kant van de oceaan – het zat er dik in dat het binnenkort ook haar probleem weer zou zijn. Ze was er inmiddels vrij zeker van dat een volgende uitzending naar de Golf in feite opnieuw op Turkije gericht zou zijn.

Om acht uur ging de telefoon.

'Grace, met Jill. Heb jij nog stroom?'

'Ja.'

'De mijne is tien minuten geleden uitgevallen; volgens mij zit de hele buurt zonder.'

'Pak je spullen en kom hierheen.' Ze zou het gezellig vinden.

'Eigenlijk vroeg ik me af of jij hierheen zou willen komen. Ik was bijna klaar met koekjes bakken en het fornuis werkt nog, want het brandt op gas.'

'Natuurlijk. Ik ben er met twintig minuten.'

Grace pakte zich goed in tegen het weer, trok haar laarzen en een spijkerbroek aan en haalde de plastic regencape tevoorschijn die bij haar marine-uitrusting behoorde. In de wetenschap dat stroomstoringen meestal langer duurden dan verwacht, nam ze wat extra kaarsen en een zaklantaarn voor Jill mee.

Toen ze naar buiten stapte en de deur probeerde dicht te trekken, sloeg de regen haar vol in het gezicht en blies haar capuchon naar achteren. Door het neerplenzende water rende ze naar haar auto. En dan te bedenken dat Bruce erop getraind was om in dit soort omstandigheden te werken. *Heer, wees al die dappere mannen genadig.*

Tot haar opluchting startte de auto onmiddellijk. Zelfs hier binnen was het lawaai oorverdovend.

De buurt waar Jill woonde, was inderdaad in duisternis gehuld. Grace moest in wandeltempo rijden om de goede oprit te kunnen vinden. Ze hield de voordeursleutel in de aanslag en maakte er alvast gebruik van, ook al belde ze tegelijkertijd aan.

'Je bent doorweekt!'

Met een glimlach pelde ze de regencape van zich af. 'Ik zit bij de marine, hoor. Wij horen die nattigheid leuk te vinden. Maar het loopt nu in mijn kraag en dat is wel vervelend.' Jill bracht haar een handdoek en ze droogde zich af. 'Wat heb je gebakken? Het ruikt heerlijk.'

'Ik had net een kersentaart uit de oven gehaald, toen de stroom uitviel.'

Grace nam de zaklantaarn die Jill haar aanreikte en volgde haar vriendin naar de keuken.

'Ik was bezig met een welkomstdiner voor Wolf. Als je honger hebt: er zijn al een paar supergerechten klaar.'

'Straks misschien.' Grace ging aan de keukentafel zitten. 'Hebben jullie al een trouwdatum geprikt?'

'Komende herfst', straalde Jill. 'September zou leuk zijn. Dan heeft Wolf de hele papierwinkel van zijn overplaatsing achter de rug en weten wij zo ongeveer waar hij gestationeerd zal worden. Hij probeert een tweede periode hier in de buurt te krijgen.'

'Heb je het Bruce al verteld?'

'Dat doe ik zodra hij hier weer naartoe kan komen.'

Grace knikte. Ze begreep dat Jill het hem graag persoonlijk wilde vertellen. 'Hij zal er blij mee zijn.'

'Dat denk ik ook. Hij en Wolf zijn goede vrienden geworden, dat scheelt.'

'Ecuador, Turkije – ze hebben samen toch heel wat spannende tijden beleefd. Heb je al nagedacht over een huwelijkscadeau? Bruce zeurt me voortdurend aan mijn hoofd om ideeën.'

'Echt?' Jill moest erom lachen. 'Ik zal erover nadenken. Iets voor het huis zou wel leuk zijn.' Ze gebaarde naar buiten. 'Bruce redt zich heus wel, vannacht.'

'Dat weet ik.' Het had geen zin iets anders te veronderstellen.

De stroomstoring bleek verholpen. De lampen sprongen weer aan, apparaten begonnen te zoemen, de radio en de televisie deden het weer. Grace stuurde Jill naar de koekjes en liep zelf alle geluiden na; ze zette snerpende wekkers gelijk en programmeerde de televisie opnieuw. Daarna zocht ze de weerzender op en keek naar de radar, waarop een muur van wervelende wolken zichtbaar was langs de oostkust. De achterkant van het enorme stormfront trok precies over het vasteland van Florida, maar in het afgelopen uur leek de kracht iets afgenomen. Ze schakelde naar CNN voor het nieuws.

'Jill, heb ik je al verteld dat ik volgende maand in het NAVO-hoofdkwartier zit? Het is maar voor een dienst van zes weken, maar wel een buitenkansje. Mijn eerste planningsvergaderingen met de Britse squadrons. Het wordt vast geweldig.'

CNN viel haar in de rede met de tune van het laatste nieuws. Grace draaide zich in de deuropening om en keek. Er verscheen een fel verlichte verslaggever met achter hem een gordijn van regen. Een C-130 vrachtvliegtuig was neergestort in de Atlantische Oceaan. Achter de verslaggever steeg een helikopter van de kustwacht op.

'Ik wou dat de telefoon ging.'

Grace legde haar drieënzeventigste spelletje patience uit; een gewoonte die ze van Rich had overgenomen. 'Dat komt wel', verzekerde ze Jill. De vraag was alleen of het goed of slecht nieuws zou zijn. Met piekeren bereikte je niets en Grace had geleerd haar gedachten daarvoor af te sluiten. God zou Bruce en Wolf wel bewaren. Daar vertrouwde ze volkomen op, omdat ze eenvoudigweg niets anders kon doen.

De eerste berichten waren niet correct geweest, zoals eigenlijk altijd het geval was. De genoemde C-130 had een noodsignaal opgevangen van een vliegtuig dat op weg was naar Savannah. Niet alleen de kustwacht, maar ook de PJ's waren er inmiddels opuit getrokken om het toestel, dat in de storm uit koers was geslagen, op te sporen voordat de brandstof opraakte en het in zee zou storten. Het radarcontact verliep met horten en stoten.

'Bruce heeft een hekel aan water', merkte Jill op.

'Waarom?'

'Stamt al uit zijn kindertijd. Bij de zwemles duurde het eeuwen voordat hij eindelijk kon drijven.'

'Echt waar? Hij weet het goed te verbergen. Hij versloeg Wolf.'

Jill haalde een oud fotoalbum tevoorschijn. 'Dat is nou wilskracht. Heb je ons oude familiealbum wel eens gezien?'

'Nee, maar dat zou ik wel erg leuk vinden.'

Jill schoof het naar haar toe.

ATLANTISCHE OCEAAN
VOOR DE KUST VAN GEORGIA

'We gaan keren', klonk de stem van Dasher over de intercom.

'Roger.' Bruce liet zijn verrekijker zakken en wreef in zijn ogen.

'Het kan niet anders, of de brandstof is inmiddels op. Ze moet wel in zee gestort zijn', zei Rich zacht in het donker. Hij zat aan de andere kant en ze hadden de lichten in de helikopter uitgedaan om beter zicht te hebben.

'Ja.' Toch zouden ze blijven uitkijken. Vier reddingsteams zochten het gebied af, waarin voor de laatste keer contact met het toestel was geweest. Het USS *Harry Truman*, dat zo'n honderdvijftig kilometer ten oosten van het stormfront patrouilleerde, had daar ook een zwak radarsignaal opgepikt. Bruce zette de verrekijker weer voor zijn ogen. 'Het was een vrouwenstem.'

De sporadische radiosignalen waren doorgeschakeld naar de reddingshelikopter om die van zo veel mogelijk informatie te voorzien. Het ging om een privé-vliegtuigje dat door rookontwikkeling in de cockpit gedwongen was te dalen tot de hoogte waarop kunstmatige zuurstoftoevoer niet meer nodig was, om te voorkomen dat de perslucht een steekvlam zou veroorzaken. De navigatieapparatuur haperde. Volgens de piloot was er maar één persoon aan boord; ze had het brandstofpeil nog gemeld, maar de rest van haar woorden was in het geruis verloren gegaan. Ze had een kalme indruk gemaakt en leek haar uiterste best te doen haar oorspronkelijke koers naar Savannah terug te vinden, maar er was simpelweg niet genoeg tijd meer.

Ze waren te laat gekomen en dat bezorgde Bruce een overweldigend gevoel van mislukking.

'Nog tien minuten, dan roepen ze ons terug om te tanken.'

'Roger, Dasher.' Het verbaasde hem niet dat de leiders van deze zoektocht hen terug lieten komen naar de kust, in plaats van ze in de lucht te laten tanken. Het vliegtuig was toch al in zee gestort. Niemand kon iets veranderen aan het harde feit van de weinige brandstof die zo'n toestelletje bij zich had; een blik op de klok vertelde hem dat ze er al minuten geleden doorheen was geweest. Om een duik te overleven, had je een kalme zee nodig. Op golven als deze sloeg een vliegtuig onmiddellijk te pletter; de piloot had geen enkele kans. Hoogstwaarschijnlijk zou het wrak zelfs nooit gevonden worden.

Ze hadden gefaald.

KUSTWACHTBASIS
ST. PETERSBURG, FLORIDA

'Gaat het echt goed met je?'

Bruce nam nog een slok koffie en probeerde zijn hoofdpijn te negeren. 'Alleen moe, Grace.'

'Wat is er gebeurd?'

'We zijn zelfs niet bij haar in de buurt geweest.'

Zijn woorden maakten haar stil.

'Een vrouw dus. Ik vind het heel erg, Bruce.'

Hij haalde diep adem en schudde het gevoel van onbehagen van zich af. 'Ik ook. We gaan nu terug naar Pensacola; de kustwacht neemt de zoektocht over. Onze weekendplannen vallen in het water.'

'Bel me terug als je even hebt geslapen; we verzinnen er wel wat op.'

'Bedankt, Grace.' Hij meende het meer dan hij zeggen kon.

'Zeg Emily gedag van me.'

Voor het eerst gleed er weer een schaduw van een glimlach over zijn gezicht. 'Ze heeft waarschijnlijk al mijn gereedschap kapot gekauwd om me duidelijk te maken dat ze me gemist heeft. Ik bel je over twaalf uur, Grace.'

'Ik zal er zijn', beloofde ze. 'Hier komt Jill nog even.'

Grace,

Heb je ooit de film *McLintock* gezien met John Wayne? Dat was nog eens een film. Ik lig in bed, maar kan niet slapen, en al zappend zag ik nog net het laatste stukje. Emily ligt hier bij me en heeft van slapeloosheid absoluut geen last. Ik had mezelf voorgenomen haar nooit op bed te laten, maar haar ogen keken me zo droevig aan toen ik thuis kwam. Ik ben ook veel te sentimenteel. Hoe dan ook, terug naar die film. John Wayne zegt daarin op een gegeven moment: 'Het is allemaal lege show.'

Dat bleef hangen. Het betekende heel veel voor me dat ik je kon bellen, zodra ik terug was en een momentje had. De wetenschap dat ik je onmiddellijk aan de lijn kon krijgen, maakte alles wat draaglijker. Het was de moeilijkste situatie die er bestaat: iemand kwam om het leven en ik kon niets doen. Het hoort bij mijn werk, net als de heldenstatus, maar het is wel het moeilijkste onderdeel.

Ik wil geen oppervlakkige relatie, Grace, maar een met diepgang. Ik zit niet te wachten op een huwelijk dat er van buiten prachtig uitziet, maar niet duurzaam is en geen stootje hebben kan. Ik hoop dat je een serieuze relatie met mij wilt overwegen en dat we er samen over kunnen praten.

Ik weet zeker dat er iets van te maken valt, ondanks het feit dat we vaak gescheiden zullen zijn. Ik voel me gesteund door de wetenschap dat jij achter me staat, en ik wil dat jij diezelfde zekerheid kent. Vliegen is een gave – dringt het wel eens tot je door hoe zeldzaam jouw temperament en jouw bekwaamheid zijn, hoe je eenvoudig geschapen bent voor je werk? Hoewel ik die pilote van vannacht niet persoonlijk ontmoet heb, heb ik toch bewondering voor haar. Wat ook de oorzaak is geweest van de gebeurtenissen die haar uiteindelijk het leven hebben gekost, ze gedroeg zich in die laatste ogenblikken als een echte professional. Ik weet zeker dat ze het toestel veilig aan de grond had gekregen, als de extreme weersomstandigheden geen roet in het eten hadden gegooid.

Deze nacht heeft me even erg aangegrepen als de gebeurtenissen in Ecuador. Als we blijven wachten tot het ideale moment, kunnen we daarmee alles verliezen. Er zijn geen ideale momenten in ons leven, alleen kansen die we moeten aangrijpen.

Welterusten, Grace. God zegene je.

Bruce

Bruce,

Ik heb vannacht hetzelfde besluit genomen, terwijl ik het ene na het andere spelletje patience zat te spelen. Ik wil er voor je zijn, wat er ook gebeurt, en ik wil niet wachten op de ideale omstandigheden voordat we verder gaan. Je hebt gelijk. Ideale omstandigheden bestaan niet. Er zal een goed moment komen op Gods tijd. Man en vrouw en twee carrières in het leger – we maken er wat van, dat beloof ik je. Laten we onze agenda's trekken en een weekend afspreken, zodat we kunnen praten.

Grace

Vijfentwintig

'Dit bedoelde ik eigenlijk niet, toen ik zei dat ik er voor je zou zijn.' Grace controleerde het tuig van de parachute. 'Wolf, help me eens.' Het was een zonnige, heldere dag en de mannen wilden parachutespringen.

'Je doet het prima, Grace. Let op dat de riemen niet gedraaid zijn', instrueerde Bruce.

Wolf liet zijn partner Cougar staan en kwam naar hen toe. 'Jij zou ook eens voor je plezier moeten gaan springen, Grace.'

'Ik bestuur het vliegtuig; eruit springen is niets voor mij.'

Bruce schikte haar vliegeniersjaal recht. 'Je ziet er lief uit zo.'

Ze was dol op de sjaal. Het kon op grote hoogte behoorlijk koud worden in het vliegtuig, zeker als de deur openstond. Vandaag nam ze drie PJ's en twee commando's mee naar boven, samen met de eigenaar van het vliegtuig, die tevens de leiding had van de parachuteopleiding. Hij zou eerst als haar copiloot fungeren en vervolgens als sprongleider. Zij zou in een rechte, horizontale lijn vliegen en hij zou de jongens uit het vliegtuig dirigeren. Dat was niet zo eenvoudig als het klonk; niet met deze kerels op de achterbank.

Wolf nam de veiligheidscontrole over en verklaarde dat Bruce klaar was om te springen. Vervolgens keek Bruce de spullen van Wolf na.

'Zijn jullie klaar?' Grace had haar oefenvlucht met het toestel al gemaakt.

'Vooruit maar.'

De mannen wrongen zich naar binnen en gingen op hun plaatsen zitten. Grace nam de checklists door en kreeg van de verkeersleider groen licht om te gaan taxiën. Het vliegveld was maar klein en beschikte slechts over één baan, en de verkeersleider sprak haar bij haar voornaam aan. Haar toestel was het enige dat zich voorbereidde op opstijgen. Ze gebruikte de volle lengte van de baan om het vliegtuig de lucht in te krijgen. Haar doel was om alles soepel en op haar dooie akkertje te doen. Het was haar manier van opscheppen, dat haar aandeel in de vlucht zonder haperen zou verlopen.

Voor PJ's en commando's was parachutespringen altijd een serieuze bezigheid, maar op deze zaterdagmiddag sprongen ze puur voor hun plezier.

Het vliegen stelde niet veel eisen. Ze klom naar de juiste hoogte, keerde en koerste terug over het gebouw van de parachuteschool heen.

'Rechtuit en horizontaal vanaf nu.'

Ze knikte naar de copiloot. Hij stond op om als sprongleider te gaan fungeren.

Achter elkaar stapten de mannen het vliegtuig uit. Nadat ze het sein voor de laatste springer had gehoord, wachtte Grace nog dertig seconden om zeker te kunnen zijn dat ze de ruimte had, en trok het vliegtuig toen steil omhoog. Ze telde vijf kleurrijke valschermen. De mannen hadden een rechte lijn gevormd en probeerden netjes na elkaar terecht te komen op het enorme kruis dat ze op het grasveld hadden geschilderd. 'Ik moet me toch eens ernstig bezinnen op het soort mensen met wie ik omga.'

Haar copiloot gespte zich weer in de riemen en lachte. 'Ga maar landen; ze willen vast nog een keer.'

'Daar was ik al bang voor.'

'Geef het maar toe, je vond het leuk.' Bruce reikte langs Grace heen om de deur van de bioscoop voor haar open te houden.

Ze glimlachte naar hem. 'Je zag er lief uit, zo met Wolf boven op je.'

'Je kunt vleien wat je wilt, je krijgt me toch niet naar een sentimentele film.' Bij de laatste sprong van die dag was de landing een beetje in het honderd gelopen en was Bruce door zijn vriend geplet.

'Wat draait er dan?'

Bruce bestudeerde de aanplakbiljetten en zuchtte. 'Een sentimentele film.' Hij kocht de kaartjes. De afgelopen weekenden hadden ze samen doorgebracht; de ene keer reisde Grace naar Pensacola, de volgende kwam Bruce naar Norfolk. Ze hadden in deze bioscoop inmiddels zo veel films gezien dat ze al een vaste plaats hadden. Ze waren een paar minuten te laat; terwijl hij de deur voor haar openhield, was de introductie al bijna afgelopen. Ze volgde de lichtjes langs het gangpad.

'Grace?' fluisterde Bruce tegen haar, terwijl ze zich in haar stoel nestelde. 'Wat zei je tegen Wolf vlak voor die laatste sprong?'

'Had ik je verteld dat Jill haar fototoestel bij zich had toen ze Wolf kwam ophalen?'

'Volgens mij niet.'

'Ze heeft beloofd dat jij ook een afdruk krijgt.'

'Het is gevaarlijk om jullie samen hierheen te laten rijden.'

'Kom je daar nu pas achter?'

Hij boog zich naar haar toe en kuste haar om dat grapje. Ze paste precies in zijn familie en vriendenkring.

Zesentwintig

Ergens ter wereld lanceerde een vliegdekschip het ene oor-logsvliegtuig na het andere; in de koude diepten van de blau-we oceanen was een kernonderzeeër op jacht. De burgers op het strand hadden geen idee welke militaire inspanningen er op datzelfde moment allemaal nodig waren om hun kusten te beschermen. Dat gaf ook niet. Zij zouden toch niet begrij-pen wat iedere soldaat wist: op die uitgestrekte watervlakten werden geen verdedigingsspelletjes gespeeld, maar had iede-re actie een aanvalsaspect.

'Grace, je staat op me te druppen.'

'Je moet wakker worden.'

Bruce trok een ooglid op. Daar stond het silhouet van Grace afgetekend tegen de zon; gebruind, goed gevormd en – hij deed zijn ogen weer dicht, nagenietend van wat hij had gezien. Ze was mooi en hij zou met haar trouwen.

'Ik lig uit te rusten.' Hij was verstandig genoeg om te begrijpen dat hij de grote vraag nog niet moest stellen. Ze moest eerst inzien dat wat ze gedurende de afgelopen maan-den samen hadden opgebouwd, sterk genoeg was om een nieuwe periode van uitzending te doorstaan. Nog even en hij zou de gelegenheid krijgen om dat te bewijzen. Over drie dagen zou ze opnieuw voor zes maanden vertrekken. Hij was nu al somber gestemd.

Voor het geval zijn optimisme over hun relatie ongegrond zou blijken, had hij al een reserveplan achter de hand. Voor hem zou het niet zo'n probleem zijn om zijn baan op te zeggen en haar van de ene basis naar de andere achterna te reizen. Hij had een mooie carrière gehad. De jongens begonnen hem al 'die ouwe geluksvogel' te noemen. Hij kon maar beter een beetje op safe spelen. Wanneer hij uiteindelijk het leger verliet, kon hij als paramedicus ook in de burgermaatschappij een goede baan krijgen.

Grace stootte hem aan met haar teen. Ze zou daar blijven staan tot hij daadwerkelijk wakker werd. Ze hadden deze stilzwijgende krachtmetingen al eerder gehouden. Ze amuseerden hem en volgens hem begon zij er alleen maar mee, omdat ze het ook leuk vond.

Hij beschikte over meer uithoudingsvermogen dan zij. 'Ga toch even zitten, terwijl je wacht', stelde hij voor met een behaaglijke zucht. De zon was warm, ze hadden het strand voor zich alleen en als zijn innerlijke klok hem niet bedroog, hadden ze nog meer dan een uur voor hun eetafspraak met Jill en Wolf.

Ze liet zich naast hem neerzakken op het zand. 'Het is niets voor jou om zo moe te zijn. Wat mankeert je?'

Ze ging over drie dagen weg – dát mankeerde hem. En door zijn gepieker daarover had hij de afgelopen nacht slecht geslapen. Hij vlocht zijn vingers in de hare en kneep even in haar hand. 'Ik zal je zo missen.'

'Dank je. Ik jou ook.'

Zijn ogen toegeknepen tegen de felle zon bestudeerde hij haar gezicht. 'Dat klonk echt gemeend.' Hij ging zitten en klopte het zand van zich af. 'Ik beloof je dat ik tijdens jouw afwezigheid niet aan een andere dame de voorkeur zal geven.'

Ze gaf hem een duw. Het grapje ontlokte haar de glimlach waarop hij had gehoopt, maar die vervaagde ook weer snel. Hij legde zijn handen op haar schouders en wachtte tot ze hem recht in de ogen keek. 'Ik houd van je, Grace. Je afwezigheid zal daaraan niets veranderen.' Teder wreef hij met zijn duimen over haar schouders. 'Wat moet je horen om dat vast te kunnen houden?'

Ze wendde haar blik niet af en schonk hem een lieve glimlach. 'Precies wat je al hebt gezegd.'

'Weet je zeker dat je niet meer woorden nodig hebt?' Wat zou hij die glimlach missen. Hij boog zich voorover en kuste haar; een zoveelste herinnering om te koesteren in de tijd dat ze weg zou zijn. 'Het zal ons lukken, lieverd. Wat er ook voor nodig is.'

'Word jij nog uitgezonden?'

'Ik heb nog geen bericht gehad. Het zou kunnen. Het aantal vluchten op de Balkan neemt toe en ze zouden op de grond wel een extra PJ-team kunnen gebruiken. Bij de komende NAVO-oefeningen is ook mankracht nodig.'

'Het zou fijn zijn als je alleen kortdurende missies zou hoeven doen. Dan ben je thuis wanneer ik terugkom.'

In gedachten beschouwde ze hen blijkbaar al als een vast koppel. Dat gaf vertrouwen. 'Ik zal zien wat ik kan doen.'

Ze werd weer stil. Bruce sloeg zijn armen nog steviger om haar heen. Kon hij haar maar beter geruststellen dat alles in orde zou komen. Gaandeweg zouden ze wel een manier vinden.

'In de toekomst zullen we nog wel meer dagen beleven zoals deze', zei Bruce. 'Dat beloof ik je.'

'Dat weet ik.'

Hij streelde haar arm. 'Kom, laten we teruggaan naar huis. Dan zal ik me verkleden en kunnen we vertrekken naar het hotel.' Het had geen zin om verdrietig te worden van dingen die ze toch niet konden veranderen. Ze hadden nog een paar dagen de tijd.

Ze duwde zichzelf overeind en hand in hand liepen ze terug.

In het huis rinkelde de telefoon. Bruce nam hem in de keuken op. 'Waar zei je precies, Rich?' Hij seinde naar Grace: 'CNN.'

Hij voegde zich bij haar in de woonkamer. Zojuist was Turkije getroffen door een zware aardbeving met een kracht van 7.4, het epicentrum in het zuiden. 'Een uur. Ik zal er zijn.' Hij hing op. 'Pak je spullen; we moeten naar het hotel om te pakken. Ik boek de eerstvolgende vlucht naar Norfolk voor je.'

Grace knikte alleen maar. Bruce had goed begrepen dat de GW in dit geval vervroegd zou vertrekken. De vorige aardbeving in dit gebied had voor honderd miljoen dollar schade veroorzaakt aan de luchtmachtbasis van Incirlik. De luchtmacht had de landingsbanen weer een beetje opgelapt en het vliegveld beschikbaar gesteld voor de massale hulptransporten. Operatie Northern Watch zou nu helemaal vanaf vliegdekschepen moeten worden uitgevoerd en die waren op dit moment niet aanwezig... Er was er maar één die er zonder verder uitstel op uitgestuurd kon worden.

Zevenentwintig

22 MAART
USS *GEORGE WASHINGTON*
ATLANTISCHE OCEAAN

Het vliegdekschip bereidde zich voor op een zware tocht. Een verhaaste oversteek van de Atlantische Oceaan, een ruwe zee onder voortdurende woelige weersomstandigheden – dat alles vroeg het uiterste van de bemanning van het vluchtdek, de piloten en de matrozen, niemand uitgezonderd. Oefeningen voor brand, averij, raketaanvallen en oorlogshandelingen – het ene na het andere alarmsignaal ging af, zodat alle procedures die nodig waren bij de komende taak nog eens extra waren doorgenomen.

Grace had het tijdens haar achttienurige werkdag veel te druk om Bruce te missen; maar zodra ze haar ogen sloot om te gaan slapen, was hij terug in haar gedachten en hield daar zijn vooraanstaande plaats.

De aardbeving had drie van de eenentwintig dammen in de Eufraat verwoest. Niet dat de enorme grinddammen het zelf hadden begeven, maar de sluizen die het water doorlieten en gebruikt werden voor het opwekken van stroom. Het waterpeil in de rivier daalde dagelijks verder en Syrië verweet Turkije dat het geen fondsen beschikbaar wilde stellen om iets aan de kritieke toestand van de dammen te doen. Iedere dag toonden satellietbeelden Syrische troepen die in noordelijke richting trokken. De beide landen waren duidelijk op oorlog uit, alsof de drieëntwintigduizend dodelijke slachtoffers van de aardbeving nog niet genoeg waren. Het was volkomen zinloos, maar de vlam was in de pan geslagen. Op de een of andere manier zouden de NAVO en de VN moeten proberen het vuur weer te doven.

Grace werkte zich in het zweet om aan alle verplichtingen te voldoen. Ze trainde de nieuwe piloten, maakte zelf veel vlieguren om opnieuw gekwalificeerd te kunnen worden voor landingen op het vliegdek, en leverde haar aandeel in de vele planningsbijeenkomsten die deze missie met zich meebracht.

Hun opdracht was de controlevluchten boven Irak te hervatten. Op het eerste gezicht leek dit identiek aan wat ze tijdens hun vorige missie hadden gedaan. Ze dwongen een no-fly zone af, voerden verkenningsvluchten uit en bewaakten de grenzen. De situatie op de grond zag er echter dit keer heel anders uit. Nu vlogen ze boven een Turkije in een nationale crisis. Ze vlogen op een paar kilometer afstand van een groeiende Syrische legermacht. En Irak maakte handig van de chaos gebruik door zijn troepen te gaan verplaatsen.

De vrede was ver te zoeken.

Bruce,

Hoe gaat het met je daar beneden? Is de raffinaderijbrand al onder controle? Worden er alweer communiqués uitgegeven? Het nieuws komt hier wel aan, maar alles wat meer dan een uur oud is, is al behoorlijk achterhaald. Ik heb gehoord van die bomaanslag in dat café. Zelfs reddingswerkers gewond – wat een zinloos geweld, wat een verdriet.

Ik ben blij dat je op dit moment in Incirlik gestationeerd bent; dat is een relatief veilige haven. Was het nou echt nodig om me te vertellen dat ze de ramen van de gebouwen daar speciaal hebben beveiligd tegen een eventuele bomaanslag? Ik ben wel blij dat juist daardoor de schade als gevolg van de aardbeving tot een minimum beperkt is gebleven, maar ik had toch liever dat de dreiging van terrorisme minder ernstig was en een dergelijke maatregel dus niet nodig.

Over vier dagen zijn wij klaar om met de vluchten in het kader van Operatie Northern Watch te beginnen. Je kunt de spanning in het squadron voelen. Ik krijg nog de meeste hoofdpijn van het gebrek aan uitwijkmogelijkheden. Veel vliegvelden zijn nog druk bezig de schade te herstellen of hebben hun handen vol aan hulptransporten. Sinds de aardbeving is al twee keer een Iraakse Mig de no-fly zone binnengevlogen. Peter verzekert het squadron dat het geen vraag is of er een confrontatie zal plaatsvinden; alleen wanneer dat zal gebeuren. Ik maak me zorgen over de groentjes, maar dat is niets nieuws.

Het leven is veranderd. De verantwoordelijkheid weegt zwaarder en de nood is hoger gestegen. Ik ben me meer bewust van de gevaren. Ik wil niet morbide doen, maar Bruce, er ligt een brief voor jou bij Jill. Ik wou je gewoon nog een paar dingen zeggen, voor het geval dat. Als ik je weer zie, wil ik een omhelzing; lang en stevig. En misschien mag je dan een pilotenspecialiteit voor me maken.

Ik bid dat het goed met je gaat.

Grace

Grace,

Ik heb er alle vertrouwen in dat je oog blijft houden voor de details en dat je vluchten goed zullen verlopen. We hebben je nodig daarboven. Op dit moment is jouw werk evenzeer van levensbelang als alles wat zich op de grond afspeelt. Ik twijfel er niet aan of zonder die voortdurende controlevluchten zou de oorlog al losgebarsten zijn.

De situatie hier is ook gespannen. De basis biedt een onderkomen aan duizenden Turkse soldaten en grote aantallen handwerkslieden, en ieder van hen heeft zijn eigen verdrietige verhaal. Die betonnen flatgebouwen liggen totaal plat – de verwoesting is compleet. De aanvoer van voorraden en mensen geschiedt voornamelijk per helikopter. Jammer genoeg hebben de PJ's het druk gehad. De afgelopen dagen zijn twee helikopters neergestort als gevolg van overbelading.

Ik leef bij de dag. Binnenkort reizen we verder en vanaf dat moment zal de communicatie moeizaam zijn. Alleen in noodgevallen is er transport mogelijk. Vergeet niet dat ik aan je denk en voor je bid.

Grijp die derde vangkabel!
Ik houd van je,
Bruce

Achtentwintig

28 MAART
USS *GEORGE WASHINGTON*
MIDDELLANDSE ZEE, VOOR DE TURKSE KUST

Er was nauwelijks tijd voor ontspanning in de readyroom van het VFA-83 squadron; er werd twintig uur per etmaal gevlogen en de ene briefing was nog niet voorbij of de volgende begon. Om acht uur precies startte Grace met de hare. Er waren zes piloten aanwezig, waaronder Peter, de nieuwe bevelvoerend officier.

'Onze opdracht voor vandaag is om tussen tien uur vanochtend en half vier vanmiddag het luchtruim van Irak onder controle te houden, en wel ten oosten van de Tigris tot aan de zesendertigste breedtegraad. De tweede opdracht is het maken van verkenningsfoto's om een inschatting te kunnen maken van het huidige waterpeil in de Tigris.' Met deze opening gaf Grace de basis aan van alle verdere informatie. Bij dergelijke missies werd niets aan het toeval overgelaten; het script werd tot in detail uitgewerkt.

Ze had zowel de volgorde als de inhoud van de briefing van tevoren helemaal doordacht. Op het white board stonden alle taken vermeld. 'Ikzelf zal de leiding hebben van de viermans Panterformatie en Peter zal luchtdekking geven met de viermans Torryformatie.'

Ze nam de missie stap voor stap door. Ontmoetingspunten, vlieghoogte, formaties, snelheden, oriëntatiepunten voor de navigatie, heen- en terugroutes. Vervolgens besprak ze de veiligheidsaspecten. Ze herinnerde de piloten aan de feiten waarmee ze rekening moesten houden: minimum brandstofpeil, minimale afstand tussen de vliegtuigen, de codewoorden voor black-outs en duizeligheid. Beide aandoeningen vormden uiteraard een bedreiging voor de veiligheid van de formatie. Met behulp van de codewoorden was het mogelijk de andere piloten te waarschuwen, ook al was het nog zo gênant om toe te geven dat je onder je niveau aan het vliegen was. Juist de beste piloten waren al in een vroeg stadium eerlijk; en juist groentjes raakten soms in de problemen omdat ze te laat hun mond opentrokken.

Tot in detail ging ze in op de uitwijkplaatsen, de noodsignalen, de noodprocedures boven water en boven land, de locatie van de tankvliegtuigen en de volgorde voor het bijtanken. Ze besprak de geografische en de meteorologische gegevens en liet een opname zien van de jongste radarsignalen van de weersomstandigheden in de regio.

'En we schieten niet op onze vriendjes.' Ze ontrolde een poster met een afbeelding van een Mig. 'Dit is geen vriendje.'

Peter glimlachte. Ze had de foto van internet gehaald om haar punt te verduidelijken. Tijdens deze vlucht was de vijand voortdurend in de buurt en als je met een snelheid van Mach 1 op ze afvloog, was een afstand van vijfendertig kilometer in een oogwenk afgelegd. Hoewel ze ervan overtuigd was dat het bekend was, besteedde ze toch nog twee minuten aan de kenmerken van de Mig – hoe snel hij kon vliegen, keren en klimmen, en het rakettype dat hij kon vervoeren. Verder vertelde ze alles wat bekend was over de luchtdoelraketbatterijen en het afweergeschut in het gebied.

De piloten luisterden aandachtig en maakten aantekeningen. Om deze missie tot een goed einde te kunnen brengen en veilig terug te keren, waren ze afhankelijk van de details die zij hun verstrekte. Bij een briefing kon je echt niet nonchalant achterover leunen.

'Vanaf tien voor vijf landen we weer op het schip. Let op de zijwind en de lichtbal en zorg dat je de derde vangkabel pakt. Zijn er vragen?' Er waren een paar vragen. 'Bijeenkomst gesloten.'

'Een goede briefing, Gracie.'

'Bedankt, Thunder.'

Over ruim een half uur zou ze op het vluchtdek in haar Hornet klimmen, klaar om de leiding te nemen van de missie waarvoor ze zojuist de briefing had verzorgd. En vanavond, tien minuten nadat het laatste toestel was teruggekeerd op het vliegdekschip, zou ze de debriefing leiden. Alles waarin de missie anders was verlopen dan tijdens de briefing was vastgelegd, zou tot in detail worden besproken. Een piloot leerde al vroeg om zijn ego en zijn trots bij de deur achter te laten. Debriefings waren oneindig veel moeilijker dan briefings.

Haar opdracht was eenvoudig: vandaag overleven, zodat ze morgen van voren af aan kon beginnen.

TURKIJE

Grace,

De post is nog niet gearriveerd, dus ik weet zeker dat ik minstens een paar brieven achterloop. Dasher heeft de helikopter neergezet op de parkeerplaats van wat een school is geweest. Het dak is ingestort, de muren ook – gelukkig was er op dat moment niemand in het gebouw. Het is nu een uur 's middags en we hebben al een lange dag achter de rug. Rebellen hadden landmijnen ingegraven in een van de wegen door de bergen. Een VN-auto reed erop. Eén dode, drie gewonden. Wij hebben de evacuatie gedaan.

Nu zitten we op de parkeerplaats te wachten op het bericht dat onze tanker boven ons hoofd vliegt. Sinds onze aankomst in het land hebben we alleen nog maar in de lucht getankt. Het is wel een spannende manier om toch alles voor elkaar te krijgen. Het is niet altijd te voorspellen wanneer de brandstof zal komen en ik heb mezelf aangewend van die rustmomenten gebruik te maken.

Ik heb jullie zien vliegen. Als het jullie squadron is waarvan ik daarboven de formaties zie, dan maken jullie ook lange dagen, lieverd. Om vijf uur 's ochtends, voordat wij ons in alle richtingen verspreiden, hebben we altijd een massale briefing. Er zijn zo'n honderd PJ's op Incirlik en ieder van ons kan dus optreden in geval van nood. Het lost het probleem van gebrek aan mankracht niet echt op, maar tot nu toe is het werkbaar gebleven. Gisteren vlogen we over de plek waar we vorig jaar gelegerd waren. Er loopt nu een diepe kloof door het plateau. Hoewel ik hier ook heel wat heb gezien, was ik toch weer verbijsterd.

Ik mis je, Grace.

'Daar is de tanker!' riep Rich.

Bruce vouwde de onvoltooide brief op en liet hem in zijn zak glijden.

OPERATIE NORTHERN WATCH
TURKS-IRAAKSE GRENS

Het land onder haar zag er zo rustig en vredig uit. Grace controleerde of de formatie nog intact was en liet zich toen zakken naar een hoogte van zesendertighonderd meter. De missie verliep gesmeerd. Alle spanning was van haar af gevallen vanaf het moment waarop de topprestatie geleverd moest worden. Ze had zich uitstekend en tot in detail op alles voorbereid. Tijdens de vlucht dacht ze voortdurend vooruit en stelde ze zich bij voorbaat in op wat er moest gebeuren; dat was beter dan te moeten worstelen met het gevoel dat je steeds achter de feiten aanholde. Ze begon foto's van de Tigris te nemen.

Onder haar wolkte het zand omhoog in donkerrode draaikolkjes. Wanneer de zomerwind op volle sterkte blies en zand begon mee te voeren, zou de hemel rood kleuren. Ze was bereid vanavond in de stromende regen te landen, als deze droogte maar voorbij was. Ten noorden van Dahuk ontdekte ze de eerste Iraakse tank.

Bruce,

Ik wou dat ik je stem kon horen, al was het maar voor even en door de telefoon. Ik heb daarnet voor het eerst met eigen ogen gezien, waarvan iedereen vast en zeker vol is: de

Iraakse troepen trekken naar het noorden, net als de Syrische. We houden het luchtruim potdicht met tweemansformaties van Prowlers en Hornets en daarboven F-14 Tomcats, die rondjes vliegen alsof het racewagens zijn.

De stemming op het schip is bepaald niet optimistisch te noemen; er heerst alleen een groeiend besef dat wij op de een of andere manier bij dit conflict betrokken zullen raken. Ik luister met buitengewone interesse naar al het nieuws uit de rest van de wereld, maar niemand lijkt goed te weten hoe we op de gebeurtenissen moeten reageren.

Binnenkort zullen we vluchten boven Turkije uit gaan voeren, boven de bergpassen die in het verleden door de rebellen werden gebruikt. Als de strijd losbarst, zullen de schermutselingen tegelijkertijd op de grond en in de lucht plaatsvinden. We zijn er klaar voor. Ik bid dat onze voortdurende bereidheid om te vechten voldoende zal zijn om dat gevecht juist af te wenden.

Eigenlijk is dit briefje alleen maar bedoeld om te zeggen dat ik van je houd. De druk van de omstandigheden maakt het me onmogelijk alles te schrijven wat ik zou willen, en ook om de woorden te vinden die je duidelijk kunnen maken hoe diep het zit.

Er is een groot verschil tussen de vorige missie, waarbij ik een van de ervaren piloten was, en deze, waarbij ik als vluchtleider moet optreden. Ik wilde dit graag, maar ontdek nu dat het ongelooflijk zwaar is. De tekst 'God is mijn helper' is heel reëel voor me geworden. Ik steun in alles op hem. Bij alles wat over me heen komt en mij onder druk zet, vind ik kracht in de woorden van 2 Korintiërs 12:9, waar staat: 'Je hebt niet meer dan mijn genade nodig, want kracht wordt zichtbaar in zwakheid.' Dat is echt mijn tekst geworden. God is groter dan de last die ik draag.

Ik slaap goed. Ik vlieg beter dan ooit eerder in mijn carrière. Ik kan het vliegtuig om me heen voelen, als je begrijpt wat ik bedoel. Een jaar geleden had ik mijn aandacht bij het vliegen en bij de missie. Nu denk ik alleen nog aan de missie en het vliegen gaat instinctief.

Ik draai in een kringetje om hetzelfde onderwerp heen; het is duidelijk dat ik moe ben. Ik ga lekker naar bed.

Ik houd van je.

Gracie

Grace,

Vandaag kreeg ik drie brieven tegelijk! Een geweldige rijkdom. Maak je alsjeblieft niet druk over mij of over onze relatie. Ik ken je toch, ik weet hoe je dagen en je levensomstandigheden eruitzien en ik houd ook van jou. Ik weet dat je het druk hebt en dat je hard werkt; maar daardoor verlang ik alleen nog maar extra naar de lange omhelzing als we elkaar weer zien. Je bent mijn schat voor altijd.

Bruce

Mijn nieuwe lievelingstekst voor jou is Efeziërs 1:17.

Daarom (...) dank ik God onophoudelijk voor u en noem ik u in mijn gebeden. *Moge de God van onze Heer Jezus Christus, de vader van alle luister, u een geest van inzicht schenken in wat geopenbaard is, opdat u hem zult kennen.* Moge uw hart verlicht worden, zodat u zult zien waarop u hopen mag nu hij u geroepen heeft, hoe rijk de luister is die de heiligen zullen ontvangen, en hoe overweldigend groot de krachtige werking van Gods macht is voor ons die geloven. Die macht was ook werkzaam in Christus toen God hem opwekte uit de dood en hem in de hemelsferen een plaats gaf aan zijn rechterhand (Efeziërs 1:16-20).

Negenentwintig

Duiken in een stuwmeer – Bruce keek op de watervlakte neer en wenste zichzelf mijlen ver weg. De Birecikdam was op drie na de grootste grinddam ter wereld, een enorme, glooiende berg van rotsblokken waarover zes jaar was gebouwd. De dam blokkeerde de machtige Eufraat. Achter de dam strekte het water zich over vele vierkante kilometers uit. Het had vijf minuten gekost om vanaf het observatieplatform in het waterkrachtstation naar boven te klimmen. De dam was dusdanig versterkt dat hij een aardbeving met een kracht van 8.3 moest kunnen weerstaan. Die verwachting had hij ook waargemaakt, maar dat gold niet voor de krachtinstallatie. En Turkije had herstel van de stroomvoorziening dringend nodig.

De NAVO, het Amerikaanse Corps of Engineers en de Army Third Division – iedereen met een beetje kennis van zaken was te hulp geroepen. Inmiddels was ook aan de commando's en de PJ's gevraagd een handje te helpen; de reden daarvan werd nu wel duidelijk. Dit was de gevaarlijkste vorm van duiken.

'Aan deze kant van het meer heeft het water een hoog zwavelgehalte', zei de legeringenieur.

Zwavel. Zoals in magmagassen? Door aardbevingen konden ondergrondse rotsformaties versplinteren, waardoor olie, natuurlijke gassen en water uit onderaardse reservoirs ineens weg konden stromen. En ook stromend magma vond

233

de nieuwe openingen naar het aardoppervlak maar al te gemakkelijk. 'Denkt u dat er een spleet is ontstaan door de aardbeving?'

'Dat is mogelijk', antwoordde de ingenieur. 'Er zijn wel een paar andere verklaringen voor de metingen. We kunnen uit de watermonsters veel afleiden, maar we kunnen niet vaststellen hoe groot het probleem is of hoe we het kunnen oplossen. Daarvoor is nodig dat we de zwavelbron lokaliseren.'

'En als dat niet lukt voordat het water weer begint te stromen, riskeert u zulke hoge concentraties in de Eufraat dat de vissen doodgaan en het water ondrinkbaar wordt.'

'Om nog maar te zwijgen van de schade die het toebrengt aan de apparatuur van de waterkrachtinstallatie, die we op dit moment weer werkend proberen te krijgen. Kunnen jullie die duik aan?'

'Dat zal wel gaan.' Nu was duidelijk waarom niet alleen de commando's, maar ook de PJ's erbij waren geroepen. De commando's hadden meer ervaring met duiken in oorlogssituaties, maar de PJ's waren getraind om paraat te zijn bij shuttlelanceringen. Eén van de ergst denkbare scenario's daarbij was dat een shuttle al bij de lancering in moeilijkheden raakte en neerstortte in het ondiepe water dat direct aan Cape Canaveral grensde. De PJ's waren erop getraind om te werken in de buurt van gevaarlijke brandstoffen, om een deels gezonken shuttle binnen te dringen en de astronauten eruit te halen. 'We zullen wel speciale uitrustingen nodig hebben.' Daaronder vielen bijvoorbeeld zuurbestendige en gevulkaniseerde duikpakken.

Bruce had geen idee wat ze onder water zouden aantreffen. Als er zwavel zat, durfde hij er iets onder te verwedden dat er wel meer akelige stoffen uit de vervuilingsbron ontsnapten. 'We moeten eerst de laatste sonarpeilingen van de bodem eens bekijken en daarna willen we tot in detail vernemen wat er sinds de aardbeving rond de dam is waargenomen.'

'We proberen binnen enkele weken weer operationeel te zijn.'

'Wij kunnen onze spullen overmorgen hier hebben.'

'Heb je de laatste satellietfoto's al gezien?' vroeg Peter, die met een grote foto de readyroom binnenkwam.

'Heeft het te maken met de missie van vanavond?' Grace klapte de tien centimeter dikke handleiding van de Tomcat dicht. Om uiteindelijk een team van landingsofficieren te kunnen leiden, moest ze op de hoogte zijn van de karakteristieken van ieder toestel. Als ze een piloot in moeilijkheden moest helpen in de twintig seconden die een landing in beslag nam, dan moest ze instinctief en onmiddellijk het goede antwoord weten.

Peter legde een satellietfoto van het Assadmeer voor haar neer. Vanaf die hoogte leek het meer op een hagedis met een lange staart en een grote kop met uitgestoken tong. Ze had de foto gisteravond al gezien bij de briefing over de veiligheidssituatie in de regio, waarbij alle squadrons aanwezig waren geweest. Vergeleken met de foto van zes maanden geleden was het meer aanzienlijk geslonken; zelfs op satellietfoto's waren de gevolgen van de droogte dus al zichtbaar.

'En deze?' Peter legde een krant neer; de foto leek genomen vanaf het observatieplatform van de enorme dam. In het water dreven ontelbare dode vissen.

Ze controleerde de bron van de krant om te zien of er geen sprake was van een naar binnen gesmokkelde foto, afgedrukt in een van de kranten van de oppositie, maar verstilde toen ze zag dat Syrië deze afbeelding op de voorpagina van de regeringskrant had gepubliceerd. Ze gaven dus informatie vrij, maar tegelijkertijd was dit een politiek signaal bedoeld voor de hele regio. 'Misschien is er een probleem met de doorstroming van de Eufraat?'

'Er stroomt iets vanuit Turkije het land binnen. Dit bevalt me niks. We hebben het hier wel over de belangrijkste watervoorziening voor een derde deel van Syrië. Als dat vervuild raakt…'

'Eerst een aardbeving en nu dit weer. De milieuramp wordt steeds groter', zei Grace.

'Het zou me niet verbazen als beide rampen met elkaar in verband staan.'

'Er zijn geruchten geweest over biologische wapens die in Syrië begraven zouden liggen.'

Peter knikte. 'Een ondergrondse vervuilingsbron; die vissen gaan ergens aan dood. Het wordt een interessant vliegdagje voor ons.'

Ze zouden vandaag over Oost-Turkije en via de bergpassen Irak binnenvliegen, en op de terugreis de Syrische grens controleren. Het was een ingewikkelde vlucht, met veel verschillende doelen. 'Mee eens. Nog wijzigingen?' Peter zou vandaag de leiding hebben en de briefing was een uur geleden afgelopen.

'Op dit moment niet. Wat me dwarszit, is dat deze krant al vijf dagen oud is. Is het probleem nu minder acuut of juist erger geworden? Syrië zal vast geen experts toelaten om dat te beoordelen, behalve als ze er in politiek opzicht een slaatje uit kunnen slaan.'

'Wat wij van de Syriërs begrijpen, past op een A-4tje.' Niet voor het eerst vroeg ze zich af wat Wolf en de andere commando's vorig jaar in Syrië hadden uitgespookt. Er broeide daar iets en het begon er steeds meer op te lijken dat ook zij met het probleem te maken zou krijgen, lang voor het was opgelost.

Dertig

De bergketen die het oosten van Turkije en het noorden van Irak doorsneed, bestond uit grillige rotspieken en diepe ravijnen. De echo's die dat opleverde, maakten Grace wel niet echt nerveus, maar toch op z'n minst behoedzaam. Dit was nou net het soort terrein waar een vanaf de schouder afgevuurde luchtdoelraket haar zonder waarschuwing vooraf kon treffen. Haar duim gleed over de stuurknuppel en bleef rusten op de knop voor de raketbediening.

Zonder ophouden gleden haar ogen over het gebied. Ze passeerden de bergpas op een hoogte van ruim vijf kilometer. Tot haar opluchting werd de bodem onder haar daarna vlakker. Ze haatte de bergen. Die verborgen allerlei gevaren, veroorzaakten onvoorspelbare weersomstandigheden en boden nergens plaats voor een noodlanding.

Het navigatiedisplay lichtte op en volgens de aanwijzingen die ze van tevoren had ingevoerd, zette ze nu koers naar het zuiden, waarbij ze vlak naast Thunder bleef vliegen. Binnen enkele minuten zouden ze de bergen achter zich laten en zich boven de Iraakse woestijn bevinden.

Op de radar kon ze duidelijk de V onderscheiden van drie bliepjes vlak bij elkaar, evenals de codeantwoorden naar de IFF-ontvangers. Vlak boven de grond vlogen twee Pave Hawks en een Pave Low III helikopter door de vallei naar het zuidwesten. 'Vooruit, jongens', fluisterde Grace. 'Ik wens jullie veel succes.'

Ze vroeg zich af wat er gebeurd was, want de radiokanalen die zij kon ontvangen hadden geen noodsignalen uitgezonden. De afwezigheid van Turkse gevechtsvliegtuigen wekte de indruk dat het niet om een in moeilijkheden geraakte piloot ging. In dit gedeelte van Turkije waren wel opstandelingen actief; misschien was er weer ergens een bomaanslag gepleegd.

Grace volgde de helikopters op de radar totdat ze verdwenen in de grondruis. Daarna schakelde ze de radar weer terug naar de gegevens die ze ontving van de AWACS-vliegtuigen die op nog grotere hoogte vlogen. De beste verdedigingsstrategie was nog altijd dat je de problemen lang van tevoren zag aankomen.

OPERATIE NORTHERN WATCH
IRAK

Grace gaf de voorkeur aan de woestijn: kilometers in de omtrek zand en hitte en goed zicht. Tijdens een vlucht veranderde het landschap voortdurend; van de bergen in Turkije verplaatste ze zich naar de woestijn van West-Irak en vervolgens naar het berggebied van Noord-Irak. Haar rug deed pijn van de lange zit en ze bewoog regelmatig haar vingers om ze soepel te houden. De afgelopen uren waren volgens plan verlopen.

'Viper 02, twee Migs, angels 2', riep Peter tegen haar.

'Viper 01, contact', bevestigde Grace. Vanaf een vliegveld ten westen van Bagdad waren twee Migs onderweg naar de no-fly zone. Onmiddellijk schakelde ze over op de lucht-luchtraketten. Dit was de eerste keer in twee weken dat ze door dergelijke toestellen werden uitgedaagd. Tot nu toe waren de schermutselingen kinderspel geweest, maar er kwam altijd een moment dat het ernst werd. Gelukkig hadden ze voor deze situatie een uitgewerkt plan klaar liggen.

Gracie zou op dit ogenblik niet graag met de Mig-piloten van plaats willen ruilen. Ze schakelde haar lange-afstandsradar in en wist dat op hetzelfde moment in de cockpit van de

Migs een kakofonie losbarstte; alarmsignalen en rode lampjes schreeuwden om het hardst hun waarschuwing voor het projectiel dat op hen gericht was. In haar eigen helm hoorde ze de lage zoemtoon van de raket onder de vleugel, die beefde van afwachting tot het moment dat hij op weg kon naar het doelwit dat de radar in zijn zoekkop had ingeprogrammeerd.

De Migs waren gewaarschuwd.

Met het zweet in haar handen zag Grace de Migs steeds dichter bij de bestandslijn komen. *Vooruit, keer nou om.*

Pas in de laatste seconde maakten de Migs een scherpe bocht en gingen langs de lijn vliegen in plaats van hem over te steken.

De spieren in haar rug ontspanden zich en haar handpalmen werden weer droog. Dat gegoochel met echte raketten was toch wel een spannende bezigheid.

De situatie waarin Thunder en zij zich nu bevonden, beviel haar niets. Ze bevonden zich op een kilometer afstand van het punt waar ze zouden omkeren om terug te vliegen naar Turkije, maar als ze dat deden, keerden ze de Migs met hun hittezoekende raketten de rug toe – niet zo'n aantrekkelijke gedachte.

Op de radar ontwaarde ze vier Tomcats die boven de bergen van Noord-Irak plotseling van koers veranderden. Die schoten te hulp. 'Viper 01, luchtdekking.'

'Viper 02, Roger.'

Zodra de hulp arriveerde, zouden zij en Thunder de achtervolging kunnen opgeven en terugkeren naar Turkije.

Op de radar verschenen nog eens twee bliepjes. Gracie trok een grimas. Daar kwamen er nog twee. De Mig had voor het opstijgen genoeg aan een primitieve vliegstrip; dat was een van de eigenschappen van dit Russische toestel dat ze bewonderde en haatte tegelijk. Wat waren ze van plan?

'Vipervlucht, nul acht nul!'

Op het waarschuwingssein van het AWACS-toestel liet ze haar Hornet een scherpe draai maken. Een witte flits schoot langs haar heen. Wat wás dat? Duidelijk was wel dat het AWACS-vliegtuig zojuist haar leven had gered. Ze liet haar vliegtuig zo steil mogelijk omhoog klimmen, kreunend onder de toenemende G-druk. Daarna zorgde ze ervoor dat ze de zon achter zich kreeg en trok het toestel recht om, als het nodig was, een projectiel omlaag te kunnen vuren.

De Tomcats waren nog meer dan een minuut vliegen van hen verwijderd en konden dus nog niets doen.

Thunder kwam langszij. 'Viper 02, angels 28.'

'Viper 01, Roger.'

Op de aangegeven hoogte van ruim acht kilometer trok ze opnieuw het toestel horizontaal. Het tweede paar Migs was ook aan het klimmen en naderde de no-fly zone steeds dichter. Anders dan de eerste twee leken deze niet van plan om te keren. De regels voor een ontmoeting als deze waren eenvoudig: nooit als eerste vuren. Een harde regel, als je bedacht dat degene die het eerst schoot in dit geval ook altijd won. Eigenlijk zou een van de schouder afgevuurde luchtdoelraket ook al mee moeten tellen.

Vanuit het AWACS-toestel kwamen steeds meer waarschuwingen en Gracie kon de spanning in de stemmen horen. Ze negeerde het radioverkeer, omdat ze toch niets kon melden wat ze zelf niet al lang hadden gezien met hun eigen, krachtige radarapparatuur. Ze had bovendien zelf haar handen vol.

Ze moest uit dit gevecht weg zien te komen, maar dat zou niet meevallen.

De Migs vlogen nu recht op hen af. Dit werd een regelrechte confrontatie. Er was geen manier om er veilig tussenuit te knijpen zonder een raket in de rug te krijgen.

Zouden ze nu echt van plan zijn een vuurgevecht te beginnen om een onnozel stukje luchtruim? Ze kon niet anders dan wachten, terwijl de Migs langs de zesendertigste breedtegraad gingen vliegen. Ze voelde zich kalm worden. Het was niet haar beslissing. Als de andere partij een gevecht begon, zouden Thunder en zij er een eind aan maken.

De voorste Mig doorbrak de bestandslijn en vuurde onmiddellijk. Ze zag een witte flits vanonder de vleugel wegschieten; door de plotselinge gewichtsvermindering schokte de Mig heen en weer. Het projectiel was op Thunder gericht. Die dook om hem te ontwijken en vuurde onderwijl met chaff om de zoeker in de war te brengen.

Gracie vuurde terug. Thunder was nog bezig met zijn duik, toen zij de radargeleide raket al activeerde. Het projectiel, onder de linkervleugel bevestigd aan een rail naast de romp, schoot weg richting de leidende Mig. Zodra ze het signaal kreeg dat de raket los was, richtte ze haar aandacht op de tweede Mig, manoeuvreerde zo dat ze hem onder schot kreeg en vuurde onmiddellijk de tweede raket af.

'Viper 02, Fox een' – de bondige mededeling aan het AWACS-toestel was bedoeld om door te geven welk projectiel ze had afgevuurd.

De Migs schakelden hun radar uit en doken weg om de raketten te ontwijken. De raket die op weg was naar Thunder raakte de weg kwijt en tuimelde omlaag.

Het moment van respijt duurde niet lang. De beide andere Migs voegden zich bij hen; nu was het vier tegen twee. Met vertrokken gezicht besefte Grace de ongelijke strijd. Ze rolde haar Hornet opzij om zich met een duik bij Thunder te voegen. Er bleef voor hen te weinig ruimte over om te kunnen manoeuvreren, en een schermutseling als deze kon je boven Irak niet hebben.

Haar nek begon pijn te doen van het voortdurend rondkijken. Onder haar maakte het zand plaats voor rotsen. Het gevecht verplaatste zich naar het berggebied van Oost-Turkije, en dat was al geen prettige omgeving om te vliegen; laat staan om een luchtgevecht te voeren.

Ontzetting greep haar bij de keel: achter haar dook plotseling een Mig op. Ze rukte haar Hornet heen en weer in de lucht om de raketbesturing te omzeilen; elke manoeuvre dreunde door haar hele lichaam.

'Viper 02, zes nul zes!'

Ze gehoorzaamde onmiddellijk; het projectiel dat Thunder op de Mig afvuurde schoot zo dicht langs haar heen dat ze de merktekens erop bijna kon lezen.

De Mig ontplofte.

De schokgolf deed haar vliegtuig sidderen en even leek een van haar motoren het te begeven. Ze vocht om de controle terug te winnen, en draaide om haar as om zich opnieuw te oriënteren. Beneden zich zag ze een Mig omhoog schieten om Thunder nogmaals onder vuur te nemen. 'Viper 01, rol!'

Meteen brak zijn Hornet de steile klim af en rolde om. Ze kon alleen maar werkeloos toekijken. De raket was al bij hem en de chaff die door Thunder werd verspreid had geen tijd meer om zijn werk te doen. De raket raakte zijn linkervleugel. Net voor zijn vliegtuig in de vlammen verdween, zag ze hem in zijn schietstoel wegschieten.

Thunder! O God, spaar zijn leven.

Als een razende gaf ze alle gegevens door aan het AWACS-vliegtuig; ze hoopte vurig dat de PJ's die ze daarnet had gezien nog in de buurt waren. Thunder had hulp nodig en snel.

De druk op haar lichaam bemoeilijkte de ademhaling. Ze liet haar Hornet een scherpe draai van honderdtachtig graden maken. Naverbranders gaven haar nog meer snelheid. Ze zou hier koste wat kost standhouden tot er hulp voor Thunder was gearriveerd.

'Viper 02, Cowboy 01, we zijn er.' Daar was de viermans-formatie Tomcats. Haar radarscherm was plotseling blanco. Als de Migs besloten om te blijven vechten, zou al hun elektronica onschadelijk worden gemaakt.

'Viper 02, Cowboy 01, vector 20.'

Gracie voelde er niets voor om Thunder hier achter te laten, maar haar aanwezigheid zou vanaf dit moment de luchtdekking alleen maar bemoeilijken. Ze had nog maar één lucht-luchtraket. Voor ze antwoord gaf, stelde ze haar radar opnieuw in om vlak boven de grond te zoeken en ontdekte tot haar opluchting een V; hij bevond zich weliswaar nog ver naar het westen, maar bewoog zich toch in hun richting. Er daagde hulp voor Thunder. Graag zou ze even radiocontact met hem maken om te kijken of alles in orde was, maar ze durfde het niet te riskeren.

'Cowboy 01, Viper 02, vector 20.' Ze schoot weg en zette koers naar de bergen van Oost-Turkije; de rugdekking van de Tomcats voorkwam dat de Migs van de situatie zouden profiteren.

Dit was haar eerste luchtgevecht geweest, en ze had verloren. Tijd om boos te worden zou ze echter pas later hebben.

Voor het eerst sinds het begin van het gevecht nam ze even de tijd om de rode alarmsignalen op het dashboard te bestuderen. Haar vliegtuig was dan nog wel in de lucht, maar onder protest. De schokgolf en de scherven die bijna de motor hadden uitgeschakeld, hadden blijvende schade veroorzaakt. Langzaam zakte de adrenaline uit haar weg. Haar hand zat zo krampachtig om de stuurknuppel geklemd dat de knokkels wit waren en ze hem moest dwingen om los te laten. Ze reikte naar het rechter paneel en begon een voor een de problemen aan te pakken. Ondertussen waarschuwde ze het AWACS-toestel dat ze met een aangeschoten vogel aan het vliegen was.

Tussen haar en de veiligheid lagen nog dertig nautische mijlen luchtruim met een ongastvrije bodem daaronder. Het gevecht had haar tot ver in Irak doen afdwalen. Ze was vastbesloten in het vliegtuig te blijven. Bruce kon dan wel zeggen dat ze niet moest overdrijven en het toestel zo snel mogelijk verlaten, maar zij was daar nog niet klaar voor; pas als ze echt geen keus meer had, eerder niet. Ze vertikte het om voor altijd bekend te staan als de eerste vrouwelijke piloot die achter de vijandelijke linies uit de lucht was geschoten.

BIRECIKDAM, TURKIJE

'Waar kwam hij neer?' Dasher liet de Pave Low helikopter warmdraaien en Bruce moest schreeuwen om zich verstaanbaar te maken boven de herrie. Terwijl zij rond de vergadertafel zaten te babbelen over waterdiepte en temperaturen, speelde zich in Irak een luchtgevecht af. Over prioriteiten gesproken! Hij leunde naar achteren, zodat Victor en Frank op de bank konden gaan zitten.

'Tien kilometer over de grens, ten noorden van de bocht in de voormalige rivier de Zab. De Zevenentwintigste is er al bij', schreeuwde Rich terug. Hij draaide met zijn wijsvinger en Dasher knikte en steeg op. 'Het gevecht verplaatst zich in noordelijke richting; er zijn nog vier Tomcats en drie Migs aan het bakkeleien. Eén Hornet vliegt noordwaarts met scherfschade.'

'Waar willen ze ons hebben?'

'Op dit moment bij de grens. Deze schermutseling duurt niet lang meer, maar de vraag is of de strijd zich zal uitbreiden. Zowel Syrië als Turkije sturen op dit moment vliegtuigen de lucht in.'

'Nou, dat wordt een feest.'

Eenendertig

'Striker! De radio.'

De grimmige klank in de stem van Dasher en het feit dat de piloot naar hem omkeek, voorspelden niet veel goeds. Bruce zette een schakelaar om, zodat hij mee kon luisteren.

'Viper 02, Birddog. Geef je status.'

'Viper 02, angels 9, 3.8.'

Het was de stem van Gracie.

Heer, dit niet. Niet Grace.

'Die Hornet met scherfschade is van haar', zei Dasher boven het radioverkeer uit.

'Is ze gewond?'

'Geen idee. Ze heeft problemen met de stabilisators en met de hydraulica.'

'Waar is ze nu?'

Rich vouwde een kaart open. De coördinaten die via de radio werden doorgegeven, had hij al ingevoerd in de boordcomputer. 'Hier ongeveer.'

Bruce kromp ineen. 'Komt ze die bergpassen nog over?' vroeg hij aan Dasher.

'Ze lijkt vastbesloten een poging te wagen. Haar toestel gaat zo snel achteruit, dat ze misschien nog maar tien minuten heeft tot de apparatuur ermee uitscheidt. Dat is net genoeg om de pas over te vliegen en een noodlanding te maken op Colemerik.'

'Krap.'

'Nogal. Er kan echt niks anders misgaan, anders heeft ze geen speling meer.'

Bruce keek naar Rich.

'Ammunitie is geladen, medische benodigdheden zijn aangevuld. We zijn erop voorbereid', antwoordde zijn partner.

'Dasher, zorg dat we carte blanche krijgen om haar tegemoet te vliegen.'

'Het verzoek is al binnen. Ze onderzoeken nu wie er het dichtste bij is.'

'Birddog, Viper 02, verzoek om landingskoers onder tien.'

Grace leek de problemen kalm onder ogen te zien. Bruce vertrok zijn gezicht. Ze deed haar uiterste best om geen hoogte te verliezen, maar uit haar verzoek bleek dat ze er geen vertrouwen in had dat ze nog tot boven de drie kilometer zou kunnen klimmen.

'Viper 02, Birddog, vector blauw plus dertig, angels blauw plus vier.'

'Viper 02, Roger.'

Volhouden, lieverd. Hou je hoofd erbij.

Dasher zou zorgen voor de toestemming om naar haar toe te gaan. Bruce reikte naar zijn uitrusting. 'Ze is O-negatief. Wat is de dichtstbijzijnde trauma-eenheid?' Hij kon Grace niet verliezen, niet op deze manier.

TURKS-IRAAKSE GRENS

Grace had het koud. Haar overall was nat van zweet dat afkoelde tegen haar huid. Ze wou dat ze haar benen een beetje kon bewegen tegen de kramp in haar rechterkuit, maar alles wat ze kon doen was zich schrap zetten tegen de enkelriemen en de spieren spannen. De pijn werd steeds heftiger. Een blauwe plek op haar schouder bemoeilijkte haar greep op de stuurknuppel.

De tijd ging pijnlijk langzaam. Voor haar lag de veiligheid. Ze moest de bergpassen over en dan met zo min mogelijk manoeuvres een glijvlucht naar Colemerik inzetten.

Plotseling flikkerde er een lampje op haar dashboard en overal om haar heen klonken de alarmsignalen. Ze zag onmiddellijk wat er aan de hand was: van een bergrand in het noorden, iets minder dan een kilometer bij haar vandaan, was een luchtdoelraket op haar afgevuurd. Nog een paar seconden en ze zou getroffen worden.

Grace gaf de gashendel een flinke duw en trok de stuurknuppel met een ruk naar links. De klap die ze daardoor zelf kreeg, nam ze op de koop toe; ze had geen keus dan haar vliegtuig te laten wegduiken. Omdat ze geen hoogte meer had, kon ze zich geen spel veroorloven. Ze voelde hoe alle apparatuur zich tegen haar keerde. De raket schoot over haar heen, maar van een andere richel vloog een tweede in haar richting. Als ze tijd had gehad, had ze haar ogen gesloten en gevloekt om de oneerlijkheid van het gevecht. Met z'n tweeën tegen een aangeschoten vogel. Het was de tactiek van een roofdier dat erop uit was om te doden. Ze zou hun het plezier niet gunnen.

Het vliegtuig sidderde; ze bracht de neus omhoog en dwong het in een steile bocht omhoog te klimmen. Ze zou de raket geven waar hij om vroeg: de gloeiende hitte van de uitlaatgassen. Het waarschuwingssignaal in de cockpit werd nog schriller: het projectiel haalde het toestel in.

Het was een zenuwslopende manoeuvre. Ze spoot chaff in het rond en liet daarna de Hornet met de neus naar de grond duiken. Met adembenemende snelheid trok de zwaartekracht haar omlaag.

Ze ging het redden. Er klonk een fluitend geluid; de raket sneed een meter of wat onder haar door de lucht voorbij.

Toen raakte hij het lokaas van de chaff.

De explosie deed haar toestel in een vlakke tolvlucht belanden; de wereld draaide als razend om haar heen. Met haar neus naar de grond was het onmogelijk om de schietstoel te gebruiken.

Beide motoren vielen uit.

Met een misselijkmakende vaart zag ze de draaiende bodem dichterbij komen. Geweldig. Ze zou sterven met een gebroken neus. *Het spijt me, Bruce. Het spijt me heel erg.*

Tweeëndertig

'Ze is van het scherm', waarschuwde Dasher. De spanning in de helikopter steeg naar een nieuw hoogtepunt. 'Ik zie signalen van luchtdoelraketten.'

Bruce klemde zijn handen zo vast in elkaar dat zijn knokkels bijna braken. 'Ontvangstcodes?' De schietstoel had zijn eigen noodsignaal, net als het vliegtuig.

Dasher zocht de frequenties af. 'Geen', antwoordde hij grimmig. 'Haar elektronica was een puinhoop, maar de schietstoel zou daar geen last van moeten hebben.'

'Wat was haar laatst opgegeven hoogte?'

'Angels 7.4. En dan met deze ravijnen...'

Striker wist precies wat Dasher had willen zeggen. Ze hadden nu te maken met een zoekgebied waarin de radar weinig kon uitrichten.

'Richt je naar de laatste coördinaten en zorg voor dekkingsvuur.'

'Waar ben je, Gracie?' fluisterde Striker voor zich uit. Door de openstaande helikopterdeur zochten zijn ogen het terrein af. De wind teisterde zijn gezicht en zijn vliegeroverall bood minder bescherming dan hij wel had gewild. De noodfrequenties van haar radio zwegen nog steeds in alle talen.

Met iedere schokbeweging van de Pave Hawk nam zijn misselijkheid verder toe. Ze vlogen zo'n zes meter boven de rotsbodem. Hij negeerde het zo goed als hij kon.

Daar voelde hij de knellende hand van Rich om zijn schouder. 'Daar.'

Bij het zien van het wrak stond zijn hart bijna stil. De Hornet was te pletter geslagen, had een diepe voor in de ravijnbodem getrokken en was toen in een hoek van vijfenveertig graden tegen een helling tot stilstand gekomen. Om de wrakstukken heen rolden nog steeds stenen en puin naar beneden. Eén van de vleugels was losgescheurd en dubbelgeklapt over de romp; de rest van het vliegtuig was versplinterd.

'Rich, jij gaat met mij mee. Victor en Frank, jullie houden de omgeving in de gaten. We kunnen geen ongenode gasten gebruiken.'

Omdat Dasher geen goede landingsplek vond, moesten ze zich uit de heli naar de bovenrand van het ravijn laten zakken. De stank van brandstof was overweldigend. Striker zette zich schrap tegen de losse hellingbodem; het zwaaiende koord dreigde hem uit evenwicht te brengen.

'Denk je dat we naar beneden kunnen zonder die rommel over ons heen te krijgen?' vroeg Rich, wijzend op een kleine lawine van stenen en vuil.

Striker ontrolde het touw dat hij bij zich had. 'Vastmaken en afdalen, elk aan een kant van het wrak, en dan met een zwaai erheen?'

Rich knikte, ontrolde zijn eigen touw en maakte het vast aan een dennenboom tussen de rotsen. Striker liep naar de andere kant om daar het zijne te bevestigen. Het was een glibberige afdaling. Ondertussen speurde hij naar datgene waar hij het meest voor vreesde: een lichaam.

Steun zoekend bij het touw liep hij naar de versplinterde romp. Bij iedere stap lette hij goed op scherpe metaalranden die zijn touw zouden kunnen doorsnijden of de zolen van zijn laarzen doorboren.

De punt van de linkervleugel was omgebogen als het lipje van een frisdrankblikje en lag nu over de romp. Striker zette zijn schouder eronder om de zware vleugel weg te duwen. Hij ontdekte dat het voorste stuk van de cockpithuif was weggeslagen. *Gracie.* Hij moest bijna overgeven. Ze zat bekneld in de cockpit, die compleet in elkaar gedrukt was. De voorkant van haar overall was doordrenkt van bloed.

Het vizier van haar helm was neergeslagen. Voorzichtig duwde hij het omhoog. Haar ogen stonden wijdopen, maar leken niets te zien. Had ze haar nek gebroken? Ze vertoonde de glazige blik van een dode.

'Gracie?'

Hij deed zijn handschoenen uit en worstelde om zijn hand tussen haar helm en overall te krijgen. Daar voelde hij een hartslag. Even meende hij dat hij zijn eigen bloed voelde bonzen in zijn koude vingertoppen, maar toen hij zijn hand boven haar gezicht hield, voelde hij een zwakke luchtstroom tegen zijn handpalm. 'Rich, we hebben de zware extractieapparatuur nodig. Schiet op.'

'Ik doe m'n best.'

Met moeite hield Bruce zich staande op de losse ondergrond; hij maakte het touw los, zodat hij aan de slag kon. Nadat hij de EHBO-kist had klemgezet in het puin, maakte hij hem open.

Ze had een hevige neusbloeding gehad. Voorzichtig haalde hij de helm van haar hoofd, bang voor wat er tevoorschijn zou komen. Als de G-krachten kwaadaardig genoeg waren geweest, waren niet alleen de bloedvaten in haar neus, maar ook die in haar ogen gesprongen.

Haar honingbruine haren krulden om zijn handen. Tot zijn opluchting zag hij niet nog meer bloed. Met zijn zaklampje controleerde hij haar pupillen, op zoek naar de tekenen van zuurstofgebrek, dat altijd optrad als het masker op grote hoogte uitviel. Opgelucht constateerde hij een normale reactie. Geen rampzalig hoofdletsel dus; dat mocht wel een wonder heten.

Hij begon de traumaprocedure af te werken: ademhaling, bloedsomloop, botten. Voorzichtig liet hij zijn hand over haar arm glijden. Anders dan hij verwacht had, voelde hij geen breuken. Als ze haar rug niet gebroken had... Voordat ze voldoende bijgekomen was om haar ledematen te kunnen bewegen, viel dat niet met zekerheid te zeggen. Er zat een snee in haar linkerarm, maar het bloed op haar overall leek allemaal afkomstig van de bloedneus. Haar benen zouden wel een verhaal op zich vormen, gezien de staat waarin het vliegtuig verkeerde.

Hoe zat ze bekneld? Hij liet het licht van zijn zaklamp over het versplinterde metaal spelen. Je kon je beter afvragen waar ze níet bekneld zat. Het hele toneel had wel iets weg van de ravage na een ongeluk met een racewagen, als alleen het chassis nog intact was. De besturingspanelen van de cockpit zaten om haar heen geklemd. Hij trok zijn handschoenen weer aan. Het lukte hem om een paar onderdelen terug te duwen, maar in andere kreeg hij geen beweging; die zaten zo'n beetje om haar middel gevouwen.

Hij probeerde bij haar benen te komen om die te onderzoeken en de riemen los te maken. Een scherpe metaalrand sneed pijnlijk in zijn hand en hij verbeet een krachtterm. Leunend tegen de zijkant van het toestel probeerde hij met behulp van zijn zaklamp een beter zicht op het probleem te krijgen.

Hij verstijfde. Het voorwerp dat haar toestel had geraakt, had een hittezoekende raket in de romp gedrukt. De vergrendeling was eraf en de kop dus geactiveerd; en ze zat er vrijwel bovenop!

Vallend grind kondigde de terugkeer van Rich aan. Zo langzaam mogelijk kwam Striker in beweging en richtte zijn lamp op de raket. Als het vliegtuig ook maar iets verschoof, zou het projectiel ontploffen. En hij leunde op ditzelfde moment tegen de romp!

Zijn partner sperde de ogen wijdopen, maar hij zei niets. Hij zette het gereedschap neer dat hij had opgehaald, pakte zijn mes en begon in de grond te wroeten. Normaal gesproken zouden ze zandzakken rond de raket hebben aangebracht, maar nu zouden ze met een wal van aarde en een steunpunt voor het vliegtuig genoegen moeten nemen.

Drie minuten lang verroerde Striker geen vin; toen had Rich het steunpunt op zijn plek. Hij schoof achteruit en kon weer ademhalen. 'Bedankt.'

'Graag gedaan.'

Om Gracie eruit te halen, zouden ze creatief te werk moeten gaan. Het verplaatsen van de schietstoel kon hij wel vergeten. 'Kijk eens of je iets kunt doen aan deze panelen. Volgens mij moeten we er met de kettingen en de lier minstens één in beweging kunnen krijgen.'

Bruce controleerde Gracies pols nogmaals; die was stabiel. Haar ademhaling klonk goed en gezien het feit dat er al vierentwintig minuten verstreken waren sinds het moment waarop haar vliegtuig van het scherm verdween, had ze de eerste schok goed doorstaan. Ze leek in ieder geval niet dood te bloeden. Hij bracht een nekkraag aan en maakte die vast.

Met zijn eigen mes begon hij daarna de riemen door te snijden die haar vasthielden in het wrak. Bij het losmaken van de schoudergordel ontsnapte haar een laag en bevend gekreun. Voorzichtig liet hij zijn hand over haar arm glijden. Haar schouder leek niet uit de kom te zijn, maar was zeer zeker beschadigd. Dat ze bijkwam, was enerzijds een opluchting; aan de andere kant was haar timing verre van ideaal. 'Niet bewegen, Gracie.'

De stem drong door de dikke mist waarin ze zich bevond.

Het deed pijn.

Ze wilde het uitgillen, maar merkte dat ze daar de adem niet voor had.

'Rustig maar, Gracie. We zijn hier bij je. Niet bewegen.'

De diepe stem echode in haar brein, en ze deed haar best de woorden te begrijpen. Wie was hier? Het vliegtuig, raketten, de bodem… Ze kromp ineen toen het plotseling tot haar doordrong: ze was neergestort.

Ondanks de folterende pijn dwong ze zichzelf tot helder nadenken. Haar rechterschouder protesteerde heftig, maar de stem van de man was rustig. Ze was niet in een ziekenhuis; dokters zeurden altijd over pijn.

Hij had haar Gracie genoemd en het had geklonken alsof dat niet de eerste keer was. Niet bewegen, zei hij. Dat was een bevel. Ze kon haast niet denken.

'Gracie?'

Ze wist dat ze antwoord moest geven, maar kon geen zin formuleren.

'Laten we dit snel afhandelen, nu ze nog onder zeil is. We kunnen proberen het paneel los te snijden.'

'Eerst moet de brandstof helemaal weggelekt zijn. We kunnen niet riskeren dat die in de fik vliegt door een vonk.'

Twee stemmen. *Waar ben ik?*

Ze moest wel even bewegen om de pijn te verlichten. Omdat ze achterover geleund zat, drukte haar gewicht tegen haar gewonde schouder en de pijn dreef haar bijna tot waanzin. Het besef dat ze rechtop zat, maakte haar aan het schrikken. Zat ze dan nog in het vliegtuig?

'Hoeveel ruimte hebben we nodig om haar benen los te kunnen maken?'

'Een centimeter of zes.'

'Dien een klacht in bij Boeing. Ze hebben extra verstevigd geribd metaal gebruikt. Zes centimeter is niet genoeg; dertig komt dichter in de buurt.' Er duwde iets zwaars tegen haar rechterbeen. 'Geef me de metaalschaar eens aan. En help me herinneren dat ik meer aandacht aan gewichtheffen besteed.'

Het liefst zou ze haar ogen dichthouden, maar ze dwong zichzelf ze te openen.

Waren dat nou bomen, die ze zag, of de grond? Het was een verwarrende mengeling van bruin, groen en vuilgeel. Ze schrok ervan, toen het vlak ineens bewoog. Camouflage-uniformen! Als ze had gekund, was ze in lachen uitgebarsten.

Met een ruk draaide hij zijn hoofd om.

'Hallo, Gracie.'

Ze vond het een prettige stem. Hij klonk als een warm bad. Met geen mogelijkheid kon ze haar blik afwenden van de blauwe ogen die in de hare keken, ook al had ze het gewild. Zelfs knipperen deed zeer en de helderheid van de lucht achter hem gaf haar het gevoel alsof haar hoofd elk moment kon ontploffen. Hoe ze ook haar best deed, ze kon door de schmink op zijn gezicht zijn gelaatstrekken niet onderscheiden.

Hij draaide zijn lichaam zo dat hij haar kon aankijken en zij niet hoefde te bewegen om zijn gezicht te kunnen zien. 'Ik weet dat je pijn hebt; dat zie ik aan je ogen.' Hij sprak zacht en ongehaast, zodat ze tijd had om zijn woorden tot zich door te laten dringen.

'Bruce…'

'We halen je hieruit. Rich is hier ook.'

Haar ridders op hun witte paard. Ze probeerde naar hem te glimlachen. Bij de survivallessen waren ze vergeten te vermelden hoe heerlijk het was als iemand je kwam redden.

'Kun je je handen bewegen, Grace?'

Alleen de gedachte was al een kwelling. Tranen gleden langs haar gezicht. *Nee. Het doet te veel pijn.*

'Probeer het, Gracie.'

Hij hield haar linkerhand vast en ze spande haar vingers tegen de zijne, onderzoekend, om de kracht ervan te testen.

'Heel goed.' Hij trok zijn hand weg; dat deed haar verdriet, want hij ontnam haar juist datgene waaraan ze zich wilde vastklampen. 'Nu deze hand.'

Zijn aanraking deed haar bijna schreeuwen. De wereld gleed weg in een witte gloed; ze sloot haar ogen en haalde snel en oppervlakkig adem tegen de intense pijnscheuten.

'Tanden op elkaar', beval hij haar en verschoof haar een beetje in haar stoel. Een schroeiende vlam schoot door haar lichaam en zakte daarna weg; maar de vreselijke pijn bleef. 'Beter zo?' Ze was ontzettend misselijk, en ze knikte zwakjes, zonder te proberen haar ogen open te doen. Laat ze hun werk maar doen; ze wilde hieruit.

Er streek iets ruws langs haar wang. 'Oké, Gracie. Hou vol. Zo meteen hoor je het geluid van brekend metaal.'

Er drukte iets zwaars hard tegen haar been; aan zijn raspende ademhaling hoorde ze hoe hij zich inspande. Toen klonk het akelige geluid van scheurend metaal. 'Trekken, Rich', hijgde hij.

'Ik heb het. Kijk uit waar je staat!'

De onwetendheid over wat ze aan het doen waren, was nog het ergst. Ze dwong haar ogen weer open. Met een knal werd het verfrommelde display van haar af getrokken tot over de rand van de cockpit, waarna ze het wegsmeten. In zijn val veroorzaakte het een kleine lawine van stenen, vuil en puin.

'Laten we haar benen losmaken.'

'Wat doen we met…' Zijn partner maakte de zin niet af.

'Gracie, kijk me eens aan.'

Het bevel van Bruce klonk streng. Haar ogen lieten het verwrongen metaal los en draaiden naar zijn gezicht.

'Ik wil dat je geen vin verroert als je voelt dat je benen vrij zijn. Begrijp je me? Je houdt je volkomen roerloos.'

Ze begreep de reden van zijn bezorgdheid niet, maar dwong zichzelf tot een knikje.

'Ik ga je veters doorknippen en ook de bovenkant van je laarzen, zodat ik je voeten eruit kan trekken.' Hij wierp haar een snelle grijns toe. 'Ik hoop maar dat je schone sokken aan hebt.'

Voordat zijn onverwachte opmerking tot haar door kon dringen en ze gedwongen zou zijn te lachen, boog hij zich al voorover. Zijn handen gleden onder haar linkerbeen en ze voelde het trekken, toen hij aan de gang ging. De veters knapten en het stugge leer spleet open. Zijn vingers vouwden zich om haar enkel en trokken haar voet los. Haar knie stootte tegen iets scherps en de pijn deed haar naar adem snakken. Haar been had zo lang stil gelegen dat het bij iedere kleine beweging wel leek of er een mes in werd gestoken.

Had ze haar been gebroken? Haar maag kolkte. Ze moest weer kunnen vliegen. Haar schouder was gewond, haar benen... Als de verwondingen ernstig genoeg waren, kon ze haar carrière verder wel op haar buik schrijven. Aangenomen dat ze haar na deze crash ooit nog toestonden om te vliegen.

Ze moest weer vliegen. Het was haar leven.

Hoe lang was ze nu al op de grond? Ze proefde bloed in haar mond en haar hoofd bonsde op de maat van haar hartslag. Ze was aan de verkeerde kant van de bergpas naar beneden gekomen. Het moest tijd gekost hebben om haar te bereiken. De aanwakkerende wind blies steentjes en zand in haar gezicht en ze huiverde.

Haal me hieruit, Bruce.

In de verte hoorde ze geweervuur. Het geluid beangstigde haar, maar Bruce negeerde het.

Met moeite slaagde ze erin zijn schouder aan te raken. 'Hoe lang...'

Hij keek niet op. 'Rustig, Grace. We gaan hier niet weg zonder jou.' Hij begon met haar rechtervoet. 'Rich, zeg eens tegen Dasher dat hij de mand laat zakken.'

Toen haar voeten eindelijk los waren, leunde hij hijgend naar achteren. 'Nu wordt het link. Zet hem op, Gracie.' Hij verdween uit haar gezichtsveld.

Het vliegtuig verschoof en ze gilde het uit. Bruce greep haar bij de kraag van haar overall en ze gleed van haar stoel. 'Stop!' Het wrak lag weer stil. Pijnlijk langzaam stak hij zijn hand uit naar haar goede schouder en trok haar naar zich toe. 'Rich, pak de kabel en kom achter me staan.' Nu was het Bruce die angstig leek.

De Pave Hawk cirkelde al lager en veroorzaakte hevige turbulentie. Van onder af leek de heli net een grote, zwarte roofvogel. Een stalen kabel zakte omlaag. Het geweervuur kwam dichterbij. *Schiet op, jongens, schiet op, alsjeblieft.*

'Dit gaat erge pijn doen, maar er is geen andere manier om je eruit te halen. Dit vest zal je schouder beschermen tegen de ergste schokken. De druk die je voelt, komt omdat het zichzelf opblaast', zei Bruce en wikkelde iets grijzigs om haar heen. Zijn shirt raakte haar gezicht en ze sloot haar ogen.

'Je mag me onder geen beding helpen. Houd je ontspannen en helemaal slap. Ik til je van achteren op.'

De gedachte maakte haar doodsbang.

Hij boog zich zo dat hij haar gezicht kon zien en ze zag een brandende intensiteit in zijn ogen. 'Ik blijf van je schouder af. Vertrouw me maar.'

Ze geloofde graag dat hij het zou proberen, maar op dit moment deed alles haar zeer.

Het vest blies zich op en de druk werd bijna pijnlijk. Zijn handen gleden achter haar rug. 'Ik tel tot drie.' Onwillekeurig schreeuwde ze het uit bij de beweging; haar hele lichaam leek zich tegen de pijn te willen oprollen.

Een kort moment zweefde ze door de lucht en het was alleen aan de kracht van zijn armen te danken dat ze niet viel. Toen greep zijn partner haar benen en werd ze voorzichtig neergelegd. Het was een enorme opluchting om te kunnen liggen.

Bruce knielde naast haar neer en maakte razendsnel de riemen vast. Hij zag er vervaarlijk uit zo, een echte soldaat. Van een van zijn handen drupte bloed op haar gezicht; hij trok een grimas en veegde het weg. 'Sorry.'

'Geeft niet.'

Hij maakte de kabel aan de stretcher vast. 'Neem haar maar mee naar boven, Rich. Ik ga de restanten van het vliegtuig vernietigen.'

Rich leunde echter naar voren en maakte de kabel van Bruce vast. 'Ik heb de explosieven al aangebracht. Maak jij nou maar dat je wegkomt.'

Bruce wisselde een blik met zijn partner en keek daarna op haar neer. 'Doe je ogen dicht. We gaan omhoog.'

Hij keek omhoog en tikte tegen zijn zender. 'Hijsen maar, Dasher.' Voor ze er goed en wel op voorbereid was, verhief de stretcher zich van de grond en begon rond te draaien. De lucht boven haar tolde mee.

Vlak bij de helikopter bedekte Bruce haar gezicht om het te beschermen tegen de striemende windvlagen. Daar hing hij: aan een kabel naast de stretcher, omhoog getakeld naar een helikopter, terwijl onder hen het geweervuur ratelde. Dit was zijn beroep. Al haar vooronderstellingen over het werk van een PJ bleken onjuist. Voor deze baan had je meer nodig dan alleen moed.

'Pak haar.'

Handen grepen de stretcher aan het voeteneinde beet en het draaien hield op. Er klonk een schrapend geluid van metaal op metaal, terwijl ze naar binnen werd getrokken.

Opluchting overweldigde haar. *Dank U, Heer. Dank U.*

De stretcher werd iets opgetild en met klemmen vastgezet. Striker zwaaide naar binnen en maakte snel de kabel los. 'Haal Rich hier weg.' De kabel werd weer neergelaten. 'Wat is er aan de hand?'

'Een troep rebellen probeert de pas over te steken. Ze komen er niet langs.'

'Dat had ik ook niet verwacht.'

Een geschminkte vent die glimlachte was een interessant gezicht, zeker als je er zoals zij van onderaf tegenaan keek. De soldaat naast haar gaf haar een knipoog en keek toen naar Striker. 'Waar bleven jullie zo lang?'

'Ze zat op een springlevende raket.'

Haar blik schoot naar Bruce bij die opmerking.

'Ik vond eigenlijk dat je dat beter niet kon weten.'

Bij de gedachte aan wat er had kunnen gebeuren, moest ze even iets wegslikken. Geen wonder dat hij er zo op had aangedrongen dat ze niet zou bewegen.

Hij haalde een pakje uit zijn tas en scheurde het open. Met een steriel gaasje, dat hij eerst in water drenkte, veegde hij de ergste bloedsporen van haar gezicht. 'Hoe is het met je hoofdpijn?'

'Afschuwelijk.'

'Zie je dubbel?'

'Moeilijk te zeggen. Door die schmink zien jullie er precies hetzelfde uit.'

'Je voelt je al iets beter, merk ik.'

Hij raakte haar neus aan en ze kromp in elkaar. Die leek wel gebroken. 'Is alles goed met Thunder?'

'Je bedoelt Peter?'

'Neergestort in Irak', fluisterde ze.

'De Zeventwintigste is hem gaan halen.' Striker keek naar Dasher. 'Heb je al iets gehoord?'

'Gebroken arm. Verder is hij in orde.'

Alles was relatief. In dit werk werd je succes afgemeten aan het feit of je het er levend had afgebracht, ja of nee.

Op dat moment werd Rich aan boord getrokken. 'Dasher, zorg dat we hier wegkomen', schreeuwde hij. 'We hebben vier minuten voor de boel ontploft.'

De neus van de heli dook omlaag en het toestel zette koers naar het oosten. In niets leek het op vliegen in een vliegtuig; ze was blij dat de stretcher aan de vloer was vastgezet.

'Wiebel eens met je tenen, Gracie.'

Ondanks de pijn gehoorzaamde ze.

'Goed zo. Ben je ergens gevoelloos?'

'Nee.'

'Hoe staat het met je ribben?'

'Beurs. Maar het is eigenlijk alleen mijn schouder.'

'Over twintig minuten zijn we bij een dokter.'

Ze moest weten of ze weer zou kunnen vliegen. Het was haar hele leven. 'Hoe erg is het?'

'Je leeft nog', antwoordde Bruce zachtjes.

Ze sloot haar ogen. Hij had gelijk: ze leefde nog. 'Ik ben je een etentje schuldig.'

De hand die langs haar wang streek, begon nu pas te beven. 'En je naamplaatjes.' Hij stopte haar onder een isolatiedeken om haar warm te houden. 'Doe je ogen dicht en rust zoveel mogelijk uit.'

Gehoorzaam ontspande ze zich en gleed weer weg in de duisternis.

Drieëndertig

De gang van het ziekenhuis was te smal en te kort om er goed te kunnen ijsberen. Bovendien vertoonden de plafondlampen een irritante flikkering. De echo van zijn laarzen hield gelijke tred met het bonzen van zijn hoofd. De andere PJ's waren naar beneden gegaan, om uit te zoeken wat er gedaan kon worden aan de stakingen die op dit moment in Irak aan de gang waren. De vergeldingsacties voor een neergeschoten piloot waren snel op gang gekomen.

Alstublieft, Jezus. Voor dit gebed waren woorden niet toereikend, alleen emoties. Uit alle macht probeerde hij bij zijn positieven te blijven. Hij wreef over zijn bebloede handen die maar bleven trillen. Het afgelopen uur had hij helder kunnen blijven, maar nu kwam de terugslag. Iemand had haar vliegtuig uit de lucht geschoten. Hij kon het haast niet geloven, maar de werkelijkheid was onontkoombaar. Hij was blij dat hij even een moment voor zichzelf had, om even toe te kunnen geven aan het gevoel dat hij nooit meer een nacht als deze hoopte te beleven. Hoe zij daar in die cockpit had gezeten, haar nietsziende ogen – vergeleken bij dat tafereel stelde Ecuador niets voor.

Aan het eind van de gang zwaaide een klapdeur open. Bruce draaide zich om, voorbereid op de volgende confrontatie met een verslaggever die de beveiliging had weten te omzeilen. 'Wolf! Wolf, het komt goed met haar!' Hij probeerde de man tegen te houden, maar werd bijna onder de voet gelopen. 'Rustig aan.'

'Waar…'

Bruce hield hem tegen en omklemde zijn schouder. 'In de o.k.'

Wolf trok wit weg. Bruce duwde hem tegen de muur; hij wist precies hoe de man zich nu voelde.

'Ik was net buiten Incirlik bezig met het herstel van een ingestorte brug ten behoeve van de hulptransporten, toen Beer me kwam halen. Waarom hebben jullie haar naar Napels gebracht?'

'Haar schouder ligt in puin. Ze willen de pijn onderdrukken en haar zo vlug mogelijk naar huis sturen, waarschijnlijk vannacht al. Je kunt het vergelijken met een vingeroperatie bij een pianist; het fijnere werk doen ze liever niet hier.'

'De pers…'

Bruce knikte. 'Ik heb ze gezien daarbuiten. Een echte muskietenzwerm en dat is ook een reden om haar zo snel mogelijk naar huis te transporteren.'

'Ze zal flink de pee in hebben over al die aandacht.'

Als zijn hart niet zo bezwaard was geweest, had Bruce geglimlacht; na zijn eigen recente ervaringen met de pers wist hij wel zo'n beetje wat het was om stromen brieven te krijgen. 'Dat zal ze minder erg vinden dan aan de grond te moeten blijven.'

'Zal ze ooit weer vliegen?'

Bruce keek zijn vriend alleen maar aan; hij had het gevoel alsof zijn hart zou breken.

'Bruce…'

Hij schudde zijn hoofd.

'Nee toch. Het zal haar dood zijn, als ze dat niet meer kan', fluisterde Wolf.

'Dat weet ik.'

Bruce kon alleen maar hopen dat ze, als ze het nieuws te horen kreeg, niet zou vergeten dat God nog steeds van haar hield en hij ook. Het verdriet zou een harde dobber voor haar zijn, en zijn eigen nachtmerrie stond ook voor de deur. Zij ging vannacht naar huis… en hij moest terug naar Turkije.

Wolf sloeg met zijn vuist tegen de muur.

De smaak in haar mond deed Grace kokhalzen en ze had het zo warm alsof ze lag te zonnebaden in de woestijn. Ze vocht tegen de ongelooflijke dorst en tegen de druk op haar borst, alsof het G-krachten waren die haar dreigden te verpletteren.

'Rustig maar. Het is maar een droom.'

'Wolf?'

'Ik ben hier, meissie.'

'Waar was je toen ik je nodig had?' fluisterde ze.

'Gracie…' Er klonk groot verdriet in zijn stem.

Aan de andere kant van het bed greep een hand de hare stevig beet. 'Lieverd, hij is hier al die tijd geweest', kwam Bruce zijn vriend te hulp.

Haar blik bleef op Wolf gericht. 'Vierde klas. Carrie.'

Haar neef knipperde met zijn ogen en begon toen te lachen. 'Daar ben je nog steeds nijdig over, geloof ik.'

'Dezelfde rotschouder.' Met moeite likte ze over haar lippen. 'Doet deze keer alleen meer pijn.'

'Dat weet ik', zei Wolf vriendelijk.

Bruce wreef met zijn duim over de rug van haar hand en Grace vlocht haar vingers in de zijne. 'Operatie… voorbij.'

'Je bent er prima doorheen gerold', zei Bruce.

Ze wiebelde met haar tenen. 'Hoofd, schouders, knie en teen…' Met een glimlach om het kleuterliedje sloot ze haar ogen. 'Waar ben ik?'

Bruce stopte een ijsklontje tussen haar lippen. 'In Napels.'

'Dat is niet best.'

'Turkije had geen operationeel hospitaal waar je terechtkon.'

'Oké.'

'Of met ruimte voor de pers', voegde Wolf eraan toe.

'Beroemd, zeker?'

'Je foto heeft CNN al gehaald. Al je vrienden zeggen tot nu toe alleen maar aardige dingen over je. Ik heb vanavond Jill op tv gezien.'

'Echt waar?' Ze probeerde te glimlachen bij dat bericht; ze moest haar uiterste best doen om erbij te blijven. 'Ik ben moe, jongens.'

'We zullen je laten slapen.' Bruce kuste haar wang en wilde haar hand loslaten, maar ze hield hem stevig vast. 'Wil je eerst nog voor me bidden?' fluisterde ze. Er kwamen tranen in zijn ogen. 'Je moet Efeziërs 1:17 bidden.'

Hij sloot zijn hand om de hare. 'Jezus, ik bid U dat Grace U steeds beter mag leren kennen.' Hij kuste haar nogmaals. 'Ik hou van je, Grace.'

'Idem.' Ze keek naar haar neef. 'Geen pinguïns, denk eraan.'

Wolf lachte zo hard dat hij de tranen uit zijn ogen moest vegen. 'Gracie, je bent onbetaalbaar.'

Bruce ging naast Wolf op de bank zitten. Het liep tegen de ochtend. Nog even en ze zouden Grace terugvliegen naar de Verenigde Staten. Wolf draaide een envelop in zijn handen rond en tikte ermee tegen zijn handen, nu eens tegen de ene en dan weer tegen de andere. 'Wat heb je daar?' vroeg Bruce.

'Voor ze werd uitgezonden heeft Grace me een brief geschreven, voor het geval dat. Ik had hem in mijn bijbeltje gelegd. Ik wilde mezelf inprenten dat er vannacht nog iets veel ergers had kunnen gebeuren, en daarom heb ik de brief opengemaakt.' Hij stak hem de brief toe. 'Hier, lees maar.'

Om het verdriet in de ogen van zijn vriend nam Bruce de brief aan. 'Weet je het zeker?'

'Ja.'

Bruce trok een velletje papier tevoorschijn en begon te lezen.

Wolf,

Je zult het verschrikkelijk vinden om deze brief te moeten lezen. Je mag gerust kwaad op me zijn. Ik heb je beloofd dat ik niet dood zou gaan, en als je dit leest heb ik mijn belofte verbroken. Het spijt me. Wat ik ook heb gedaan of nagelaten, het is duidelijk dat ik er een puinhoop van heb gemaakt. Ik had voorzichtiger moeten zijn.

Goed, dat waren de spijtbetuigingen. Nu moet je even flink zijn, want ik ga je laten blozen. Je weet dat ik altijd graag het laatste woord wil hebben. ☺

Tom, sinds mijn kinderjaren ben je altijd mijn beste vriend geweest. Niemand heeft zo geboft met zijn neef als ik. Ik weet alles van de gemiste afspraakjes met Shelly, al die vrijdagavonden die je bij mij op bezoek kwam toen ik mijn arm had gebroken. Je stond me gewoon niet toe dat ik ging zitten jammeren over een ramp die een einde aan mijn carrière dreigde te maken nog voor die goed en wel begonnen was. Het is heerlijk om bijzonder gevonden te worden.

Ik heb altijd geprobeerd je niet te vaak verlegen te maken met sentimentele praatjes, maar deze laatste kans laat ik niet schieten. Ik hou van je. Ik voel me gezegend met een familielid als jij. Niemand anders heeft me zo goed geleerd de kansen in het leven te grijpen en mijn droom na te jagen.

Ik vergeef je dat je me ontelbare keren bijna dood hebt laten schrikken. Volgens mij heeft de Heer een speciale beschermengel aangesteld om jou in de gaten te houden. Je hebt de zwaartekracht getrotseerd, kogels ontweken en onmogelijke missies volbracht; van die missies was ik meestal alleen op de hoogte, omdat je weer voor een paar maanden verdwenen was. Ik ben zo TROTS op je.

Ik had me geen betere baan kunnen wensen dan een Hornet te mogen vliegen. Geen enkel dankjewel is voldoende voor het feit dat jij me hebt geholpen die droom te verwezenlijken. Overigens moet ik je nog steeds de vlieglessen terugbetalen. (Ik weet heus wel dat jij hebt meebetaald aan de eerste lessen. Pa heeft me verteld dat die extra spaartegoeden, die op mijn zeventiende verjaardag als bij toverslag opdoken, van jou afkomstig waren. Lief van je, Wolf, ontzettend lief.)

Zou je me een plezier willen doen door te gaan trouwen en kinderen te krijgen en een bijzondere papa voor hen te zijn? Je blijft het maar uitstellen. Het is het enige waar ik spijt van heb: dat Ben en ik altijd zeiden dat we zeeën van tijd hadden. Met zijn dood verloor ik een kans om een deel van mijn dromen waar te maken. De problemen die ik voorzag bij de combinatie van een soldatenbestaan en een leven als burger, maakten dat ik een huwelijk voor me uitschoof. Dat was een domme beslissing en ik hoop dat je slimmer zult zijn dan ik.

Ik heb een goed leven gehad; heel goed, zelfs. Excuses voor de jaren waarin je alle reden had om bezorgd over mij te zijn. Je kent me, maatje. Mijn verdriet heelt maar langzaam en ik moet alles meer dan twee keer overdenken voor ik een volgende stap zet. Je aansporingen waren een troost voor me, omdat ze me lieten zien dat je om me gaf. Bedankt daarvoor.

Als ik dan toch niet in leven kan blijven, is de hemel uiteindelijk een betere optie.

In liefde,
Grace

P.S. Als mijn auto het nog doet, dan is hij nu voor jou. Denk aan mij, telkens als je ruzie hebt met de carburateur.

Bruce las de brief twee keer, vouwde hem toen langzaam op en gaf hem terug. 'Ze houdt van je.'

Wolf hield zich met moeite goed. Hij stond op om te gaan ijsberen.

Bruce keek hem na en deed er verder het zwijgen toe. Met die vier woorden was alles gezegd.

Vierendertig

6 APRIL

NORFOLK, VIRGINIA

'Kan ik iets voor je halen?'

De schroeiende pijn was afgenomen en was nu dof en zeurend. Grace verzette zich tegen de gevolgen van de narcose om Jill een samenhangend antwoord te kunnen geven.

'Je bent de beste vriendin van de hele wereld.'

'En jij bent nog steeds een beetje wazig van de pijnstillers.'

Grace probeerde te glimlachen; ze had het gevoel dat ze zweefde. 'Waarschijnlijk wel, ja.' Hoewel ze zich wat afwezig voelde, drong het wel tot haar door dat de operatie, waar ze als een berg tegenop had gezien vanaf het moment dat de doktoren in Italië foto's van haar schouder hadden genomen, voorbij was. 'Is het dag of nacht?'

'Dag. Bruce heeft gebeld.'

Ze wrong haar ogen open; haar vriendin verscheen wazig in beeld. 'Bruce heeft gebeld...'

Jill stopte de deken vaster om haar heen. 'Je hebt zelfs met hem gepraat.'

Ze fronste. 'Echt waar?'

'Ik heb het laatste stukje voor hem vertaald.'

Nee toch. Bruce had gebeld en zij had wartaal uitgeslagen. 'Dat klinkt geweldig.'

'Wat geeft dat nou', glimlachte Jill. 'Hij wilde alleen maar even je stem horen.'

'Heb ik soms kinderliedjes gezongen?'

'Dat probeerde je nog. Je zingt niet erg goed.'

'Ik neem aan dat hij me nog steeds wel mag?'

'Zeker weten.'

Rust daalde over de ziekenkamer. Ondanks de afstand was Bruce een echte steunpilaar gebleken; zijn rustige woorden waren voor haar de enige bron van vertrouwen, nu zij de grip op haar leven steeds meer leek te verliezen. Soms stuurde hij zijn briefjes zelfs per telegram om haar te geven wat ze nodig had. *'Wanneer mijn hart vol verdriet is, Heer, laat dan uw goedheid mij ondersteunen.'* Zijn laatste telegram had ze uit haar hoofd geleerd.

'Het valt niet mee, als ze zo ver weg zijn', fluisterde Jill.

Zachtjes duwde Grace een vinger tegen de hand van haar vriendin. 'Ik heb jou hier toch als plaatsvervanger.'

'Je komt er vast weer bovenop.'

'Vast', stemde Grace in. Ze leefde nog. Dat was alvast een goed uitgangspunt. 'Zijn pa en ma hier ook?'

'In de hal.'

'Veeg mijn tranen nog even weg voor ze binnenkomen.'

'Doe ik', zei Jill en voegde voorzichtig de daad bij het woord.

'Zie ik er niet vreselijk uit?'

'Een beetje ouder en een beetje wijzer', stelde Jill haar gerust. 'Wat ga je eigenlijk tegen de pers zeggen?'

'Kras op?'

Jill grinnikte. 'Dat kan een beroemdheid als jij niet maken.'

'Wees alsjeblieft nog een paar dagen langer mijn woordvoerder, wil je? En pa krijgt het exclusieve verhaal.'

'Dat lijkt me een goed plan.' Jill gaf haar het glas water. 'Ik ben blij dat je thuis bent.'

'Ik ook. Ik wou alleen dat Bruce hier ook was.'

'En ik dat Wolf hier was.'

'Wij hebben een goede smaak als het om mannen gaat.' Grace probeerde te gaan verliggen, maar de beweging deed haar kreunen van pijn. 'Het voelt beroerd.'

'Het wordt heus wel beter.'

Grace zuchtte. 'Haal pa en ma maar naar binnen. Ik kan wel een poosje glimlachen.'

Bruce,

Ik typ dit met mijn linkerhand. Ik leef nog. Operatie voorbij. Ik hou van je. HAAL ME HIERUIT.

Gracie

Grace,

Oh, lieverd… links- of rechtshandig, het is zo fijn om je kattebelletjes te krijgen. Wolf heeft aangeboden me het ziekenhuis in te slaan, zodat ik bij je kon zijn… Ik hou ook van jou.

Bruce

Vijfendertig

'Mag ik binnenkomen?' Aarzelend bleef Peter in de deuropening van haar kamer staan.

Grace vouwde met een hand de krant dicht. De zon
scheen, haar hoofdpijn was eindelijk helemaal verdwenen en
het nieuws over de situatie in het Midden-Oosten maakte
haar onrustig. Haar vrienden daar lagen onder vuur en zij
kon helemaal niets doen. Gisteren nog was er gevochten in
Irak. 'Natuurlijk! Gezellig.'

'Die roze donsvoeten zijn nieuw voor me.'

Grace glimlachte tegen haar bevelvoerend officier en wiebelde met haar in sloffen gestoken voeten. 'Cadeautje van Jill.
Dus jij mag nu door de hal lopen.'

'Dat werd tijd ook. Ik word gek van die dokters.' Daar kon
ze van meepraten. Peter zag er nu beter uit dan de vorige
keer dat ze hem had gezien. De blauwe plekken waren ver-
vaagd en het gips om zijn arm was niet meer zo glanzend
wit. Peter had daar in Irak op de grond een spannend half
uurtje beleefd. Bij nader inzien gaf ze toch maar de voorkeur
aan haar eigen landing. Hij trok een stoel bij.

'Die pinguïngrappen zijn nu helemaal in.' Uit haar plakboek haalde ze een cartoon tevoorschijn die ze deze ochtend
had gekregen van de jongens van haar squadron. 'Dit is mijn
favoriet.' De tekening vertoonde een rij pinguïns, stuk voor
stuk uitgedost met de verplichte vliegeniersssjaal en bril, en
klaar voor de lancering vanaf een klif.

'Ze hebben mij een emmer en een schepje gestuurd voor in de zandbak.'

Ze moest erom lachen. 'Je moet de jongens nageven dat ze de saamhorigheid binnen het squadron serieus nemen.' Ze had gehoord dat er al applicaties van pinguïns met de vleugels in het verband op de vliegenierspakken waren verschenen.

'Kan ik iets voor je halen?'

'Wat dacht je van een bewijsje dat ik hier nog twee maanden mag blijven? Het zal me vies tegenvallen als ze me het ziekenhuis uitschoppen om het bed vrij te krijgen. De bediening is eersteklas.' Haar schouder was nog steeds pijnlijk, maar na de tweede operatie was de scherpe pijn verdwenen. 'De fysiotherapeut komt drie keer per dag en vanavond had ik kreeft bij het diner.'

Hij glimlachte even, maar keek meteen weer ernstig. 'Grace…'

'Ik weet wat ze zeggen, Peter, maar ik geloof het gewoon niet.' Ze had nooit eerder geaccepteerd dat vliegen voor haar niet was weggelegd en dat zou ze ook nu niet doen; de dokter kon ook alleen maar percentages noemen, als ze wilde weten hoeveel mensen na een soortgelijke verwonding weer als piloot aan de slag hadden gekund.

'Hoe gaat het met je arm?' Het was vreemd te bedenken dat een piloot gemakkelijker herstelde van gebroken botten dan van verwondingen aan het zachte weefsel.

Hij klopte op het gips. 'Die zit nog wel een tijdje opgesloten.'

'Het spijt me dat ik het niet kon voorkomen.'

'Ik heb de banden al bekeken. Onze tactiek was prima. Twee tegen vier en dan de restrictie dat je niet als eerste mag vuren – dan vraag je om een tragedie als deze.'

In gedachten had ze de gebeurtenissen al ontelbare keren nagegaan, maar nu hij het ook met zoveel woorden zei, voelde ze zich pas echt gerustgesteld.

Ze wees naar de kranten. 'Ik heb gelezen wat er aan de hand is en naar CNN gekeken. Alle actie gaat wel onze neus voorbij.' De VS hadden bij wijze van vergelding een massale luchtaanval op Irak ingezet; de militaire vliegvelden en het radarnetwerk waren intensief gebombardeerd. De aanval van vorig jaar viel erbij in het niet.

'Het valt inderdaad niet mee om zo uitgerangeerd te zijn. Maar die schermutseling van ons heeft tenminste één positief gevolg gehad: iedereen is er weer eens met de neus bovenop gedrukt, dat er inderdaad een zware jongen in de buurt rondloopt die je maar beter niet tegen de haren in kunt strijken. Syrië is begonnen met het terugtrekken van de troepen; ze hebben wel niet helemaal hun voormalige posities weer ingenomen, maar in ieder geval zijn ze bij de Turkse grens weg.'

'Klopt het dat de missie van de GW verlengd wordt?'

'Met twee maanden, ja.'

De fysiotherapeut klopte op de deur. 'Ben je klaar, luitenant?'

Met een blik op haar baas worstelde Grace zich overeind. 'Als ze jou ooit aan het katrolapparaat proberen te krijgen, schiet dat ding dan overhoop of verlos jezelf bij voorbaat uit je lijden.'

Peter gaf haar een fles met water. 'Ik hoorde dat je de hometrainer om zeep aan het helpen bent.'

Ze grijnsde. 'Oefening. Ik ben van plan ooit Striker nog eens te verslaan bij een fietswedstrijd.'

Bruce,

Zes kilometer op de fiets, polsslag in rust 72, bloeddruk 115/70, temperatuur 36.8; en ik heb vandaag 602 keer in de tennisbal geknepen. Ik had mezelf ten doel gesteld een score te halen van over de duizend, maar de dokter greep in en bedierf alles. Het zal nog een paar dagen duren voordat ik mijn schouder mag bewegen. Op dit moment zit mijn arm gefixeerd tegen mijn borstkas om iedere beweging onmogelijk te maken.

Ik typ dit briefje met één vinger op een geleende laptop. Heb je enig idee hoe moeilijk het is om de muis te bedienen met je linkerhand? Waarschijnlijk zal deze brief spoorloos verdwijnen, voordat ik hem kan printen.

Ik kan niet geloven dat aan het eerste vliegtuig waarmee ik ben neergestort een prijskaartje hing van miljoenen dollars. Gelukkig dreigen ze niet het in te houden van mijn salaris – ik zou de rest van mijn leven rood staan. Ik mis het toestel erg: ieder lampje, schakelaartje en knopje ervan. Het was een brave dame die een dergelijk einde niet had verdiend. Hoe dan ook, die ene afschuwelijke landing die elke piloot moet meemaken, is voor mij tenminste achter de rug.

Ik ben ervan overtuigd dat God jouw briefje over Efeziërs 1:17 en je gebed voor mij heeft gebruikt om mij voor te bereiden op wat komen ging. Dat ene gebed, dat ik God beter mag leren kennen, heeft grote veranderingen teweeggebracht in de manier waarop ik deze situatie het hoofd bied. Die eerste nacht in de VS, toen de pijnstillers nog geen effect hadden, lag ik wat door mijn bijbeltje te bladeren. Ik ontdekte opnieuw de woorden van de apostel Paulus: 'Je hebt niet meer dan mijn genade nodig, want kracht wordt zichtbaar in zwakheid.' Dus laat ik mij veel liever voorstaan op mijn zwakheid, zodat de kracht van Christus in mij zichtbaar wordt' (2 Kor. 12:9).

Ik krijg meer dan genoeg gelegenheid om naar deze woorden te leven. Het wordt me regelmatig te veel en dan vind ik houvast in dit vers. Zelfs in deze toestand is Gods kracht toereikend.

Het klinkt misschien alsof ik mezelf aardig overeind houd in deze tragedie. In werkelijkheid ben ik te bang om zelfs maar te denken aan de mogelijkheid dat het niet allemaal op z'n pootjes terechtkomt. Dus druk ik alle vormen van twijfel weg uit mijn gedachten. De therapeut zegt dat ik zoveel vooruitgang heb gemaakt als maar mogelijk is; maar wat dat voor de toekomst inhoudt, weet ik niet. Ik wil alleen maar wanhopig graag weer kunnen vliegen.

Ik werk hard aan mijn herstel. Niemand zegt met zoveel woorden dat de verzwakking van mijn schouder blijvend is, of dat hij nooit meer zo flexibel wordt als hij was. Ze zeggen alleen maar dat de kans daarop groot is. Ik hoef niet te zeggen dat ik dat niet wil horen.

Ik was zo teleurgesteld dat ik bij je laatste telefoontje niet helemaal bij de tijd was. Ik geef toe dat ik er een traantje om heb gelaten toen de medicijnen voldoende waren uitgewerkt om me te laten beseffen wat er was gebeurd. Jill kon me gelukkig vertellen wat jij had gezegd. Ik beloof je, Bruce, dat ik de volgende keer op z'n minst een samenhangend gesprek met je zal voeren.

Ik weet dat het geen goede gedachte is dat jij de plaats van Ben in mijn leven hebt ingenomen. Toch wil ik je wel speciaal ergens voor bedanken. Ben beschikte altijd over een langetermijnvisie. In jouw brieven hoor ik diezelfde kalmte waarmee je het leven, de gebeurtenissen en het verstrijken van de tijd tegemoet treedt. Dat waardeer ik erg. Juist wanneer de dagen me erg lang vallen, zijn je brieven een grote steun. Ik heb ze al vele keren herlezen.

Ik ben blij dat je met lezen tot hier gekomen bent. Wees alsjeblieft voorzichtig en pas goed op jezelf. Ik houd elke dag meer van je. Wanneer ik weer naar huis ga, mag ik van Jill Emily een poosje lenen, en daar verheug ik me erg op. Ik heb nooit een huisdier gehad en zij is onbetaalbaar.

Veel liefs,
Grace

Grace,

Jij bent gewoon het beste wat me ooit is overkomen. Ik zit water op het papier te morsen (vraag maar niks), en de man van de post staat naast me te wachten tot dit antwoordbriefje klaar is. Ik weet dat je het moeilijk hebt. Het gaat me door merg en been dat ik niet bij je kan zijn en dat er geen telefoon in de buurt is. Vertrouw op God en steun op Hem. Bezorg de doktoren niet al te veel last. Verwen Emily maar flink namens mij.

Veel liefs,
Bruce

18 APRIL
NORFOLK, VIRGINIA

'Hoeveel kilometer had je in gedachten?'

Grace wiste het zweet uit haar gezicht; voor haar gevoel had ze al een marathonafstand afgelegd. 'Hoeveel heb ik er al op zitten?'

Jill keek op het display van de hometrainer. 'Zes.'

'Laten we er negen van maken.'

'Wat ben je toch een stijfkop.'

'Nee hoor, ik verveel me alleen maar.' *En iedere dag raak ik er meer van overtuigd dat ik alleen door een wonder mijn oude vorm kan hervinden.*

'Wil je de laatste krantenartikelen nog zien? Je hebt nog meer kranten gehaald en je tweede tijdschrift.'

'Hoeveel post?'

'Je zult meer dan een jaar werk hebben aan het beantwoorden van alle beterschapskaarten.'

'Ik ben Bruce een excuus verschuldigd. Hij vertelde me van de post die hij kreeg en toen heb ik hem uitgelachen.'

'Moet ik nog een bepaalde film meebrengen vanavond?'

'Alles wat niet realistisch is, is prima; doe maar een tekenfilm ofzo.'

'Bruce heeft je al aardig omgeturnd.'

'Dat komt eerder door de omstandigheden. Zeg Emily gedag van me.'

'Doe ik.'

Eindelijk passeerde de teller de negen kilometer. Grace vertraagde haar snelheid en begon met de cooling down.

Toen ze terugkwam in haar kamer, lag er een brief van Bruce op haar bed. Ze las hem, terwijl ze ondertussen in een tennisbal kneep om de kracht van haar handen te trainen. Het papier was bobbelig; blijkbaar was het nat geweest. Nieuwsgierig streek ze het glad. De brief rook naar rotte eieren. *Bruce, wat spook je nu weer uit?* Hij had niet gebeld en ze kende hem voldoende om te weten dat hij dat zeker gedaan zou hebben als hij ergens een lijntje had kunnen bemachtigen.

Jezus, wilt U hem alstublieft bewaren. Ik maak me zorgen over hem, te meer omdat ik weet dat hij met zijn gedachten bij mij is en dus niet volledig op zijn werk geconcentreerd kan zijn. Bewaar hem en help hem om zijn gedachten erbij te houden.

Ze kon zich niet voorstellen dat ze zonder hem door deze tijd heen zou moeten. De dag waarop ze zouden besluiten tot een vaste relatie, zou de mooiste van haar leven zijn. Ze had direct te maken gekregen met de realiteit van zijn werk, en ze was zo trots op hem. *Breng hem alstublieft levend en wel weer thuis.*

24 APRIL
BIRECIKDAM, TURKIJE

Eindelijk stroomde het water weer goed door. Op het observatieplatform van de dam stond Bruce te kijken hoe het door de sluizen wegliep. Hij had alleen nog een korte broek en een T-shirt aan en was inmiddels toe aan zijn vijfde fles water, maar nog altijd had hij het gevoel of hij in zijn duikerspak werd gaar gestoomd. De afgelopen week was hij door het vele duiken meer dan zeven kilo afgevallen.

De aarde had de hik gehad; het was de enige manier om de toestand te omschrijven die ze hadden aangetroffen. Door de opening was een hoeveelheid giftig water met een hoge zuurgraad ontsnapt, die zich als een deken had uitgespreid en als een bel rond de spleet was blijven hangen; het gebied eromheen was veranderd in een kerkhof.

Het was maar goed dat het niet gelukt was de krachtinstallatie weer in werking te stellen. De stroming die daardoor zou zijn ontstaan, zou de vernietiging door het hele reservoir hebben gestuwd. In plaats daarvan was de giftige bel des doods goed afgebakend gebleven. Ze hadden er tien dagen over gedaan om een netwerk van zuurbestendige pijpen aan te brengen. Gehuld in duikerspakken hadden ze de buizen naar de bodem van het reservoir gebracht om er het verzuurde water mee op te zuigen en te lozen in een vervaarlijke chemische tanker.

Het water zou nog vele behandelingen moeten ondergaan en ze waren gedwongen geweest om een kilometer verderop uitlaatkleppen in het reservoir aan te leggen, maar het water kon tenminste weer stromen. Om de elektriciteitsvoorziening weer op gang te krijgen, waren nog wel een paar dagen extra nodig.

'Bruce.'

Hij draaide zich om en zag Wolf een verdieping lager tegen de reling leunen.

'Beer heeft een vlucht naar Incirlik voor ons geregeld. Over twintig minuten.'

'Ik zal er zijn.'

Wolf wachtte nog even. 'Is alles goed met je?'

Die vraag was te complex om zo maar even te beantwoorden. Hij knikte alleen maar. 'Gewoon moe. Bedank Beer alvast.' Grace moest zich zien te redden zonder hem. Hij bracht zijn dagen door zonder haar. Er waren dagen dat hij niet langer tot dat offer bereid was.

Zesendertig

'Trekken', moedigde de therapeut aan.

Grace zette zich schrap tegen het gewicht aan de katrol en probeerde het met haar gewonde arm omhoog te trekken. Langzaam strekte ze haar rechterarm naar voren, vechtend tegen het trillen van de spieren om de beweging gelijkmatig te houden.

'Hou vast.'

Met opeengeklemde tanden hield Grace het gewicht vast.

'Goed zo. Laat het nu maar langzaam zakken.'

Ze vestigde haar blik op een punt op de muur en liet het gewicht langzaam zakken, ook al was het heffen van haar arm het pijnlijkste onderdeel van deze oefening.

'Ontspannen maar.'

Met haar linkerhand reikte Grace naar de fles water. Na twintig oefeningen met een gewicht van vijf pond leken al haar spieren van pap te zijn. De revalidatieruimte van het ziekenhuis was zo langzamerhand haar tweede thuis. Ze moest het de mensen daar nageven: ze brachten iemand tot op het randje van de uitputting, maar wisten precies wanneer ze moesten ophouden om te voorkomen dat de oefeningen nieuw letsel zouden veroorzaken.

'De spierspanning komt al aardig terug.'

'Een beetje wel', gaf Grace toe, 'maar de soepelheid lijkt nog nergens naar.'

'Over een maand til je die gewichten boven je hoofd.'

Op dit moment kreeg ze haar rechterarm nog niet eens tot schouderhoogte, dus moest ze het doen met de verzekering van de therapeut. 'Ik hoop het.'

'Ik zie je weer over drie uur. Wil je nog een tijdje op de fiets?'

Grace stond op van de bank en pakte haar handdoek. 'Het is in ieder geval beter dan de gangen op en neer lopen.'

Over het algemeen raakte ze alweer aardig in vorm, maar haar schouder deed het kalmpjes aan. Ze pakte de tennisbal en begon met de knijptraining. Haar schouder mocht dan wel zwak zijn, maar iets daarvan kon ze compenseren met een goede conditie van haar armspieren en met extra kracht in haar handen.

Vervolgens ging ze op de fiets zitten en begon in een gelijkmatig tempo te trappen. Maandag mocht ze naar huis. De doktoren waren tevreden over haar inspanningen, maar ze lieten zich niet uit over de vraag of ze ver genoeg zou herstellen om weer te kunnen vliegen. Ze had zeker indruk gemaakt, maar niet zo dat ze hun verwachtingen hadden bijgesteld.

Ze wilde eigenlijk helemaal niet naar huis. Ze was bang dat ze, eenmaal uit het oog, ook uit het hart zou raken. De pers volgde haar herstel op de voet – ze was per slot van rekening de eerste neergeschoten vrouwelijke piloot. Als er ook maar enige twijfel was over haar herstel, kon ze ervan opaan dat de marine haar liever niet meer terug zag in een vliegtuig. Stel je voor, als ze haar wel lieten vliegen en er gebeurde iets...

Ze moest en zou weer vliegen. Ze voerde het fietstempo verder op.

Grace,

Hoe gaat het met de dame van mijn voorkeur? Ik mis je, lieverd. Wat een geweldig nieuws dat je naar huis mag! Jill heeft me ook steeds op de hoogte gehouden, dus ik geef toe dat ik alles van je fanmail afweet, en ook van je veranderde filmsmaak, en van het feit dat je gaat ijsberen als je gefrustreerd bent. Doe me een plezier en ga in mijn plaats genieten van een zonsondergang, een ijshoorntje en een complete basketbalwedstrijd (ik weet wel dat je niet zo lang stil kunt zitten, dus daar moeten we nog aan werken).

Ik zag een stukje op CNN, en daar stond jij LIVE en RECHTOP grapjes met de verslaggevers te maken. Dat was zo ontzettend leuk. Ik heb Jill gedreigd dat ze bij een van die revalidatiesessies van jou een video moet maken, maar omdat ik hier in niemandsland zit opgesloten, heb ik nog geen camera kunnen regelen.

Ik bel je maandagavond, als het lukt tenminste. Ik heb alles op alles gezet om bij een telefoon te kunnen. Even alle gekheid op een stokje, ik weet dat je herstel veel langzamer gaat dan je lief is. Leef bij de dag, Grace. Waar dit ook op uit zal lopen, God houdt van je, ik houd van je en de uitkomst staat nog helemaal niet vast. Ik bid voor je.

Liefs,
Bruce

Psalm 18:36

U was het schild dat mij redde,
uw rechterhand ondersteunde mij,
uw woord maakte mij sterk.

7 MEI
NORFOLK, VIRGINIA

Ze was thuis. En ze was doodsbang dat haar leven er voortaan zo uit zou zien. Grace smeet haar sokken in de richting van de wasmand. Het was zo afschuwelijk stil in haar appartement. Ze miste de herrie van het vliegdekschip.

Met haar dikke kussen rolde ze zich op op haar bed, vechtend tegen haar sombere bui. Emily sprong naast haar en ging behaaglijk op haar zij liggen. Normaal gesproken zou Grace haar van het bed geduwd hebben, maar nu aaide ze de hond over haar kop.

Emily was oud, kalm en tevreden – goed gezelschap. Grace keek op de klok. Bruce had beloofd dat hij vanavond zou proberen te bellen. Ze rekende het tijdsverschil van zeven uur om en volgde het wegtikken van de minuten met haar ogen.

Jezus, ik kan me gewoon geen burgerbestaan voor mijzelf inden- ken. Alleen de term klinkt me al zo vreemd in de oren. Ik kan ook bij de marine werken zonder te vliegen, maar dat zou alleen maar zout in de wonde wrijven. Wat moet ik doen? Het laatste waar Bruce behoefte aan heeft, is een huwelijk met iemand die niet lekker in haar vel zit en ontevreden is met haar leven. Ik wil vliegen. Dat is het enige waar ik altijd naar heb verlangd. Wat moet ik doen als dat niet meer mogelijk is?

Ze wreef over haar schouder, die van binnen branderig aanvoelde. In de stilte van haar appartement was het onmo- gelijk de ogen te sluiten voor de realiteit van de toekomst. Ze bekeek de foto's aan de muur; haar levensgeschiedenis in één oogopslag. Daar hing de Cessna, die ze in haar eentje had gevlogen toen ze nog maar zeventien was en voor het eerst een uniform droeg. De fotogalerij eindigde met een foto van het vliegtuig waar haar naam op stond, een vliegtuig dat niet langer bestond. Alleen het kijken naar de foto's maakte haar al verdrietig.

Ik zit te zwelgen in zelfmedelijden. Afschuwelijk!

Ze stompte haar kussen in model en ging lekker liggen. Ze leefde nog en er waren tijdens de crash genoeg momenten geweest dat ze dat niet meer verwachtte. Als ze de crash maar eenmaal had verwerkt, zou alles er misschien minder erg uitzien.

Ze lag een beetje te dutten toen plotseling de telefoon ging.

'Hallo, lieverd.' De verbinding was goed; het klonk alsof Bruce vlakbij was.

'Wat fijn om je stem te horen.' Ze drukte de telefoon stevig tegen haar oor. Ze had nooit gedacht dat hij erdoor zou komen. En dan net vanavond, nu ze het moeilijk had... Ze hoefde niet haastig naar woorden te zoeken; het was al heer- lijk om naar zijn stem te luisteren.

'Je bent dus thuis.'

Ze glimlachte. 'Inderdaad. Fijn om mijn eigen kussen weer te hebben. En je boeketten zijn prachtig, allemaal. Jill

heeft het appartement voor me in orde gemaakt. Verse bloemen, fruit, boeken, films... Ik kon wel zien dat jij haar wat
ideeën aan de hand had gedaan. Ze zorgt ontzettend goed
voor me, ook al raakte ze daardoor achterop met haar eigen
werk.'

'Je bent haar beste vriendin, Grace. Ze wil je gewoon
zoveel mogelijk helpen. Hoe gaat het met de aandacht van de
pers en je fans?'

Ze probeerde te lachen. 'Die neemt met de dag toe. Hoe
iemand een held kan worden door zichzelf te laten neerschieten, gaat mij boven de pet.'

'Ik weet hoe de media zijn wanneer ze om je heen zwer-
men. Schiet je een beetje op met die fysiotherapie? Je zei dat
ze je hebben overgeplaatst?'

'Ik train nu in het zwembad. Ze willen me zo ver krijgen
dat ik tijdens het zwemmen mijn arm helemaal rond kan
draaien.'

'Dat lukt heus wel. Geef het de tijd.'

'Ik wil weer vliegen', fluisterde ze, doodsbang dat het niet
mogelijk zou blijken.

'Dat weet ik, dat weet ik. Ik hou van je, lieverd.'

Zijn woorden deden haar beven. 'Ik hou ook van jou.'

'Grace, wat is er?'

'Ik heb het gevoel dat ik jou als een soort troostprijs ga
beschouwen.'

Lang bleef het stil.

'Daar kan ik wel mee leven. *Troost* is een woord met een
verstrekkende betekenis, een woord van genezing. Vertrouw
gewoon op wat we samen hebben, Grace, dat zal al helpen. Je
bent niet alles kwijtgeraakt.'

Ze draaide het snoer tussen haar vingers. 'Kom je al gauw
naar huis?'

'Het spijt me, Grace, dat duurt nog wel een week of vijf,
misschien zelfs zeven.'

Een scherp gevoel van teleurstelling beving haar. 'Ik
wacht op je.'

'En dan ga ik je fijn lang omhelzen.'

'Beloofd?'

Hij slikte zijn emoties weg. 'Ik beloof het je', fluisterde hij.

Ze drong haar tranen terug in de wetenschap dat ze het hem anders te moeilijk maakte. 'Ik red me wel, Bruce, echt.'

'Leef gewoon bij de dag, lieverd. Niet alles tegelijk.'

Met moeite veranderde ze van onderwerp. 'Slaap je goed, eet je goed en zorg je goed voor jezelf?'

Hij grinnikte. 'Wolf scharrelt om me heen als een moederkip. Wat heb je tegen hem gezegd?'

'Ik heb hem gevraagd ervoor te zorgen dat je veilig weer thuis kwam.'

'Hij is er de man niet naar om de zaken halfslachtig aan te pakken.'

Ze glimlachte. 'Nee, dat klopt.'

'Maak je geen zorgen over mij, Grace. Ik kom vast en zeker naar huis om dan voor een heel lange tijd van je gezelschap te gaan genieten.'

'Ik kom je afhalen, als het lukt.'

'Afgesproken. Verwen Emily voor me.'

'Geen probleem. Ik geniet echt van haar.'

'Ik moet ophangen.' Hij klonk net zo teleurgesteld als zij zich voelde.

'Goed.'

'Ik hou van je.'

'Ik hou ook van jou.'

Ze hing op en keek nog een tijdje naar de telefoon; ze verlangde alweer naar de volgende keer dat hij zou overgaan. Emily snuffelde aan haar hand en Grace knuffelde haar. 'Als je opstaat, maak ik nog een late avondsnack voor ons allebei en dan kunnen we samen een domme film gaan kijken.'

De hond sprong op de grond en Grace kwam overeind. Ze wilde niet in zo'n verdrietige stemming naar bed gaan. *Jezus, help mij om opgewekt te zijn. Ik vind die somberheid helemaal niks.*

Met een schaaltje ijs ging ze op de bank liggen en zapte langs de zenders. 'Wat dacht je van John Wayne? Het is die film waar Bruce het een tijd geleden over had.' Ze maakte het zich gemakkelijk om de film te gaan bekijken, al wilde ze wel dat Bruce hier ook was om mee te genieten. Alleen zijn was toch knap waardeloos.

Tegen het einde van de film, rond een uur of twee, ging de telefoon opnieuw.

Bruce gooide kleine steentjes tegen de rotsen en keek ze na als ze weer terugkaatsten. Kort na middernacht ontdekte Wolf hem aan het andere einde van de vliegstrip. 'Alles goed met je?'

'Wat betekent dat eigenlijk: goed? Nee, het gaat niet goed.'

Bruce begon te ijsberen; ook al was het al uren geleden dat hij Grace aan de lijn had gehad, toch kookte hij nog steeds van frustratie, omdat hij er niet in slaagde een brief te schrijven die haar zou kunnen helpen bij haar probleem in plaats van het erger te maken. 'Grace heeft het moeilijk, ze zit alleen thuis en ik ben er niet om haar moed in te spreken.'

In Virginia was het nu zeven uur 's ochtends. Grace zat waarschijnlijk net te ontbijten. Hij hoopte dat ze naar de bakkerij was gegaan, zodat de mensen daar haar konden vertroetelen. Dat had ze nodig, maar dat hij zich liet vervangen door zijn zus en zijn hond was goed beschouwd toch maar een knullige situatie. Grace zou hier zonder hem doorheen komen. Dat was nu net het probleem. Dat zou niet nodig moeten zijn.

Wolf kwam voor hem staan en hield hem tegen. 'Jill is gisteravond tegen een inbreker opgelopen.'

Bruce had het gevoel of Wolf hem een stomp in zijn maag had gegeven. 'Wat zeg je? Is ze gewond?'

'Ze heeft haar knie verdraaid, toen hij haar van de stoeptreden duwde.'

Jill. Het bloed trok weg uit zijn gezicht. 'Waar is de dichtstbijzijnde telefoon?' Een inbreker. En hij had het gepikt dat zij dat probleem vorig jaar had weggewuifd, nadat de serie inbraken leek te zijn opgehouden.

Wolf hield hem tegen. 'Grace is bij haar in het ziekenhuis. Ik heb gezegd dat we rond het hele uur zullen bellen.'

Bruce klemde zijn hand om Wolfs schouder. 'Wat heeft ze precies gezegd?'

Wolf maakte de knellende greep los. 'Grace belde vanuit het ziekenhuis; Scott was daar ook. Het valt nogal mee. Jill was net onderweg om een scan van haar knie te laten maken. Als er niets gescheurd is, komt ze er met een poosje krukkenlopen vanaf en hoeft er alleen maar ijs op tegen de zwelling.'

'Hebben ze die vent al te pakken? Zeg me in ieder geval dat Scott hem te pakken heeft.'

'Nog niet. Hij heeft Jills auto ook gestolen – ze had hem voor het huis geparkeerd om boodschappen uit te kunnen laden. Volgens Grace is Jill daar vooral razend over, maar Scott vertrouwt erop dat ze de kerel juist daardoor eerder te pakken zullen hebben.'

Bruce geloofde zijn oren niet. 'Haar auto nog wel.'

Wolf keek hem aan; hij slaagde er maar ternauwernood in kalm en rustig te blijven en de emoties die hem bestormden in bedwang te houden. 'Nu zijn ze allebei gewond', zei hij en er klonk woede in zijn stem. 'Wat doen we hier eigenlijk nog?'

'Ik weet het.' Bruce haalde zijn handen door zijn haar. 'We kunnen nu eenmaal niet naar huis.'

'Ik kan anders net zo goed de Atlantische Oceaan overzwemmen als jij.'

'Ik zou nu in staat zijn het te gaan proberen.'

Zevenendertig

Ze kon haar hier toch niet zomaar achterlaten. Hoofdschuddend stond Grace het gestuntel van Jill aan te zien; die probeerde haar evenwicht te bewaren op de krukken en tegelijkertijd de koelkast open te doen. Haar vriendin kon duidelijk wel een helpende hand gebruiken.

'Nee, je kunt niet op de bank slapen.'

'Heb ik dat gevraagd dan?'

'Ik zie toch hoe je kijkt.' Jill zette het pak sinaasappelsap op de bovenrand van de geopende koelkastdeur en keek om naar haar vriendin. 'Ik heb mijn knie verdraaid. Ik ben weer thuis. Ik heb geen verpleegster nodig. Je bent de hele nacht opgebleven en je ziet er slechter uit dan ik.'

'Maar Jilly...'

'Gun me voor een poosje de lol van een kwaaie bui, oké? Die vent heeft mijn auto gestolen en in de prak gereden.'

'We kunnen een nieuwe voor je kopen.'

'Ik hoop dat ze hem opsluiten.'

'Negen inbraken – het zal waarschijnlijk heel lang duren voor hij weer kan joyriden.'

'Ik wou dat ik mijn pepperspray bij me had gehad; dan had ik hem lekker vol in zijn gezicht gespoten.'

'Ik blijf hier. Een kwaaie bui is helemaal niet leuk als er niemand in de buurt is om je gelijk te geven', antwoordde Grace. Het zat haar dwars dat haar vriendin gewond was geraakt op het moment dat zij zwelgend in zelfmedelijden met een bak ijs naar een film had zitten kijken.

'Toe nou, zeg – het is jouw schuld toch niet? Ik had beter naar Scott moeten luisteren en niet zo stom moeten zijn om in het donker de woningen van klanten langs te gaan.'

Onhandig scharrelde Jill naar de andere kamer. 'En jij moet niet alleen nodig naar bed, je hebt ook een therapieafspraak om een uur. Ik wil er niet de oorzaak van zijn dat je die misloopt.'

'Ik ga heus niet dood als ik eens een dag oversla.'

'Grace, hou op. Je geeft het niet op, hoor. Je hoeft maar één dag over te slaan en vervolgens besluit je voor jezelf dat het ook niet zo belangrijk was allemaal. Maar dat is het wel.'

'Misschien zou het juist wel beter voor me zijn.'

'Geloof je dat nou echt?'

Grace schudde haar hoofd.

'Ga dan naar de therapie en zwem tot je buiten adem bent. De therapeut zei het vanochtend nog tegen me: pijn is fijn.' De telefoon ging. 'Neem jij hem even?'

Grace liep de keuken weer in. 'Hallo?'

'Ik heb iemand gevonden die misschien een tweedehandsauto kan regelen', klonk de stem van Peter.

Grace trok een notitieblokje tevoorschijn. Ze had geweten dat haar baas zou bellen. Jill zou een stuip krijgen als ze wist dat Grace hiermee bezig was, maar haar vriendin kon nu eenmaal niet zonder auto. Het gedoe om een nieuwe te vinden kon Grace haar tenminste besparen. Bruce had haar gevraagd om te helpen en dit was wel het minste wat ze kon doen. 'Oké, zeg het maar.'

'Tom Dantello, gepensioneerd marinier. De auto is van zijn zus of van zijn nicht, daar wil ik afwezen. Het is een Honda Civic van zes jaar oud met honderdtwintigduizend kilometer op de teller. Hij regelt de verkoop voor haar en zij moet de auto kwijt in verband met een verhuizing, dus de prijs is heel schappelijk. Hij woont op Terrace Drive.'

'Ik ken die buurt wel.' De naam kende ze trouwens ook.

'Hoe is het met Jill?'

Grace glimlachte. 'Ze smijt me de deur uit. Ik ben niet zo'n goede verpleegster. Bedankt voor de tip.'

'Ik ben blij dat ik iets kon doen.'

Jill was op de bank gaan zitten en had de televisie aangezet. 'Hé, je bent weer in het nieuws.'

Grace wierp een blik op het scherm en kromp in elkaar. 'Zet uit dat ding.'

'Je ziet er lief uit, zeg, zo kletsnat en dan lekker geïrriteerd over die microfoon in je gezicht. Wat vroeg die journalist?'

'Wat ze altijd vragen: zinloze dingen. Hij sprong me op mijn nek, toen ik vrijdag bij de fysiotherapie vandaan kwam, en wilde weten hoe het met me ging.'

'Je moet toegeven dat je verhaal nieuws is.'

'Als ik weer ga vliegen, dat zou pas nieuws zijn. Heb je de pijnstillers en de spierverslappers bij de hand?'

'En de ijszak, en de telefoon, en een zak bonbons.'

'Oké, dan ga ik er nu vandoor, maar ik ben om zes uur weer terug met een stapel video's.'

'Afgesproken. En nog bedankt dat ik Emily voor vandaag mag lenen.'

Met een glimlach keek Grace naar de hond die languit op het vloerkleed lag. 'Kijken hoe ze slaapt is een interessante tijdsbesteding. Ze snurkt en als ze hikt, schrikt ze van zichzelf.'

Dat moest de auto zijn. Hij stond nog uit te druipen van de laatste wasbeurt en aan de vorm van de waterdruppels te zien, zat hij goed in de lak. Het papier tegen de achterruit, met de woorden 'Te Koop', was scheefgezakt. Volgens het nummerbord zou de vergunning over twee maanden verlopen. Op het linkerachterspatbord zat een roestplekje. Grace wist dat de kleur, donkerblauw, Jill wel zou bevallen. Dat gold niet voor het feit dat de auto op blokken stond en dat er iemand onder lag te knoeien. Een open gereedschapskist stond op de oprit.

Het was een interessant dilemma. Grace bekeek de auto van alle kanten en liep op haar gemak de oprit op om poolshoogte te nemen. Uit het huis kwam een verlengsnoer, waarmee de cassetterecorder was aangezet. Met haar schoen gaf ze een tikje tegen de wippende gymschoen, een Reebok maat 44 die ooit wit was geweest, en onmiddellijk hield het fluiten op. Een dikke, knobbelige hand greep de bumper vast en de rolplank schoof onder de auto vandaan. De man droeg een zwart T-shirt op zijn spijkerbroek, hij had zijn bijna witte haar bedekt met een blauwe zakdoek en hij was bruinverbrand.

'Ik kom voor de auto.'

Zijn gezicht vertoonde een intrigerende mengeling van emoties. 'Heb ik dit niet eerder meegemaakt?'

'Klopt. Moet ik nog eens de oprit opwandelen?'

'Alleen als je dan harder fluit dan ik.' Hij kwam nu helemaal onder de auto uit, stond op en veegde zijn handen af. 'Het is niet wat je denkt. Ik ging ervan uit dat de auto de komende maanden in de garage zou staan en daarom was ik de olie aan het verversen.'

'Heeft u zich bedacht over de verkoop?'

'Ben je nog geïnteresseerd, dan?

'Dat hangt ervan af of u een even goede monteur bent als piloot', antwoordde ze, in de wetenschap dat ze de naam goed had onthouden. 'Het is me een genoegen de legende van de groentjescursus te mogen ontmoeten. Niemand zal ooit uw landingskunsten evenaren.' Ze stak haar hand uit. 'Luitenant Yates, VFA-83.'

Hij schudde haar hand. 'Daar gaat me een lichtje op. Jij moet de Grace zijn die ik op tv heb gezien.'

'Schuldig.' Ze knikte naar de auto. 'Wat vraagt u ervoor?'

'Twaalfhonderd.'

'Doe die cassette van het Sweetwater Trio erbij, dan is het rond.'

'Wil je er niet even een rondje in rijden?'

'Ik vlieg beter dan ik rij, tenminste, dat was zo.'

'Tegen de grond gesmakt?' Hij gaf haar een knipoog. 'Die crash van jou stelde niet veel voor, hoor. Ik heb een toestel de zee in gevlogen en een in het vijandelijk hoofdkwartier, en dan moeten we vooral niet die ene vergeten die in de zijkant van de verkeerstoren bleef steken.'

Ze grinnikte. 'Elke nieuweling in het squadron krijgt die video's te zien.'

'Ik had al gehoord dat ik onsterfelijk was geworden. Dat krijg je, als je testpiloot bent.'

'Mag ik u iets vragen?'

'Natuurlijk.'

'Hebben ze ooit tegen u gezegd dat u nooit meer zou kunnen vliegen?'

'Ik ben de tel kwijtgeraakt. Zin in wat fris? Dan vertel ik je nog wat oorlogsverhalen; bij de koop inbegrepen.'

'Dat zou ik leuk vinden.'

LUCHTMACHTBASIS
OCEANA, VIRGINIA

De gevechtsvliegtuigen stegen in paren op vanaf de startbaan van de luchtmachtbasis in Oceana. Met haar hand boven haar ogen tegen de zon, volgde Grace hun vlucht met haar blik.

Peter kwam ook bij het hek staan. 'Ik dacht wel dat je hier zou zijn.'

Ze wierp hem een zijdelingse blik toe. 'Je hebt me met opzet naar Tom Dantello gestuurd.'

Haar baas glimlachte. 'Hoe kom je daar nou bij?'

'Je bent iets voor me aan het regelen, zodat ik kan proberen weer te vliegen', zei ze langzaam.

Hij knikte slechts. Ze had hem wel willen omhelzen, maar was ongelooflijk bang dat alleen ademhalen haar kansen al zou bederven. 'Wanneer?'

'Eind volgende maand komt er een groep cursisten uit Nevada hierheen. Ze komen twee weken trainen met de USS *Harry Truman* voor hun vliegdekschipkwalificatie. Als je wilt, kan ik je naam op de lijst erbij zetten.'

Ze beet op haar lip. 'Zes weken. Ik weet niet of ik dan al hersteld verklaard kan zijn.'

'Probeer het gewoon.'

Simpel gezegd. De marine zat niet te wachten op de smet van een omgekomen vrouwelijke piloot. Om haar weer de lucht in te krijgen zou heel wat overtuigingskracht nodig zijn. Peter kon zeker helpen dat erdoor te drukken.

Jezus, heb ik wel de kracht om dit te doen? Ze wilde het graag proberen. Toch, als ze te gretig haar poging waagde, zonder dat ze er al klaar voor was, als ze het probeerde en faalde, dan was daarmee alles verkeken. Ze knikte langzaam. Als ze het risico niet nam, zou ze het nooit weten. 'Dank je wel, Peter.'

'Grace, ik heb lang genoeg met jou gevlogen om te weten dat jij die derde vangkabel pakt.'

Achtendertig

'Wat vind je van deze trouwjurk?'

Grace bekeek het tijdschrift dat Jill haar voorhield. 'Heel mooi.' Precies goed voor Jill. Hij zou haar nog kleiner maken dan ze naast Wolf al leek.

'Dat dacht ik ook. Zou Tom hem mooi vinden?'

'Vast wel.'

'Ik wou dat ze eerder thuiskwamen, in plaats van later.'

'Anders ik wel.' Dit was nou een van die zaterdagen waar Grace dol op was. Lui en vredig, en lekker kletsen over mannen. Jill stond op om andere muziek op te zetten. 'Weet je zeker dat het verstandig was om de krukken aan de kant te gooien?'

'Mijn oksels gingen er zo van schrijnen.'

'Je moet er ook niet op leunen.'

'Het gaat al veel beter met mijn knie.'

'Vandaar dat je zo strompelt.'

'Inderdaad. Wat doen we met het avondeten?'

Jill wilde niet over de inbraak praten. Grace begreep dat wel. Jill wachtte vol ongeduld op het moment dat de vent in de kraag gegrepen was, maar tot die tijd probeerde ze de draad van haar leven weer op te pakken. 'Ik stem ervoor dat we iets laten komen.'

'Prima.'

De telefoon ging. Grace wuifde haar vriendin terug naar de bank. 'Ik neem hem wel.' Met haar lege glas in de hand liep ze naar de keuken. Het was Scott.

'Ze hebben hem.'

Grace gaf een gil van blijdschap en stak een stralend gezicht om de hoek van de keukendeur. 'Jill, ze hebben hem!' Ze perste de hoorn tegen haar oor en wilde het naadje van de kous weten. 'Waar precies?'

'In North Carolina. Hij probeerde een huis leeg te halen en werd gepakt door een kwaaie hond.'

'Dat werd tijd ook.'

'Betekent dit dat ik uit de beklaagdenbank mag?'

Scott had de laatste tijd voortdurend om Jill heen gescharreld en haar buiten zijn diensttijd zoveel mogelijk geholpen. Hij voelde zich ellendig over het gebeurde. 'Als je vanavond langskomt en iets te eten meebrengt, dan misschien. Het hangt af van de verhalen die je over Bruce kunt vertellen.'

De agent lachte. 'Ik merk dat Jill haar mond voorbijgepraat heeft. Heb je dat verhaal over zijn hengelkist wel eens gehoord?'

'Nee, maar het klinkt interessant.'

'Dat is het ook. Ik ben er over een uur, mét pizza.'

Bruce,

Jill is dol op haar nieuwe auto. Ze noemt hem zelfs 'mijn blauwe bom'. Het afgelopen weekend kon ze voor het eerst zonder krukken en het gaat prima. Alleen trappenlopen gaat nog langzaam. Gisteren is de inbreker in North Carolina gearresteerd. Je kon wel merken dat Scott opgelucht was. Hij kwam gisteravond na zijn werk langs met pizza. Ik heb me toch een spannend verhaal gehoord over een hengelkist… Je hebt een goede vriend aan hem.

Zeg tegen Wolf dat Jill een trouwjurk heeft uitgekozen. Hij is prachtig. We hebben gediscussieerd over bruidstaarten. Kom naar huis; ik kan gewoon niet wachten tot Jill en Wolf gaan trouwen. Voor jou wordt het ook leuk: je mag de bruid weggeven en je bent tegelijk ceremoniemeester. Op dit moment bespreken we de muziekkwestie.

Ik durf het haast niet te schrijven, omdat ik bang ben het te verknoeien. De doktoren hebben me toestemming gegeven om weer te gaan vliegen. Mijn schouder is nog niet erg mobiel; de soepelheid is nog maar voor tachtig procent terug, maar ik heb de spierkrachttest goed doorstaan en dat was het verplichte onderdeel. Als ik vier dagen simulatievliegen overleef, krijg ik een vliegbewijs voor de USS *Harry Truman*.

Ik mag één poging wagen om een vliegdekschipkwalificatie te bemachtigen, samen met een groep groentjes. Als ik niet voldoe, lig ik eruit. Ik heb daar vrede mee. Ik ben zo goed voorbereid als het maar kan. Tom Dantello had gelijk: vliegen is meer een mentale dan een lichamelijke opgave. Ik wou dat je kon komen kijken. Ik ben wel zenuwachtig, echt vreselijk.

Grace

Grace,

Ik ben zo blij dat je in de buurt was en Jill kon helpen. Ik heb me als grote broer de laatste tijd een beetje nutteloos gevoeld: ik kan van hier uit zo weinig voor haar betekenen. GEFELICITEERD met je medische toestemming. Ik heb zo gebeden dat dit zou gebeuren. Die droom is je hele leven al je drijfveer geweest. Maak er een mooie glijvlucht van en let goed op de wind! Je kunt het, lieverd. Ik ben zo trots op je, alleen al omdat je het wilt proberen. Ik wou dat ik erbij kon zijn. Ik denk de hele tijd aan je.

Ik hou van je,

Bruce

Negenendertig

Ze zou maar al te graag de derde vangkabel grijpen, maar met de eerste of zelfs de vierde zou ze al heel tevreden zijn, als ze het schip maar kon ontdekken. Grace dook door de bewolking heen omlaag. Ergens voor haar, op een afstand van zo'n acht kilometer, bevond zich het USS *Harry Truman*. De Atlantische Oceaan was zo midden in de nacht toch wel ongelooflijk uitgestrekt.

Vechtend tegen een black-out hield Grace nauwlettend de lucht en haar instrumenten in de gaten. Maanden geleden was het vliegen instinctief gegaan, maar nu moest ze overal haar hoofd bij houden. Dat was geen goed teken, en hoe meer ze probeerde er verandering in te brengen, hoe verder ze mentaal achterop raakte. Eén klungelige landing en haar carrière was naar de maan. Ze kwam de wolken uit. Waar was het schip?

Ver voor zich ontdekte ze een rij gele lichtjes. Met een halve glimlach voelde ze het angstzweet in haar handen komen, iets wat ze altijd had bij een nachtelijke landing. Ze moest en zou precies op die rij lichtjes terechtkomen.

Een landing op een vliegdekschip moest worden ingezet op een hoogte van tweehonderdveertig meter, als het schip nog zo'n vijf kilometer van haar verwijderd was.

Ze had er vier dagen dekdienst op zitten en wist wat ze in de laatste seconden van de landing kon verwachten. De lan-

294

dingsofficier die vannacht dienst had, beheerste zijn vak uitstekend. Ze was blij dat hij haar zou helpen om zonder kleerscheuren op het schip terug te keren.

Haar ogen zochten het luchtruim af en ondertussen hield ze de reacties van het vliegtuig in de gaten. Ze zette de daling in, maar op de kritische afstand van vijf kilometer zat ze nog te hoog, dus vergrootte ze de dalingshoek. Haar timing was niet in orde. Bij een snelheid van tweehonderdvijftig knopen liet ze het landingsgestel en de vanghaak zakken.

'624, twaalfhonderd meter, geef balsein', klonk de stem van de vluchtleider.

'624, Hornet bal, 4.5', antwoordde ze. Het gele schijnsel van de enorme lichtbal glansde in de nacht, hoewel de gloeilampen gedimd waren om hinderlijke schittering in het donker te voorkomen. De lichtbal bevond zich nog boven de lijn van groene lichtjes. Ze zat te hoog.

Ze minderde hoogte. Het was voor zo veel mensen van belang dat ze dit zou halen: voor Bruce, Wolf, Jill en haar squadron. Sinds de bekendwording van het nieuws dat ze weer zou gaan vliegen, had de pers voortdurend achter haar aan gezeten. Op dit moment wilde ze maar één ding: veilig landen en de hele gebeurtenis achter de rug hebben. Ze had teveel gecorrigeerd en het gele licht dook onder de groene lichtjes. Ze gaf meer gas.

Ze vloog veel te verkrampt; ze probeerde te krampachtig om het vliegtuig in de lucht te houden. Ze kon dit heus wel, alleen had ze het gevoel dat ze het nog nooit eerder had gedaan.

De landingsofficier had haar nog niet één keer gecorrigeerd; óf hij vond het niet nodig, óf de radio deed het niet. Ze gaf de voorkeur aan het eerste.

Zorg dat je niet te laag uitkomt. Ze zou beslist geen ramp strike veroorzaken.

Ze kreeg de lichtbal centraal, vond de middellijn en zette de glijvlucht in. Nog acht seconden en deze landing had ze in haar zak. Ze voelde het gewoon. Het aanvliegen was dan wel niet volmaakt gegaan, maar ze wist zeker dat ze in de derde vangkabel terecht zou komen.

De rij lichtjes flitste plotseling rood op. 'Afbreken! Obstakels!'

Ze gaf vol gas met behulp van de naverbranders en trok de stuurknuppel hard naar zich toe. De Hornet begon snel weer te klimmen. Ze wist dat de ramen van de verkeerstoren ervan zouden rammelen. Haar adrenalinepeil schoot omhoog.

'624, Paddles. Digbatprobleempje. Goed aangevlogen. Bij de volgende ronde krijg je een schoon dek.'

'Paddles, 624. Roger.' Ze haalde diep adem om zich te ontspannen. Van digbats wist ze alles af: het was een mooi woord dat van alles kon betekenen, van vogels op het dek tot een waarschuwingslichtje aan één vangkabel. Bij een landing kon je geen enkel risico nemen en de landingsofficier die haar landing had verhinderd, had waarschijnlijk haar leven gered. Misschien moest ze dit gewoon helemaal niet meer doen. Ze wilde dat Bruce met haar zou trouwen, niet dat hij op haar begrafenis zou moeten komen.

Op een hoogte van angels 10 keerde ze om voor een volgende landingspoging.

Wat doe ik fout?

De optimale concentratie die ze normaal gesproken tijdens het vliegen bereikte, was ver te zoeken. *God, ik moet helder kunnen nadenken. Help me.* Ze had zo veel groentjes in dit soort crisismomenten ter zijde gestaan, ze had dit al zo vaak meegemaakt.

Ze was er niet helemaal zeker van of haar schouder en hand het niet zouden laten afweten en haar op het beslissende moment in de steek laten. Net voor ze de landing inzette, drong het plotseling tot haar door: ze had bij de crash stom geluk gehad. Dat aanvaardde ze en ze zou het bewijzen ook.

Precies op het goede punt zette ze de landing in; de nadering was deze keer goed.

'624, twaalfhonderd meter, geef balsein', zei de vluchtleider.

'624, Hornet bal, 4.4', antwoordde ze.

'624, Paddles. Windkracht negenentwintig knopen, schip stampt licht.'

'Paddles, 624. Roger.'

Haar routine kwam terug. De lichtbal hing precies in het centrum van de groene lichtjes en schoot niet één keer naar boven of naar beneden. Het schip werd steeds groter. Nu was het dek onder haar.

Ze kwam hard neer en ontstak de naverbranders, voor het geval ze zou moeten doorstarten. De vanghaak pakte en binnen twee seconden was de Hornet met een schok tot stilstand gekomen. De pijn die door haar heen schoot door de plotselinge spanning op de veiligheidsgordels, benam haar de adem.

Als het aan haar lag, kreeg ze voor deze landing een voldoende. Misschien had ze net een tikje rechts van het midden gezeten en een fractie te hoog, maar de derde vangkabel had ze te pakken.

Voor haar werd met gele borden gezwaaid. Ze knipperde met haar ogen om het waas te verdrijven, zette de motoren in de laagste stand en trok de landingshaak in. Ze volgde de gele borden, niet naar een parkeerplaats, maar naar katapult 2 voor de volgende lancering. Ze zou alles nog een keer doen. 'Welkom terug bij de vliegdekschipkwalificaties', dacht ze glimlachend bij zichzelf, al vroeg ze zich af of ze aan het einde van deze nacht nog energie over zou hebben om de cockpit uit te klimmen. Ze was nog maar net begonnen.

GRENSPOST
SYRISCH-TURKSE GRENS

'Heb je al iets gehoord?'

Bruce ging languit op zijn veldbed liggen, keek naar de ingang van de tent en schudde zijn hoofd. 'Ze moet inmiddels midden in de kwalificaties zitten.'

'Grace komt er heus wel doorheen.'

'En zo niet?' Bruce kon zich niet indenken wat dat met haar zou doen. Falen kwam in het woordenboek van Grace niet voor. Hij wilde niet dat het verdriet haar weer net zo zou opslokken als na de dood van Ben, en hij wist heel goed dat niet meer kunnen vliegen er even diep in zou hakken. Ze wilde niet zomaar vliegen; ze wilde vliegen voor de marine. Hoe graag hij haar ook een veilig burgerbestaan wilde zien leiden, hij zag nog liever dat ze kon doen wat ze graag wilde.

'Als er iets gebeurt, dan klopt ze zichzelf af en probeert het gewoon nog een keer.'

Bruce glimlachte om het vertrouwen van zijn vriend. 'Al iets gehoord over de missie?'

'We moeten paraat zijn.'

Ze waren maar met z'n tweeën, dus Bruce kon het zich veroorloven om eerlijk te zijn.

'Ik hoop eerlijk gezegd dat ze het niet door laten gaan. Het is een stomme zet.'

Wolf ging op het bed van Rich zitten. 'Het zou wel... spannend worden.'

Zo kon je het ook bekijken. Het gerucht ging dat Syrië, op zoek naar water, een oliebronnenveld bij Aleppo aan het ombouwen was. Men wilde proberen onder de Turkse grens door te boren en via een pijpleiding water af te tappen uit het reservoir. Diefstal van water – het was een creatieve oplossing voor het watertekort in Syrië, maar zou tevens het net getemperde vuur weer hoog doen oplaaien.

Bruce schudde zijn hoofd bij de gedachte. 'Ze moeten een diplomatieke oplossing vinden. Ik vraag me af hoe de militaire top achter het Aleppoproject is gekomen?'

'Door de overloper?' opperde Wolf.

'Dan maakt hij er wel een potje van; hij zou de oorlog toch tegenhouden?'

'De diplomaten praten, het leger wacht af.'

'We hebben regen nodig.'

Wolf knikte. 'Deze missie krijgt beslist niet het groene licht. De bedachtzame types zullen wel ingrijpen. Nog post gehad vandaag?'

'Nee.'

'Ik heb een brief van Jill gehad.'

'O ja?'

'Een romantische.'

Bruce glimlachte. 'Mijn zus vindt het leuk om verloofd te zijn.'

'Getrouwd zijn zal haar nog veel beter bevallen.'

Hij begon te lachen. 'Waarschijnlijk wel. Ze zal je leven behoorlijk op z'n kop zetten.'

'Dat zal ze in elk geval proberen.' Wolf maakte een blikje pinda's open. 'Wanneer ben jij eindelijk eens zover dat je Grace ten huwelijk gaat vragen?'

Bruce keek zijn vriend aan. 'Ze heeft op dit moment nogal veel aan haar hoofd.'

'Dat is waar. We zouden er een dubbele bruiloft van kunnen maken.'

Bruce ging rechtop zitten. 'Wat een interessant idee.'

Wolf haalde zijn schouders op. 'Anders zitten we straks met twee bruiloften in korte tijd. Jij weet ook wel dat ze elkaars bruidsmeisje willen zijn. Jij bent ceremoniemeester bij ons en als er geen ongelukken gebeuren, ben ik dat voor jullie.'

'Maar het idee moet bij hen vandaan komen.'

Wolf glimlachte. 'Sinds wanneer is het een probleem om dat te organiseren?'

Bruce stompte zijn kussen in model, ging weer liggen en probeerde op de harde brits een gemakkelijke houding te vinden. 'Je kunt wel merken dat we te veel vrije tijd hebben; zitten we nota bene onze huwelijksplannen te bespreken.' Hij dacht er even over na. 'Wanneer?'

Wolf lachte.

USS *HARRY TRUMAN*
ATLANTISCHE OCEAAN, VOOR DE KUST VAN VIRGINIA

Ze had aan boord een tijdelijke hut toegewezen gekregen. Grace had best naar de gemeenschapsruimte willen gaan om samen met de andere piloten een beetje bij te komen, maar ze had geen zin om over haar crash te praten en onder piloten was dit nu eenmaal een vanzelfsprekend gespreksonderwerp. Ze zouden haar willen feliciteren, omdat ze weer mocht vliegen.

Ze legde haar handschoenen en kniebeschermers neer, en ook de keurig getypte kaarten en schema's die getuigden van

haar grondige voorbereiding op de vluchten van de afgelopen nacht. Ze had zich op de lanceringen en de landingen
voorbereid met een intensiteit of het ging om een daadwer-
kelijke luchtaanval. Misschien was ze wel te veel voorbereid
geweest.

Twee voldoende en een goed. Ze had wel eens beter
gevlogen, maar in ieder geval had ze de score gehaald. Dat
was het belangrijkste. Hoewel ze uitgeput was, verwisselde
ze haar vliegenierspak voor een trainingspak. De fysiotherapeut had haar een serie oefeningen meegegeven om haar
schouderspieren na een vlucht weer op te rekken en te voorkomen dat ze stijf zouden worden.

Ze begon met een paar strekoefeningen. Ze tilde haar arm
op en draaide haar schouder rond, zodat die zich kon herstellen van de beperkte mobiliteit gedurende drie uren vliegen. *Heer, was het dit allemaal wel waard?* Ze had haar vleugels
terug, maar was zo moe dat ze zich afvroeg of ze wel het
juiste doel nastreefde. Ze had gevlogen, ze was neergeschoten en nu was ze zich aan het voorbereiden om opnieuw te
gaan vliegen. En dat, terwijl ze een rustig leven zou kunnen
leiden samen met Bruce; elke keer als hij weer thuis kwam,
zou ze dan op hem zitten wachten. Maar in plaats daarvan
probeerde ze het recht te herwinnen op een baan waarbij ook
zij voor lange tijd achtereen van huis zou zijn.

Het was wel een teken dat ze moe was, al dat getwijfel aan
de beslissingen die ze had genomen. Toen ze klaar was met
de oefeningen, verkleedde ze zich opnieuw en maakte zich
klaar om naar bed te gaan. Ze schoof het gordijn voor het
onderste bed opzij om erin te kruipen. Op het bed lagen een
brief en een grote bos rozen. Met tranen in haar ogen tilde ze
het boeket voorzichtig op. De rozen waren prachtig.

Grace,

Je mag deze brief als de eerste beschouwen van een hopelijk groot aantal lange liefdesbrieven. Ik ben zo trots op je.
Gefeliciteerd! Ik wist dat je het kon! Niets maakt me zo blij als
de wetenschap dat je weer vliegt en je droom kunt verwezenlijken die je al sinds je jeugd hebt gekoesterd. Wolf heeft

uitgeknobbeld hoe deze brief je vannacht nog kon bereiken en hoe de rozen aan boord gesmokkeld konden worden. Ik ben blij dat ik deze brief bij de rozen kon doen, en niet de andere die ik heb geschreven. Het is veel gemakkelijker om op zo'n afstand blij voor je te zijn dan verdrietig. Als er vannacht moeilijkheden waren ontstaan, zou ik me even ellendig gevoeld hebben als jij.

Ik zit hier naar de sterren te kijken. Het is fijn om te bedenken dat jij hetzelfde panorama kunt zien als ik, waar je ook bent. Mijn leven is door jou zoveel rijker geworden. Twijfel er nooit aan of het de moeite wel waard is, Grace. Hoe graag ik ook zelf bij je zou willen zijn om je te vertellen hoe trots ik op je ben, deze brief toont je ook mijn hele hart. Je hebt mooie ogen, een aanstekelijke lach en je schrijft geweldige brieven. Je foto begint een beetje te verslijten, zo vaak trek ik hem uit mijn zak. Ik denk vannacht aan je.

Met een stortvloed van liefde,

Je Bruce

P.S. Ik heb nog steeds je naamplaatjes van je te goed.

Bruce,

Ik ben zo uitgeput dat ik niet weet of deze brief wel leesbaar zal blijven. HET VLIEGEN GING FANTASTISCH! De wolken waren zo wit, de oceaan zo weids en het schip zoooo klein. Alles deed me denken aan mijn eerste vluchten als groentje. Pure doodsangst, verkrampt vliegen, en een op het laatste nippertje afgebroken landing vanwege een digbatprobleem. Ik wou dat ik deze nacht in een flesje kon stoppen om de emoties later met jou te kunnen delen. Alleen bij de herinnering gaat de adrenaline alweer stromen.

Ik heb vannacht niet aan de crash gedacht; daar was ik wel bang voor geweest. Eerlijk gezegd had ik het veel te druk met het denken aan al die dingen die tot voor kort mijn tweede natuur waren. Over het algemeen ben ik erg blij met hoe het vannacht ging. De rozen zijn ongelooflijk en je brief was overweldigend. Ik wou dat inkt en papier je konden omhelzen. Nu slaat de vermoeidheid toe; ik slaap vast door de wekker heen.

Ik kan gewoon niet onder woorden brengen hoe fijn het is om weer aan boord van een schip te zijn, midden op de oceaan, met landende vliegtuigen recht boven mijn hoofd. Wat maakt deze plek zo anders dan mijn appartement aan de wal? Hier heerst een sfeer van... het klinkt misschien hoogdravend... van lotsbestemming, van het streven om dromen, hoop en inspanning onder een noemer te brengen.

En toch, Bruce, ook al zeg ik het zo, ik kom langzamerhand op een punt waarop ik dit allemaal los zou kunnen laten en daar vrede mee hebben. Ik heb mijn herinneringen en de ervaring. Het is geweldig om een herkansing te krijgen en daar ben ik ook ontzettend dankbaar voor. Maar de verhoudingen liggen nu anders. Als van me gevraagd werd om dit op te geven, dan zou ik dat waarschijnlijk accepteren met de gratie waar mijn naam volgens jou van getuigt. Stel dat we ooit deze optie moeten bespreken, wees dan niet bang om het onderwerp aan te snijden; het is geen taboe. Nu ga ik naar bed en ik ben van plan over jou te dromen.

Veel liefs,

Grace

P.S. Wat betreft die naamplaatjes: kom naar huis, dan kun je ze zelf komen halen! ☺

Veertig

Met een oor gericht op het weerbericht voor de televisie was Grace druk bezig met het ordenen van haar klerenkast; ondertussen legde ze het een en ander klaar om in te pakken. Aan het einde van volgende week zou ze voor drie dagen naar Nellis gaan. Emily ging boven op haar trui liggen. 'Lieverd, zo lang ga ik niet weg. Je hoeft echt niet zo zielig te kijken.'

De hond keek haar alleen maar aan, met haar kop op haar voorpoten. Bruce had gelijk: Emily wist hoe ze een wereld van leed in haar ogen moest leggen. Grace gaf haar een paar kniekousen: 'Zin om te spelen?' De hond bewoog niet en Grace aaide over haar oren. 'Jill zal teleurgesteld zijn dat je niet bij haar wilt logeren.'

Op de televisie begon de actualiteitenrubriek. De staking van de vrachtwagenchauffeurs van de Europese Unie vormde het hoofdonderwerp. De discussies over de waterrechten waren gezakt naar de vierde plaats. Grace luisterde aandachtig, maar het bericht bevatte geen nieuws. Turkije en Syrië waren nog steeds in onderhandeling over een compromisvoorstel, dat inhield dat het waterpeil in de Eufraat kunstmatig verhoogd zou worden door de landbouwirrigatie ten noorden van de Atatürkdam tijdelijk stop te zetten. Als Turkije daarin toestemde, zou dat een belangrijke concessie zijn. In ieder geval werd er niet gevochten zolang de gesprekken nog voortduurden.

De GW had de afgelopen tijd aanvalsvluchten op Irak uitgevoerd, aan de andere kant van de grenzen met Turkije en
Syrië. Graag zou ze weer samen met haar squadron vliegen,
maar het zag er niet naar uit dat ze daartoe opdracht zou krijgen voordat de GW door de *Harry Truman* werd vervangen.
Grace voelde zich schuldig dat zij hier aan de wal zat, terwijl
haar kameraden twee of drie vluchten per dag moesten uitvoeren en inmiddels het gebruikelijke stadium van uitputting wel zouden hebben bereikt. Zonder haar zouden ze allemaal ook nog eens extra diensten moeten draaien.

Grace droeg de kleren naar de plunjezak op haar bed,
pakte de telefoon en draaide een nummer. 'Jill, ik heb je
schoenen gevonden. Twee tinten blauw met een lage hak?'

'Klopt. Waar lagen ze?'

'In een doos met skischoenen.'

'O, natuurlijk nog van die skivakantie.'

'Dat denk ik ook. Ben je thuis? Dan breng ik ze even langs.'

'Goed. Ik ben de zitkamer opnieuw aan het inrichten.'

'Ik vroeg me al af hoe lang het nog zou duren voordat je
weer last kreeg van nesteldrang.'

'Ik word gek van dat wachten.'

'Ik ook', gaf Grace toe. 'Heb je zin om in plaats daarvan
vliegtuigen te gaan spotten bij het vliegveld?'

'Laten we naar het strand gaan. Dan kleur ik lekker een
beetje bij.'

'Ik kom je wel halen', bood Grace aan.

'Neem Emily mee.'

'Doe ik. Misschien vrolijkt het haar wat op.'

Bruce,

Ik lig languit op het strand in de zon te bakken, dik inge-
smeerd met zonnebrandcrème en verlegen om een zonnebril.
Jill is samen met Emily een zandkasteel aan het bouwen, dat wil
zeggen, Jill bouwt en Emily graaft. Je hebt gelijk, ze is een echte
gravin. Ik wou dat ik deze zonnige dag samen met jou kon beleven, maar ik weet dat jij al meer dan genoeg zon hebt gehad.

Ik heb ontbeten met twee overrijpe bananen en een mix
van cornflakes en gepofte rijst, en voor de lunch had ik twee

biscuitjes en popcorn. Ik weet zeker dat je erg in deze informatie geïnteresseerd bent. Eigenlijk begin ik me te vervelen; ik ben vergeten een boek mee te nemen. Ik houd niet zo van zonnebaden om het zonnebaden. Zorgt Wolf wel goed voor je? Houdt hij je gezond en opgewekt? Natuurlijk weet ik best dat de meeste moeilijkheden waarin jij verzeild raakt, het gevolg zijn van de moeilijkheden waarin hij verzeild is geraakt.

Ik weet van Wolf hoe moeilijk het is om tijdens een missie werkeloos te moeten rondhangen. Wolf wil ook heel graag iets doen, meer dan tussen twee opgefokte partijen zitten om te kunnen ingrijpen als een van de twee besluit om moeilijk te gaan doen.

Ik hoop dat jij je zo verveelt dat je om de tijd te doden ook zandkastelen gaat bouwen, en dat je uiteindelijk orders krijgt om naar huis te gaan zonder dat je hebt hoeven optreden. Onder de burgerbevolking hier groeit het tumult over de Amerikaanse interventies in het Midden-Oosten, in Sudan en in het conflict tussen Turkije en Syrië. Zij hebben makkelijk praten; hun naasten zitten niet aan het front. Ik hoop dat jij naar huis kunt komen zonder ooit meer gedaan te hebben dan aanwezig en waakzaam zijn.

Eind volgende week ga ik voor een paar dagen naar Nellis; ik moet daar vlieguren maken en trainen voor bombardementen, om te zien of ik mijn gevoel voor timing weer terug kan krijgen en de nog aanwezige problemen met mijn G-resistentie overwinnen. Ze noemen het een opfriscursus. Ik bekijk het meer in perspectief: ik ben er geweest, ik heb dat gedaan, hoe kan het de volgende keer beter? Ik wil niet nog eens mijn vliegmakker verliezen, of de aarde als een draaiende tol op me af zien komen. Eén crash is meer dan genoeg voor mijn hele leven.

Op dit moment scheren er zeemeeuwen over het strand en veroorzaken een enorm kabaal. Emily is zo door het dolle heen dat ik bang ben dat ze een hartstilstand zal krijgen. Ik wou dat ik een fototoestel had om dit ogenblik voor jou vast te leggen. Ik hou van je. Ik denk aan je.

Ik mis je.

Grace

Eenenveertig

Wolf spuugde het vuil en het zand uit. 'Ik haat zand.'

'Zachtjes', fluisterde Bruce, en trok zijn vriend weer over-eind.

'Waar zijn Beer en Cougar? Ze zijn laat. Het bevalt me niks.'

'Ze hebben vast evenveel lol als wij. Onze gids staat te wachten.'

Wolf controleerde zijn wapen en sprong weer terug op het pad. 'Toch haat ik zand. En koorden die over het pad gespan-nen zijn, zelfs als ze niet bestaan.'

'Ik bewonder juist je reflexen', zei Bruce, die probeerde zijn lachen in te houden.

'Dit is een plek voor slangen, niet voor mensen. Maar nu ik hier toch ben om jou rugdekking te geven, zou ik maar eens opschieten als ik jou was.'

Bruce grijnsde en hervatte de wandeling. Ze waren inmid-dels al een uur langs nauwelijks zichtbare bergpaden omhoog aan het klimmen. Bruce had dit gebied eerder gezien, zij het alleen vanuit de lucht. De plek waar Gracies vliegtuig was neergestort, lag een kilometer verderop naar het zuiden. Hun gids was een Turkse legerofficier en ze wer-den vergezeld door twee mannen van de ambassade; beiden waren voormalige legerofficieren, een blijvende herinnering aan de Golfoorlog waarin diplomatie en oorlogsvoering met elkaar verstrengeld waren geraakt.

Bruce verschoof zijn zware rugzak en hoopte maar dat hij

de juiste spullen had meegenomen. Een goede voorbereiding was moeilijk als je de betreffende patiënt niet kende en evenmin wist waaraan hij leed. Ze hadden hem verteld dat hij dat ook niet hoefde te weten. Het feit dat voor de veiligheid een aantal commando's aan deze tocht was toegevoegd, gaf al aan dat de regio niet geschikt was voor toeristische uitstapjes.

Bij een bocht bleef de gids staan. 'We wachten hier.'

'Waarop?'

De man gaf geen antwoord, maar ging met zijn rug tegen een groot rotsblok zitten, zodat hij het pad kon overzien. De beide ambassadeofficieren lieten hun communicatieapparatuur op de grond glijden en gingen er eveneens bij zitten. Wolf schudde zijn hoofd en klom via de rotsen langs het pad naar een hoger gelegen gedeelte, met Bruce in zijn kielzog.

'Ik wed dat het om een PKK-strijder gaat.'

'Misschien', antwoordde Bruce. 'De aardbeving heeft hier stevig huisgehouden en toch zijn er maar weinig berichten over gewonden. Vind je dat niet vreemd?'

'Er zijn maar weinig mensen die het in hun hoofd halen om in dit gebied te gaan wonen. Het gaat om de paar jaar in andere handen over.' Met zijn nachtkijker keek Wolf het pad langs. Bruce zette zijn rugzak neer; eigenlijk was hij maar blij dat hij iets te doen had. Dit was altijd nog beter dan bij de grenspost naar het tentdoek zitten staren. Het was een prachtige nacht; zonder een stad in de buurt waren de sterren ongelooflijk helder.

'Daar komen Beer en Cougar. Eindelijk!'

'Word je het zat om op te passen?'

'Op die figuren van de ambassade wel, ja.'

Ze lieten zich omlaag glijden naar het pad om hun vrienden te begroeten. De beide commando's hadden een derde man bij zich. Het was een oude man; dat was tenminste Bruce' eerste indruk: een oude man met een groot verdriet in zijn ogen.

De man keek de groep rond, zuchtte toen hij de Turkse officier in het oog kreeg, knikte tegen de mensen van de ambassade en liet ten slotte zijn blik op Wolf rusten. 'Bent u ook een marinecommando?'

'Ja.'

'Lang geleden ben ik met de commando's Irak binnengetrokken.'

'Was u een gids?'

De oude man knikte. 'Ja, een gids.' Bruce merkte dat hij nu op zijn beurt vorsend werd bekeken. 'Het gaat om mijn kleinzoon. Gaat u hem helpen?'

Een kind. Dat was het soort patiënt dat Bruce onveranderlijk bleef achtervolgen. 'Ik zal doen wat ik kan', antwoordde hij, zich afvragend waar hij nu weer in verzeild was geraakt.

'Noem me maar Jim. Deze kant op.'

Wolf wachtte even tot de man een eindje voor hen uit liep en ging toen naast Beer lopen. 'Jim?'

'Het zou kunnen. De leeftijd en de lichaamsbouw kloppen wel ongeveer.'

'Wat is er?' vroeg Bruce.

'Tijdens Desert Storm moest het Vijfde Team van de commando's in Irak een aantal geheime opslagplaatsen voor chemische wapens opblazen; ze werden toen geholpen door een gids die Jim genoemd werd.'

'Waar gaan we nu heen?'

'Geen idee. Maar hij weet ongetwijfeld de veiligste route heen en terug.'

De wandeling door de bergen duurde ongeveer een halfuur. Toen leidde de man hen naar een klein plateau en Bruce zag met verbazing dat daar een soort hofstede was gebouwd. Binnen een omheining liepen schapen en kippen. Op een houten vlonder waren drie grote tenten opgezet. Bruce durfde te wedden dat hier in normale omstandigheden grote aantallen rebellen verbleven, maar vannacht zag de plaats er verlaten uit. Ondertussen bleef het hem verbazen dat de man zomaar de lokatie verried waar hij duidelijk al vele jaren woonde.

Jim gebaarde naar de anderen dat ze moesten blijven staan en wees naar Bruce. 'Jij en een ander.' Bruce knikte naar Wolf. De oude man ging hen voor naar de grootste van de drie tenten.

Hoewel er drie lantaarns brandden, was het er schemerig. De vrouw des huizes, naar schatting in de zestig, stond bij hun binnenkomst op van haar plaats naast een bed. Bruce knikte haar toe bij wijze van groet en glimlachte.

Ze was uitgeput en bezorgd; haar angstige blik vertelde hem dat meteen. Hij liet zijn rugzak op de grond glijden, terwijl Jim fluisterend een gesprek met haar begon.

Ze knikte en wenkte hem dichterbij. 'Mijn vrouw', zei Jim eenvoudig. 'En dit is mijn kleinzoon.'

Het was een jongen van ongeveer twaalf jaar, met ravenzwart haar. Hij sliep, maar het was duidelijk dat hij hoge koorts had en veel pijn. Bruce was geen arts, maar dit was niet de eerste keer dat hij op verzoek als arts moest handelen. Na twaalf jaar training op medisch gebied wist hij genoeg om te kunnen beoordelen wanneer hij kon helpen en wanneer de kwestie te ingewikkeld voor hem was. De jongen was zeker al een paar dagen zwaar ziek geweest voordat zijn grootvader had besloten tot dit buitengewone bezoek. Als hij het vertrouwen van de grootouders wilde winnen, was de vraag wat er aan de hand was de stomste die hij kon stellen. 'Hoe heet hij?'

Zijn grootmoeder glimlachte. 'Jamael.'

'Ik zal voor de anderen gaan zorgen', zei Jim en Bruce knikte, blij dat de man hem genoeg vertrouwde om hem zijn werk te laten doen. Hij pakte de stoel die hem werd aangeboden. De oude vrouw sloeg voorzichtig de deken terug en Bruce zag dat ze die zo had geplooid dat het been van de jongen vrij bleef.

'Oef!' Wolf was duidelijk onaangenaam verrast en wapperde met zijn hand om de stank van rotte eieren te verjagen.

Bruce maakte voorzichtig het verband los. Zwerende blaren en zwarte huid: brandwonden. En van een heel ander kaliber dan hij meestal tegenkwam. De laatste keer dat hij verwondingen als deze had gezien, was na een vulkaanuitbarsting in Japan, waar hij had geholpen bij de evacuatie.

Wolf bevestigde de zaklantaarns die ze hadden meegenomen op zo'n manier dat Bruce goed licht had. 'We hadden meer water mee moeten nemen', zei deze. 'Ga de anderen eens vragen om hun veldflessen.'

De vrouw kneep in zijn schouder. 'Water? Ik heb.'

Bruce knikte. Water was een schaars artikel. Hij zou zeker gebruiken wat zij hem gaf, maar ervoor zorgen dat hun eigen voorraad achterbleef als geschenk. 'Ruik je die zwavellucht?' vroeg hij Wolf.

'Nou en of.'

'Deze brandwonden zijn recent. Hij moet vlak bij een spleet zijn geweest waarin magma of hete, gashoudende modder borrelde. Hoe komen we erachter waar dat was?' Bruce haalde voorzichtig de deken weg om de wonden te onderzoeken en te kijken of de jongen ook op andere plaatsen verbrand was.

'Ze zullen die informatie heus niet vrijwillig verstrekken.'

'Als die plaats nog steeds actief is, zullen er meer gewonden vallen. Mensen, dieren, en dan zwijg ik nog van de chemische vervuiling van de omgeving.'

'Kunnen de satellieten de hitte niet opsporen?'

'We hebben het over een plaats waar een kind zou gaan spelen. Een ravijn, iets kleins. En als de jongen er een ontdekt heeft, zijn er waarschijnlijk wel meer. In Syrië ontstond een dergelijke bel in het Assadmeer, bij de Birecikdam was er ook een, en dit gebied kent vermoedelijk meerdere van die miniatuurspleten waaruit zwavel en methaangas ontsnappen. De aardbeving moet een scheur hebben veroorzaakt in een rotsplaat die zich vlak onder de grond over dit hele gebied uitstrekt.'

Op de linkerhand en linkerarm van de jongen bevonden zich ook een aantal brandplekjes. Hij had blijkbaar geprobeerd het spul dat hem had getroffen, van zich af te vegen. Bruce legde de arm van de jongen voorzichtig op een kussen. 'Heb je de handen van Jim gezien? Hij heeft misschien ook een paar brandwonden opgelopen, toen hij zijn kleinzoon probeerde te redden.'

'Mij is niets opgevallen. We kunnen het hem vragen, maar ik denk niet dat hij iets zal zeggen.'

De grootmoeder bracht water. Bruce nam de emmer aan, stomverbaasd dat ze blijkbaar genoeg water had kunnen vinden om hem halfvol te doen. Het water was zelfs koel. 'Dank u.' Ze knikte. Jim was blijkbaar niet voor een gat te vangen, dat hij zijn familie zo van al het nodige kon voorzien.

Bruce raakte even haar hand aan en zocht haar blik. De jongen was ernstig verbrand, maar de wonden toonden geen sporen van ontsteking. 'U hebt Jamael heel goed verzorgd.'

Ze glimlachte nogmaals, ging aan het hoofdeinde van het bed zitten en streelde de jongen over zijn haar. Bruce nam zijn temperatuur en bloeddruk op. Het grootste risico zat in de inschatting van de hoeveelheid tijd die sinds de verwonding was verlopen.

Nog geen 39 graden; hij had gevreesd dat het hoger zou zijn. Op een bepaald moment zou de jongen zo uitgeput en verzwakt raken dat zijn lichaam geen herstelkracht meer zou kunnen opbrengen. Eigenlijk moest Jamael naar een ziekenhuis waar hij onafgebroken in de gaten kon worden gehouden, maar Bruce bleef reëel. Jim zou hem nooit naar een Turks ziekenhuis brengen, zelfs niet als ze er een konden vinden waar tussen de andere slachtoffers van de aardbeving nog een bed vrij was.

Zijn talenkennis was behoorlijk, maar niet voldoende om het gemompel van de jongen te kunnen verstaan. Bruce haalde twee pepermuntjes uit zijn zak. 'Jamael?' De jongen opende zijn ogen. Die waren bruin en stonden glazig en vol pijn. Bruce streek met zijn hand langs de gloeiende wang van het kind. 'Een snoepje', zei hij zacht en gaf er eerst een aan de jongen en daarna aan de grootmoeder. De smaak deed Jamael glimlachen. 'Zuig er maar lekker op.' Door de suiker zou de eetlust van de jongen worden opgewekt.

Bruce gebaarde dat Wolf zijn kit moest openmaken. Het ogenblik was gekomen voor moeilijke beslissingen. Had de jongen wel eens een injectienaald gezien, laat staan een injectie gehad? Bruce probeerde de hoeveelheid pijnstiller af te stemmen op de grootte van de jongen en op de pijn die de behandeling naar verwachting met zich mee zou brengen.

Hij had over de hele wereld meer dan genoeg van dit soort situaties meegemaakt. Hij kon de rest van zijn leven werken als kinderarts in oorlogsgebieden en nog zou zijn hulp een druppel op de gloeiende plaat zijn. Wolf leidde de

aandacht van de jongen af met behulp van een vliegeniers-
embleem en Bruce gaf hem twee injecties, een met een pijn-
stillend middel en een met een sterk antibioticum. De grootmoeder had het er moeilijker mee dan de jongen zelf.

Bruce klopte haar op de hand. 'Al klaar', stelde hij haar
glimlachend gerust.

Wolf opende het pak steriel gaas. 'Je gedrag aan het bed
gaat erop vooruit.'

Bruce schoof een groot stuk steriele stof onder Jamaels
been. 'Jouw verpleegkunst ook, mag ik hopen.' Hij maakte
het gebied rond de wonden schoon, in afwachting van het
moment waarop de pijnstillers hun werk gingen doen. Pas
dan kon hij de brandwonden daadwerkelijk gaan verzorgen.
Hij moest de dode huid verwijderen, evenals de huid die al
was genezen, maar tijdens dat proces in de brandwond was
gegroeid. Het kostte meer dan een uur van omzichtig werken. Onder de verbrande huid bevond zich tot zijn grote
opluchting al gezonde roze huid. Zo lang er maar geen infectie optrad, zou de jongen zijn been kunnen behouden. Al die
tijd zat de grootmoeder van het kind stil toe te kijken.

Bruce bracht een dikke laag brandcrème aan om de huid
soepel te houden en infectie tegen te gaan. Daarna legde hij
er losjes verbandgaas overheen. 'Als ik hier een voorraad
achterlaat, kunt u dit dan twee keer per dag voor Jamael
doen? 's Morgens en 's avonds?'

De grootmoeder knikte.

Bruce keek nog eens naar de blaren op de hand en de arm
van de jongen. 'Wolf, pak eens een potje met pijnstillers en
breek de tabletten doormidden. Ik had op een volwassen
patiënt gerekend.' Zijn vriend leek opgelucht dat hij zijn ver-
plegerstaak kon neerleggen; hij zag een beetje groen.

Bruce besloot dat hij de hand van de jongen het beste aan
de lucht kon laten genezen. De hand zou wel pijn doen, maar
het herstel was al begonnen.

'We zullen de spullen hier laten, de antibiotica en de pijnstillers. Geef Jamael elke ochtend een witte en een roze pil, tot
ze op zijn. Het is belangrijk dat hij ze allemaal neemt.'

De grootmoeder boog zich voorover om de pillen goed te

bekijken en knikte toen. 'Oké. Deze en deze, elke morgen', herhaalde ze en wees ze voor de zekerheid nog even aan.

Bruce gaf haar ook de thermometer. 'Als hij in het rode stuk komt, moet uw man ons komen halen.'

'Goed.'

Bij het zien van haar angstige gezicht gaf Bruce gaf haar nogmaals een klopje op de hand. 'Als het weer volle maan is, loopt Jamael weer te spelen.'

Ze glimlachte zwakjes. 'Hij is een lieve jongen.'

Bruce begon de gebruikte spullen bijeen te zoeken en deed ze terug in de zwarte tas. 'Wolf, zoek de flesjes sportdrank eens op.'

'Hier zijn ze al.'

Bruce goot een flesje leeg in zijn veldfles en vulde die bij met water. De jongen werd wakker. Bruce hielp hem zijn hoofd op te tillen om te drinken, en hielp daarna de grootmoeder om de jongen een ander T-shirt aan te trekken. Zijn temperatuur was inmiddels gezakt naar 38 graden.

'Hebben we nog een stel van die basketbalplaatjes?'

Wolf glimlachte. 'Ik ben zo terug.' Bruce had nog nooit een jongen ontmoet die sportplaatjes verzamelen niet leuk vond, ook al waren ze van een sport die hij zelf niet speelde.

De jongen lachte toen hij de kaartjes kreeg en liet de bovenste aan zijn grootmoeder zien. Bruce drapeerde de dekens voorzichtig over de bedstijlen, zodat ze het been van de jongen niet raakten. 'Nog één verzoek, Wolf. Wil je mijn slaapzak even lossnijden?'

'Daar was ik je voor. Ik heb er al twee neergelegd, en ook mijn portie droogvoer.'

Het laatste wat de jongen kon gebruiken, was een grootmoeder die ziek werd van het slapen op de vloer.

'Bedankt.' Bruce boog zich voor het laatst over de jongen heen en glimlachte hem toe. 'Het was leuk om je te ontmoeten, Jamael.'

De glimlach die hij terug kreeg, was schuw, maar echt en brak bijna zijn hart.

'Mevrouw.' Hij gaf haar de stoel terug.

'Dank u wel.' Ze was bijna in tranen.

'Graag gedaan.'

Achter Wolf aan liep Bruce naar buiten. Hij stapte over de drempel en ademde diep in en uit. Zijn benen waren loodzwaar van uitputting. 'Ik wou dat Rich in mijn plaats beschikbaar was geweest. Hij kan veel beter met kinderen omgaan.'

'Volgens mij heb je het prima gedaan', antwoordde Wolf. 'Nu komt het leuke gedeelte.'

'Kinderen en politiek horen niet bij elkaar.'

'Mee eens.'

De mannen zaten bij elkaar voor de middelste tent. Er brandde een vuurtje en de geur van tabak dreef weg op de wind. De groep was stil; verderop, bij een van de bomen op het plateau, stond Cougar in zijn eentje. Bruce liep samen met Wolf naar hen toe.

'Als je bedenkt hoe droog alles is, zien de dieren er opmerkelijk gezond uit.'

'Ik heb ook sporen van een stel paarden gezien; die zijn waarschijnlijk voor vannacht ergens anders heen gebracht. Jim heeft een waterbron ontdekt en zo houden deze mensen het hier uit.'

Jim stond op en kwam naar hen toe.

'Uw kleinzoon moet nu verder herstellen', zei Bruce. 'U hebt er goed aan gedaan ons te halen. Ik heb voorraad bij uw vrouw achtergelaten. Als zijn koorts weer stijgt, wilt u ons dan komen roepen? Het waren lelijke brandwonden. Ik zou graag willen zien waar uw kleinzoon aan het spelen was, toen hij gewond raakte.'

'Wij hebben ons deel van de overeenkomst gehouden', viel de Turkse officier hem in de rede.

Eén van de mensen van de ambassade greep in, legde de Turkse officier het zwijgen op en bood zijn verontschuldigingen aan. 'Jim, het was ons een eer om je van dienst te zijn.' De Turkse officier wierp hem een geërgerde blik toe.

'Als jij ons een wederdienst kunt bewijzen, zouden we dat zeer op prijs stellen, maar van een overeenkomst is geen sprake en ook nooit geweest. Als jij ons de eer aandoet van een verzoek om hulp, dan zullen we je met plezier van dienst zijn.'

'Dat weet ik, Samuel, en daarom heb ik de boodschap ook naar jou gestuurd. Voor wat, hoort wat, dat is redelijk.' De oude man knielde neer, streek de grond een beetje glad, pakte een stokje en maakte een ruwe schets in het zand. 'Bij de splitsing van het pad ga je naar het noorden. Op het punt waar het pad scherp begint te dalen, staat een gipsboom. Tegenover die boom moet je afdalen naar de bodem van het ravijn. Daar is een nieuwe scheur ontstaan, die je in oostelijke richting moet volgen. Vlak boven de grond zie je dan op een gegeven moment de ingang van een grot. Daar liggen de wapens.'

'Zijn het Stingers?' vroeg Samuel.

De man gooide het stokje weg. 'Daar liggen de wapens.'

Bruce wierp Wolf een snelle blik toe. Stingers? De raketten waarmee Gracies vliegtuig naar beneden was gehaald?

'Dank je, Jim', antwoordde Samuel en stak zijn hand uit.

'Jamael is het me wel waard.'

'Als het nodig is dat we terugkomen, dan komen we meteen.'

En dan nemen we een dokter mee, sprak Bruce met zichzelf af. Hij vroeg zich af waarom er voor deze tocht niet één beschikbaar was geweest. Misschien was dat te wijten aan de invloed van de Turkse officier, en aan het feit dat er zo weinig informatie was gegeven.

De oude man keek naar Bruce. 'Die vliegtuigen die overvliegen?'

'Wat is daarmee?'

'Ik kijk er altijd naar. Eén stortte er neer. Is alles goed met de piloot?'

Bruce haalde een versleten footootje uit zijn zak en overhandigde het. 'Dit is de piloot.'

'Er waren geruchten.'

'Ze is thuis en het gaat goed.'

'Gelukkig. Dat is heel gelukkig.'

Met een zucht gaf Jim het footootje terug en keek naar de ambassadeofficier. 'Dit land heeft vrede nodig, Samuel. En als de spullen in de grot daartoe kunnen bijdragen…'

'Je hebt mijn woord, Jim. Mijn regering zal het gebaar op hoge prijs stellen.'

'We zullen zien.'

'Als jullie van mening zijn dat we de jongen met een gerust hart kunnen achterlaten...', kwam Beer erbij. 'Het is het beste als we voor het aanbreken van de dag weer terug zijn.'

'Ik heb alles gedaan wat ik kon.' Bruce hing zijn rugzak weer om.

Met beleefde woorden namen ze afscheid van hun gastheer.

'Vooruit maar', zei Beer. 'Cougar, jij voorop.'

Ze liepen terug naar het pad.

Het had heel wat voeten in de aarde en ze vergisten zich een paar keer in de gipsboom, voordat ze eindelijk het bewuste ravijn hadden gevonden.

'Ongelooflijk!' Wolf sprak uit wat ze allemaal dachten. De bodem was opengespleten in een diepe scheur, waarvan de ene kant dertig centimeter hoger was dan de andere. Beide kanten helden in tegenovergestelde richting. Beer, Wolf en Bruce lieten zich naar beneden zakken; de anderen bleven op wacht staan.

'Waar zei hij ook weer dat de ingang van de grot was?'

'Ergens daar beneden', wees Wolf.

'Was het een oude grot of een die net was ontstaan?'

'Hij wordt gebruikt als wapenopslagplaats, dus zou je denken dat hij al ouder is.'

Ze vonden de grot aan het uiteinde van het ravijn. Net boven de opening, die ongeveer een bij twee meter wijd was, probeerde een kromme, gedrongen boom zich te handhaven. De ingang was meer een barst in de rotswand dan een echte ingang; verder naar binnen leek de grot zich te verwijden.

'Ruik je dat?'

Wolf kromp in elkaar. 'Zwavel.'

'In een grot hoopt zich vaak ook methaangas op', merkte Bruce op.

'Wil je liever wachten tot er een geoloog bij is?' vroeg Beer. Hij scheen met zijn zaklantaarn in het rond om te bepalen hoeveel van het rotspuin van recente datum leek.

'Onder het wakend oog van de rebellen, terwijl we alleen

voor dit dagretourtje de garantie hebben dat er niet op ons geschoten zal worden?' reageerde Wolf. 'Ik stem ervoor dat we naar binnen gaan, de Stingers pakken en maken dat we wegkomen.'

'Als de grot al dateert van voor de aardbeving, bestaat hij waarschijnlijk uit verschillende vertakkingen en gewelven. Ik betwijfel of de wapens direct na de ingang liggen opgeslagen', antwoordde Beer.

'Wolf en ik kunnen het wel doen', bood Bruce aan. 'We blijven laag bij de grond en bewegen ons langzaam. Het hoeft niet veel ingewikkelder te zijn dan onze eerdere uitstapjes naar andere grotten.'

Beer knikte instemmend. 'Probeer het maar. Ik laat Cougar hier achter, zodat die jullie eruit kan trekken, als je in moeilijkheden raakt. De overigen verspreiden zich om voor dekking te zorgen. Blijf voortdurend contact houden.'

Wolf trok zijn handschoenen aan, pakte een rol touw en keek naar Bruce. 'Je zou hier toch niet graag rondhangen op het moment dat iemand erachter komt dat wij stelen wat zij hebben gestolen.'

Bruce glimlachte. 'Hoe kom je daar nou bij?'

'Je weet dat ik dol ben op grotten. Jij eerst?'

'Ik laat de eer graag aan jou.'

Wolf ging op zijn buik liggen en gleed de grot in. 'Lekker, zeg: spinnen!'

Bruce gaf een duwtje tegen zijn voet en Wolf gleed nu helemaal naar binnen. 'Hij is groot en wordt naar achteren nog ruimer.'

Bruce volgde zijn vriend de grot in. Door de opening kwam een licht briesje, wat het vermoeden deed rijzen dat zich vóór hen een veel groter gewelf bevond. Het temperatuurverschil tussen de ondergrondse lucht en de buitenlucht creëerde zo een natuurlijke luchtstroom.

Bruce perste zich door een gang die nauwelijks groot genoeg was voor zijn lichaam. 'Ik vind grotten leuk.'

'Jij wel.'

'Iemand heeft hier iets langs gesleept; er zitten krassen in de rotsen.'

'Au!'

'Wat is er?' vroeg Bruce.

'Niets.'

Bruce verbeet een lach en kroop verder, achter Wolfs laarzen aan.

'Eindelijk. Pas op, een gat.' Wolf verdween uit het gezicht. Bruce volgde hem en tuimelde bijna naar beneden toen de bodem onder hem ineens verdween.

'Ik zou dat een effectief valluik willen noemen', merkte Wolf op en gleed een beetje opzij om te voorkomen dat Bruce in zijn schoot belandde. Ze waren pardoes in een lang en hol gewelf terechtgekomen.

Het was er droog en koel; er lagen wat blaadjes die waarschijnlijk van de struik aan de ingang naar binnen waren gewaaid. 'Ruik je iets geks?'

'Nee. En de spinnen zijn nog springlevend', zei Wolf.

'We zijn binnen, Cougar. Hoe is de ontvangst?'

'Jullie komen goed door, het vermogen is prima.'

'Roger.'

Wolf scheen in het rond. Er werden twee doorgangen zichtbaar. 'Geef je de voorkeur aan de eerste of aan de tweede deur?'

'De tweede. Er zitten daar krassen in de rotswand.'

'Nummer twee dan.' Wolf ging voorop, half gehurkt.

'Ik ruik een vleugje rotte eieren.'

'Blijf laag.'

Wolf verlaagde zijn tempo. 'Het wordt hier weer ruimer.' Er klonk het schrapende geluid van metaal op steen. 'Pas op je hoofd.'

Voor hen bevond zich een nieuwe, smallere doorgang.

'Bingo. Handgranaten, een paar landmijnen, ammunitie, zijdegeweren, geweren, zelfs een paar M-16's.' Het was een hele verzameling, keurig opgesteld langs de muur, met aan elk uiteinde een stapel kisten. Wolf begon de kisten te doorzoeken. 'Dit lijkt me een inventarislijst, maar ik kan de taal niet lezen.' Hij legde het papier terug.

'Zie je Stingers?' vroeg Bruce.

'Hier. Ze zitten zelfs nog in kisten met *Made in the* USA

erop. De legerlui die dit zaakje gaan onderzoeken, zullen het waarderen dat ze de exportlabels terugkrijgen.'

'We kunnen dit nooit allemaal naar buiten dragen, maar we kunnen het ook niet achterlaten.'

'We kunnen de Stingers meenemen en de rest vernietigen', stelde Wolf voor.

'Laten we daar even over nadenken. Jim heeft het niet met zoveel woorden gezegd, maar ik wed dat Jamael hier in de buurt gewond is geraakt. En we roken zwavel buiten.'

'Je bedoelt dat je nooit weet wat we aanrichten, als we hier een handgranaat naar binnen gooien.'

Bruce knikte. 'Inderdaad. Laten we proberen uit te vinden waar de jongen gewond is geraakt. Ik geef ons vijf minuten, en als het niet anders kan, vernietigen we de geweren, nemen de Stingers mee en laten de rest gewoon liggen.'

'Dat lijkt me een goed plan.' Wolf keek om zich heen. 'Gaan we terug naar de eerste deur of kiezen we hier een van de drie mogelijkheden?'

'Wat dacht je van nummer vier? Die rotssplinters zien er tamelijk nieuw uit.'

'Maar die opening lijkt me te klein voor een man van mijn formaat', beweerde Wolf.

'Hou je buik maar in.'

'Bedankt voor de tip', antwoordde Wolf mistroostig. Hij draaide zich op zijn zij en gleed door de opening. 'Dit is een instant vermageringskuur.' Zijn zaklantaarn wierp schaduwen door de opening. 'Deze grot is ongeveer even groot als die aan de andere kant en naar boven open. Ik sta aan de voet van een enorme puinhelling, die wel iets heeft van een draaikolk. Kijk uit bij de eerste stappen.'

Bruce kwam achter hem aan.

'Is dat geen hoofddeksel voor een jongen?' Wolf richtte de lichtbundel op de rotsen. Bruce kreeg het voorwerp te pakken. 'Jamael moet hier geweest zijn.'

'Inderdaad. En ik ruik nog steeds een lichte rotte eierenlucht.' Wolf ging op zijn knieën zitten en keek in de enige opening die er was. De doorgang boog omlaag en naar rechts.

'Wat is dat voor geluid?' vroeg Bruce.

'Het klinkt als stromend water.'

Bruce knikte. 'Dat wilde ik net zeggen, maar ik dacht dat het gek zou klinken.'

'Laten we eens een kijkje nemen.'

'Jij moet wel nieuwsgierig van aard zijn.'

Wolf lachte. 'Zo ben ik nu eenmaal geboren.'

'Het zou de spleet kunnen zijn waar Jamael in de problemen is geraakt.'

'Dat zullen we nooit zeker weten als we niet gaan kijken.'

'Aan zijn brandwonden te zien, is hij uitgegleden en tegen iets aan gekomen, waarvan hij niet had verwacht dat het zo dichtbij was. Doe kalm aan, Wolf.'

'Langzaam en kalm', beloofde Wolf en hij ging voorop. 'Hier moet het zijn', mompelde hij enige ogenblikken later. 'Ik kan mijn hand hier uitsteken en de rotswand aanraken; die voelt nog warm. Ik weet niet hoe gestold magma er uitziet, maar die zwavellucht hangt hier nog steeds.'

'Is de lucht goed?'

'Je kunt ademen, maar het is hier benauwd en vochtig.'

'Wees voorzichtig met tasten. Er kan ergens een zuurbel hangen.'

'Dat herinner ik me nog. Er zitten hier nog steeds spinnen en er groeit iets wat op mos lijkt. Verderop is weer een opening.' Hij verdween. 'Moet je dit zien!'

Bruce had Wolf nog maar zelden sprakeloos meegemaakt. Hij perste zichzelf door de opening en voegde zich bij zijn vriend.

'Ze geloven ons nooit', zei Wolf en liet het licht over hun ontdekking dansen.

Het was een ondergrondse rivier, met snel stromend water dat in het lamplicht zo helder glinsterde dat ze de rotsbodem konden zien.

Ze konden letterlijk midden in de bron een pijp aanleggen en voor jaren beschikken over vers water, omhoog gepompt door de aarde zelf. 'We hebben gebeden om water en al die tijd was het hier gewoon aanwezig en redelijk bereikbaar; het moest alleen nog ontdekt worden.'

'Laten we eens kijken waar het heen gaat', zei Wolf en begon de loop van de rivier te volgen. Bruce liep achter hem aan, even nieuwsgierig als zijn vriend. Zou het weer in de grond verdwijnen? 'Hier zie je een deel van de breuklijn waar de rots is gespleten.' Het water spoot eruit omhoog als een geiser en spatte een meter of wat hoger tegen het plafond. Het geluid van gutsend water werd sterker.

'Wauw.' Daar zagen ze een waterval die in een diepe kloof omlaag stortte. De kloof was zo diep dat het licht van hun lantaarns de bodem niet bereikte. De rotswand was nat, het plafond ook; water droop op hen neer. 'Het is hier afgesloten, dus het kan niet verdampen.'

Bruce raakte de rotswand aan. 'Het rotsoppervlak heeft nog geen putjes. Ik wed dat deze doorgang door de aardbeving ontstaan is. Het water is hier al heel lang, maar ik betwijfel of iemand ervan op de hoogte was. De jongen en zijn grootvader waren waarschijnlijk de eerste ontdekkers.'

'Dan wist Jim welk geheim hij werkelijk prijsgaf, toen hij de lokatie van deze grot verried.'

Bruce knikte. 'Die man verlangt naar vrede voor zijn volk. Het aanbieden van water dat zowel voor Turkije als voor Syrië bereikbaar is, is een goede kaart om uit te spelen als je goodwill wilt kweken. Geen wonder dat hij erop stond dat er personeel van de ambassade mee zou gaan. In dit deel van de wereld vormen de waterrechten een onderdeel van ieder vredesverdrag.' Bruce scheen nogmaals in het rond. 'Laten ze die communicatieapparatuur eens voor een goed doel gebruiken.'

'We hebben nog steeds regen nodig.'

'Die komt nog wel', antwoordde Bruce vol vertrouwen. 'Die lui van de ambassade kunnen voor de verandering wel een verzetje gebruiken. We sleuren die Stingers naar buiten en we praten hier met niemand over, buiten het ambassadepersoneel. Laten we ze maar even de tijd gunnen om de zaken op een rijtje te zetten, voordat de Turkse regering er lucht van krijgt dat zich hier een voorraad vers water bevindt, waarbij alle andere voorraden in de regio in het niet vallen.'

'Water. Dat is haast nog beter dan goud.'
Bruce lachte. 'Vannacht ben ik dat met je eens.'

Grace,

Ik heb een ongelooflijke nacht achter de rug. Eén dezer dagen kan ik je er vast wel meer over vertellen. Ik heb een dappere jongen ontmoet die dol is op basketbalplaatjes. Het is fantastisch om iemand te kunnen helpen. Het vergoedt al die lange uren van medische training en ook de keren dat ik hoofdschuddend van een missie terugkwam, omdat ik niet op tijd op de juiste plaats was.

Heb jij ooit iemand het leven gered? Ik weet dat je als landingsofficier een paar keer een ramp hebt kunnen voorkomen door je razendsnelle reactie. Toen ik vannacht met Wolf onderweg was, liep ik aan jou te denken. Eigenlijk had Rich mee moeten gaan, maar toen de oproep binnenkwam was hij nog onderweg vanaf Incirlik en had vertraging opgelopen. Het was een van die missies waarbij je zonder uitstel op weg moet. Ik ben doodop. Sorry dat ik zo van de hak op de tak spring. Ik hoop zo dat de gebeurtenissen van deze nacht de vrede iets dichterbij brengen, in plaats van de spanning te vermeerderen.

Hoe gaat het met de pijn in je arm? En met de soepelheid? Ben je wel extra voorzichtig geweest? En het vliegen, ben je daar nog steeds zo dol op? Je laatste brief was echt geweldig.

Grace, ik mis je erg. Ik zou vannacht veel liever bij jou zijn dan je hier op een kist te zitten schrijven bij het eerste zwakke morgenlicht. Soms worden de emoties me gewoon teveel. Ik verheug me zo op de dag dat ik je weer zie en we alle tijd hebben om te praten en samen te zijn.

Veel liefs,
Bruce

28 JUNI

Bruce,

Op dit moment ben ik in Nellis. Ik lig me nog even op bed te ontspannen met het staartje van het late journaal voor ik erin kruip. Ik zal deze hele week aan jou denken als ik het nieuws volg. Ik ben nog nooit in de gelegenheid geweest om iemand het leven te redden, of je moet die keer in de vijfde klas meetellen toen ik klaar-over was en nog net kon verhinderen dat Charlene tegen een auto aanrende. Het was het meest opwindende ogenblik van het hele jaar, omdat ik er bijna de scheikundeles door miste. Verder was de vijfde klas afschuwelijk.

Ik denk dat jij door God gemaakt bent voor wat je nu bent: een medicus die gaat naar de plaatsen waar hij het hardst nodig is. Zelfs je brieven worden ineens veel levendiger, wanneer je vertelt over de kans die je had om iemand te helpen. Hopelijk was er niet tegelijkertijd iemand op je aan het schieten. Ik heb een vage herinnering aan geweerschoten, net na de crash, toen jij bezig was me eruit te halen. (Je moet me nog steeds de details van de gebeurtenissen vertellen!) Ik hoop dat het nu goed gaat met die jongen. Basketbalplaatjes zouden tot de standaarduitrusting van een soldaat moeten behoren; ze komen in heel wat situaties van pas.

Ik verheug me op een strandwandeling hand in hand met jou. We kunnen net doen alsof we achter Emily aan lopen, dan kunnen we lekker langzaam kuieren; ondertussen geniet ik van al je verhalen over deze missie. Zorg dat je een flinke voorraad verhalen hebt over Wolf en Rich.

Ik ga morgenavond weer naar huis en ben van plan er een heerlijke vlucht-over-land van te maken.

Tijd voor de reclame – een spotje over hondenvoer met een piepklein, oerstom, donzig-wit keffertje. Ik vind Emily leuker, maar deze is ook wel schattig. Sorry, maar ik zit met mijn gedachten steeds bij de huisdierenkwestie, omdat Emily sinds kort allerlei honden meeneemt naar huis; ze denkt dat het zwerfhonden zijn. We gingen in het park wandelen en ik ging met een boek op een bankje zitten, in de veronderstelling dat Emily zou gaan slapen. Maar plotseling komt ze aangesjokt met een hondje dat letterlijk onder haar kan staan, en ze tuttelt ermee alsof ze een herdershond is. Ik probeerde te zien of het beest een naamplaatje had, maar Emily duwde mijn broodtrommeltje omver en bood haar nieuwe vriendje de helft van mijn lunch aan. Het was moeilijk om niet te lachen en ik had het hart niet om haar een standje te geven.

Het leven is goed, Bruce. De afstand tussen ons is moeilijk, maar ik ben eraan gewend geraakt mijn leven vorm te geven rondom jouw brieven. Gedurende de dag vallen me allerlei dingen op die ik wil onthouden om aan jou te vertellen. Ik vind het heerlijk om mijn leven om het jouwe te laten draaien. Dat is het meest diepzinnige dat ik je vanavond te melden heb. Jij bent een deel van mijn leven, een heel vertrouwd deel. Het is al laat, ik moet naar bed.

Liefs,

Grace

9 JULI

Grace,

Ik ben echt van plan om Wolf gezond en wel mee naar huis te nemen, maar dat valt niet mee, want zijn gevoel voor humor wordt mijn dood nog eens. Gisteravond vond ik een hagedis in mijn bed; een echte. En Rich stond klaar met de camera om het moment vast te leggen voor het PJ-prikbord met flauwe geintjes. Als Wolf mijn partner al zo gek begint te krijgen, is de grens toch wel bereikt.

Vanavond hadden we een feestje ter gelegenheid van het 'memorandum van overeenkomst' met betrekking tot de waterrechten, dat zojuist door Turkije en Syrië is ondertekend. Een deftige naam voor een stukje papier dat betekent dat we waarschijnlijk niet zeer binnenkort door iemand zullen worden beschoten. Het is een absolute ramp om in het binnenland te zijn met aan alle kanten kerels die zoeken naar een reden om met recht kwaad op de ander te worden. Voor vanavond regeert de vrede, tot het volgende probleem opduikt.

De herstelwerkzaamheden na de aardbeving verlopen in een wat rustiger tempo, nu de wegen ontdaan zijn van puin, de bruggen zijn gestut en enorme tentenkampen zijn ingericht voor de daklozen. De logistieke problemen bij de hulpverlening zijn echter onvoorstelbaar. We hebben assistentie geboden waar we maar konden, en bijvoorbeeld militaire transporten gecombineerd met medische om de verdeling van de goederen te bespoedigen. Ik vermaak me dus wel, en ondertussen kijk ik naar overvliegende vliegtuigen en wacht op het bericht dat ik naar huis mag.

Je had het over de reddingsoperatie, Grace. Toen ik je die dag zag, ben ik een beetje gestorven. Je vliegtuig lag in stukken, je overall zat onder het bloed en je ogen stonden glazig. Ik dacht dat je dood was, lieverd, ik dacht echt dat je dood was. En het vloog me aan dat ik te laat was met al die belangrijke dingen die ik tegen je had willen zeggen.

Het feit, bijvoorbeeld, dat je zingen zo heerlijk vindt, ook al kun je het helemaal niet – ik moet erom lachen en denk dan: dat is mijn Grace, die je in het koor dwars door alles heen hoort. En dat ik van je houd, omdat je Wolf het gevoel geeft dat hij bijzonder is. In plaats van te zeuren over de problemen die hij zich op de hals haalt, houd je gewoon van hem zoals hij is. En als ik Jill spreek, heeft ze altijd een of ander nieuwtje over wat jullie samen hebben ondernomen. Je maakt tijd voor haar, tijd om haar beste vriendin te zijn, en ook dat is een reden waarom ik van je houd.

Wat ik je echter vooral had willen vertellen, is hoeveel het voor me betekent dat je mij toelaat in je leven. Dat hoefde je niet te doen. Je had op safe kunnen spelen door te zeggen dat je in Ben al eerder een geliefde had verloren en dat je dat risico niet opnieuw wilde lopen door weer van iemand te gaan houden. In plaats daarvan laat je me delen in veel van je gedachten en gevoelens. Woorden en tijd schieten tekort, als ik je wil laten merken hoeveel ik van je houd – maar ik heb wel zin om het in ieder geval te gaan proberen.

Na het ongeluk was ik bang dat je niet voldoende zou herstellen om weer te kunnen vliegen. Ik geef toe dat ik mij het hoofd heb gebroken om dingen te bedenken die je als burger zou kunnen doen. Je mag best weten dat ik boven aan de lijst de optie had gezet om zelf ook ontslag te nemen en samen lessen in sportduiken te gaan geven; in onze vrije tijd hadden we dan de wrakken voor de kust van Florida kunnen onderzoeken en schatzoekers worden. (Ik heb geen idee hoe ik op dat idee kwam, maar de suggestie klinkt alsof Wolf er de oorsprong van is.) Als de tijd is gekomen om ontslag te nemen uit de actieve dienst, dan zullen we dat vast allebei met waardigheid kunnen doen, maar hopelijk duurt het nog heel lang voor het zover is.

Als je eraan denkt, wil je me dan de eerstvolgende keer een boek sturen? Rich heeft net de video's gekregen die hij vier maanden geleden had besteld, en het zijn stuk voor stuk griezelfilms. Ik zou zo langzamerhand wel weer een teken-film kunnen gebruiken.

Heel veel liefs,
Bruce

Bruce,

In dit pakje vind je voor een maand genoeg strips; je kunt wel zien dat Jill me met de samenstelling heeft geholpen. Ze zijn precies goed, als je weer eens lekker wilt lachen. Ik vond vooral Snoopy en de Rode Baron onbetaalbaar.

Liefs,
Grace

Tweeënveertig

'Wat is er gebeurd?' Bruce moest schreeuwen om zich boven de herrie uit bij Rich verstaanbaar te maken. Hij had liggen slapen en plotseling was de lucht vervuld van het lawaai van landende helikopters, vrijwel vlak voor hun tent. Het doek wapperde van de luchtdruk heen en weer.

'Er is een tankvliegtuig ontploft tijdens het bijtanken.'

Bruce greep zijn uitrusting. 'Waar?'

'Net voor de kust. Volgens de eerste berichten zijn er overlevenden in het water gezien. De GW lanceert op dit moment alles wat ze hebben.'

Bruce duwde de tentflap opzij en ontdekte dat het nog midden in de nacht was. Geen wonder dat hij uit zo'n diepe slaap had moeten komen. De uitrusting voor noodgevallen stond al voor het grijpen. Vlug trok hij zijn duikerspak aan en pakte extra duikspullen bij elkaar. Daarna sprintte hij samen met Rich naar de wachtende helikopter. Vincent en Frank gespten zichzelf al in de gordels. Bij reddingsoperaties als deze draaide het om snelheid en in de afgelopen jaren hadden ze heel wat keren voor ongelukken als dit moeten trainen. Dasher zette koers naar de zee en Bruce schakelde zijn intercom in om mee te kunnen luisteren.

Het radioverkeer was kort en bondig en dirigeerde de verschillende helikopters zo dat ze samen het totale gebied bestreken.

'Wie krijgt het water?'

'Het gevechtsbataljon heeft vier schepen uitgestuurd om het stuk zee waar de wrakstukken drijven aan vier hoeken af te bakenen en te verlichten; kleine bootjes varen het gebied al binnen. Er lag nog het een en ander in de haven dat ook is uitgevaren en er is een onderzeeër in de buurt.'

Het was donker. Bruce was wel voorbereid op de aanblik van brandende kerosine op het water, maar toch was het nog steeds een afschuwelijk gezicht. Over een afstand van meer dan twee mijl brandde het water op verscheidene plaatsen en uit de vele wrakstukken bleek wel dat er meer dan één vliegtuig naar beneden gekomen was. In de lucht wemelde het van de reddingshelikopters en lichtbundels van schijnwerpers zwiepten over het water, op zoek naar overlevenden.

'Eagle 01, Birddog, antwoord Thunder 01, 127.4.'

'Eagle 01, Roger', antwoordde Dasher. 'Thunder 01, Eagle 01. Waar willen jullie ons hebben?'

'We hebben net een rookcapsule en een parachutefakkel gedropt ten zuiden van raster 4; daar lijken twee mensen in het water te liggen. Wij zijn door onze brandstof heen.'

'We komen eraan.'

De noodfrequentie van het tankvliegtuig was op dit moment de enige die zweeg.

'Hoeveel toestellen zijn erbij betrokken?' vroeg Bruce aan Dasher.

'Ik heb gehoord dat het om een complete formatie ging. Daar is de rook.'

Dasher liet de heli zakken en hield hem stil in de lucht. Op het water zagen ze de rookcapsule drijven; hij stootte voortdurend rode rookpluimen uit om zijn positie te markeren. Ook de fakkel brandde nog. 'Tien uur, Dasher. Man in het water!' brulde Bruce die de gele streep van een reddingsvest op en neer zag dansen. De man dreef gevaarlijk dicht bij een plek brandende brandstof. Schijnwerpers richtten zich op hem en ze zagen dat hij probeerde te zwaaien. 'Hij heeft een tweede man vast', riep Rich.

'We laten ons vallen, Dasher', zei Bruce, die de mogelijkheden had afgewogen en meende dat alles het snelst zou verlopen als de PJ's te water gingen.

Rich liet zich naar buiten zakken, ging op de glijders staan en sprong naar beneden. Zijn armen hield hij gekruist voor zich om ervoor te zorgen dat hij loodrecht viel. Bruce haalde diep adem en stapte eveneens op de glijders; in zijn hart wenste hij dat dit avontuur niet in de oceaan plaats hoefde te vinden en met die gedachte volgde hij zijn partner. De klap waarmee hij het water raakte, sneed hem de adem af. Als een pijl schoot hij weer omhoog naar het wateroppervlak en crawlde samen met Rich in de richting van de overlevenden. Als zij niet ingrepen, zou de zee vannacht een aantal slachtoffers maken.

'We verbranden hier levend.'

'Hou vol, man, er is hulp onderweg vanuit het zuiden. Ik zie PJ's naar beneden komen, dus wij zijn niet de enigen die in het water liggen.' Wolf tilde de man wat hoger boven het water uit en wenste dat hij de navigator van de Prowler kon lokaliseren. Hij had de man ten zuiden hiervan twee keer gezien. Beer was in de rubberboot naar hem onderweg; snelheid was van levensbelang, want het vuur dreigde hem de weg te versperren.

'Ik kreeg een tik van iemand en daardoor ging de slang doormidden. We kregen de brandstof over ons heen alsof het een regenbui was. Niemand kon wegkomen.'

Wolf schopte wild in het water om een naderbij drijvende plas brandende kerosine te ontwijken. Alleen de rook was al levensgevaarlijk, zo dik was die. De commando's waren bezig geweest met een routineoefening met de onderzeeboot toen er plotseling vuur uit de hemel begon te regenen. 'Hoeveel parachutes heb je gezien?'

'Minstens zes.'

'Daar is de taxi. Denk erom, de zijkant van de boot is van rubber; je kunt er gewoon op gaan liggen en dan omrollen.'

'Geef me even een duwtje en ik lig erin', antwoordde de man.

'Heb je de ander ook, Beer?'

'Ik niet, Cougar.' Het feit dat Beer verder niets zei, gaf Wolf het vermoeden dat de andere boot op dit moment een lijkenzak aan boord had.

'Waar heb je me nodig?'

'Aan de radio. Kijk of je aanwijzingen kunt krijgen waar zich nog meer drenkelingen bevinden.'

'Hebben die kerels nog hulp nodig?' vroeg Wolf, wijzend naar de helikopter boven hun hoofd.

'Ik heb gehoord dat ze er net twee opgepikt hebben.'

'Hoeveel hebben we er tot nu toe?'

'Zeven, maar er zijn er nog meer.'

Voor grote en ingewikkelde reddingsoperaties als deze waren niet alleen oefening, vakbekwaamheid en ervaring nodig; ze vroegen ook in emotioneel opzicht heel veel. Je had niet alleen te maken met overlevenden, maar ook met verbrande slachtoffers. Bruce liet het reddingsvest van de boordnavigator leeglopen, zodat hij de man gemakkelijker in de reddingsmand kon hijsen, waar de lijkenzak al klaar lag. Het was de veiligste manier om het lichaam uit het water te krijgen. Het was een schrale troost dat deze man al aan een gebroken nek gestorven leek te zijn, voordat het vuur hem bereikt had.

'Hulp nodig?'

Uit de rookwolken doemde een Zodiac rubberboot op. 'Er drijft daar een leeg reddingsvest. Als je dat even wilt gaan halen, dan vliegen wij er niet voor niets achteraan', riep Bruce, die net klaar was met het vastgespen van de riemen. De afgelopen drie uur was hij geregeld matrozen en commando's tegengekomen, dus het verbaasde hem niet om Cougar hier te zien.

Cougar kwam terug, net op het moment dat de mand door de helikopter uit het water werd gehesen. Bruce haakte zijn arm om de zijkant van de boot om even op adem te komen, voordat hijzelf omhoog zou gaan.

'Wat is het laatste wat je hebt gehoord?' vroeg Cougar en bood hem een veldfles met fris water aan.

'Twaalf overlevenden, drie doden, acht vermisten. Heb jij Wolf of Beer onlangs nog gezien?'

'De vissersboot meende iemand in het water gezien te hebben. Zij zijn daarheen gevaren om het uit te zoeken.'

'Zullen we met elkaar een hapje gaan eten, zodra dit allemaal achter de rug is?'

'Ik geef het door.'

Deze nacht zou hem nog lang blijven achtervolgen en Bruce wilde graag de gelegenheid benutten om de gebeurtenissen te verwerken met mannen die wisten wat het was. Daar kwam het koord naar beneden. Bruce zwom erheen, wikkelde het om zijn borst en gaf een teken dat hij opgehesen kon worden.

LUCHTMACHTBASIS INCIRLIK, TURKIJE

'Heb je Grace al gebeld?'

Bruce keek op van zijn glas. Hij was net ingespannen bezig de opstijgende koolzuurbelletjes te bestuderen en kon maar niet vaststellen of ze nu knapten of oplosten. Wolf bekeek hem aandachtig, met een ernstige uitdrukking op zijn gezicht. 'Nee, nog niet. En jij?'

'Ze zal het zien op het nieuws.'

'Dat weet ik. Dat geldt ook voor Jill.' Bruce zuchtte en duwde zijn glas weg. 'Er zijn vannacht te veel mensen gestorven en nog wel door een ongeluk. Het is niet fijn om een missie zo af te moeten sluiten.'

'Als ze nog leefden toen ze in het water terechtkwamen, hebben ze door ons optreden een goede kans gehad om veilig thuis te komen', antwoordde Wolf. 'Het zal wel een maand duren, voordat alle wrakstukken zijn aangespoeld en opgeruimd. Ik hoorde dat een van Gracies groentjes erbij betrokken was.'

'Wie?' vroeg Bruce.

'Bushman. Hij kreeg het voor elkaar om met een kapotte gashendel in het vangnet van de GW te landen.'

Bruce hief zijn glas en een eerste glimlach brak weer door. 'Leve Bushman! Daar heeft hij wel een schouderklopje voor verdiend.'

'Het zal Grace plezier doen', stemde Wolf met hem in. 'Waarom bellen we haar niet even?'

Bruce dacht even na over het antwoord. 'Wil je haar vertellen over de mannen die het niet hebben gehaald?'

Wolf schudde zijn hoofd. 'Piloten tanken elke dag. Ik heb echt geen zin om haar te vertellen dat ik levend verbrande piloten uit het water heb moeten halen.'

'Laten we het dan maar voor ons houden.'

Wolf keek hem rustig aan. 'Wil je nog steeds met haar trouwen, ook al weet je dat dit bij haar leven hoort?'

Bruce zette zijn glas weg. 'Ik maak me geen zorgen om dat trouwen op zich, maar om de gedachte dat ik haar zou moeten begraven. Ik wil graag dat ze heel oud wordt, maar na vannacht realiseer ik me weer dat het ook heel anders kan gaan.' Hij schoof zijn stoel achteruit. 'Ik ben hier weg. Ik ga proberen een paar minuten slaap te pakken.'

'Droom maar niet.'

Bruce knikte instemmend. 'Ik ben blij dat jij er ook was, joh.'

'Ik zou dat werk van jou anders niet graag dagelijks willen doen.'

'Dat is dan wederzijds. Zeg tegen Beer en Cougar dat ze straks nog een toost op Rich moeten uitbrengen. Hij heeft vannacht weer tot twee maal toe mijn leven gered.'

'Zal ik doen. En Bruce…'

Bruce keek om naar zijn vriend.

'Doe Gracie de groeten van me.'

De man kende hem langer dan vandaag. Groetend hief Bruce zijn hand op.

NORFOLK, VIRGINIA

'Hoe houd jij dat burgerbestaan eigenlijk vol? Dit is gewoon niet te harden.'

Grace klemde haar mobieltje tussen haar oor en haar schouder en noteerde de volgende naam op de lijst van mensen met wie alles in orde was. Afgezien van de dramatische landing van Bushman leek de rest van haar squadron buiten de ramp gebleven te zijn. Zij hadden vlak voor het ongeluk allemaal net bijgetankt. 'Gina heeft contact gehad met Mark

Kells en er is net een e-mail binnengekomen van Nancy met de boodschap dat zij iets gehoord heeft van Craig Frances.'

'Al iets over Frank Carter?'

'Die van de Prowler?' Grace liep de lijst na. 'Nee, nog niets. Is het niet vreselijk dat wij via ons informele netwerk waarschijnlijk evenveel informatie kunnen krijgen als de mensen die ter plekke de zaak moeten onderzoeken?' Juist over de mensen van wie ze niets had gehoord, maakte ze zich zorgen. Het aantal doden en vermisten werd afgeleid uit het ontbreken van hun namen op de lijst van overlevenden.

'Ik zal een update maken voor de internetpagina van Stateside Support.'

Grace haalde opnieuw haar e-mail tevoorschijn.

Ze had twee vrienden verloren. Twee van de elektronica-officieren van de Prowler waren haar goed bekend. Het bericht over hun dood was summier, maar leek, zij het via via, wel afkomstig van matrozen die bij de reddingsoperaties betrokken waren geweest. Van het dek van de GW waren Sea Stallion-helikopters opgestegen, en CNN had beelden vertoond van minstens zes reddingshelikopters die rondcirkelden boven het rampgebied. Ze wist dat het aantal slachtoffers nog verder zou oplopen. Een ongeluk tijdens het bijtanken was de grootste angst van elke piloot.

De telefoon ging. 'Ik moet ophangen, Jill. De huistelefoon gaat.'

Ze hoopte dat het Peter zou zijn met een aantal nieuwe namen.

'Ja, hallo.'

'Grace.'

'Bruce!' Ze grabbelde naar de afstandsbediening om het geluid van de tv uit te zetten. 'Wat ben ik blij dat je belt.'

'Ik heb een paar heftige uren achter de rug.'

Ze beet op haar lip en dwong de opkomende tranen terug. Ze was zo ontzettend bezorgd over hem geweest, maar het laatste waar hij nu op zat te wachten, was een stroom vragen van haar kant. Hij klonk echt gedeprimeerd. 'Dat geloof ik graag', zei ze zacht. Met afschuw zag ze dat CNN de beelden van de rampplaats en de ronddrijvende wrakstukken begon te herhalen. Ze keerde zich af van het scherm.

'De reddingsteams hebben bliksemsnel gereageerd. Ik vind het heel erg dat je een paar van je vrienden hebt verloren, Grace.'

'Heb je al aantallen gehoord?'

'De meeste vermisten worden levend aangetroffen. Ik denk dat we tot nu toe vijf mensen hebben verloren.'

'Vijf!'

'Diep ademhalen, lieverd.'

'Maar zoveel!'

'Grace, doe me een plezier, wil je? Beloof me dat je me de eerstvolgende keer dat we elkaar weer zien een flinke knuffel geeft.'

Haar ogen werden vochtig. 'Een flinke knuffel. Komt voor elkaar.'

'Ik heb Wolf en Beer trouwens ook nog gezien, en de andere commando's. Met hen was alles in orde, alleen hadden ze wat verrekte spieren en schroeiplekjes opgelopen.'

Met Wolf was het goed. Met gesloten ogen liet ze het gevoel van opluchting over zich heen komen. 'Dank je wel.'

'Ik wil je niet buitensluiten, Grace, maar ik wil er nu verder niet over praten. Ik kan het gewoon niet.'

Ze masseerde haar neusbrug om de emoties de baas te blijven. Ze begreep beter dan hij dacht hoe hij zich nu moest voelen. Dat de beelden hem nog te levendig voor ogen stonden om erover te kunnen praten, dat hij voor dit moment even moest proberen te vergeten. 'Laten we het dan over iets anders hebben.' Ze ging languit op de vloer liggen en trok een kussen van de bank.

'Soms vraag ik me af hoe ik dit werk volhoud.'

'Om de kinderen, Bruce. En om al die piloten die je wel kunt helpen. Heb je trouwens nog iets gehoord van die jongen die zo dol was op basketbalplaatjes?'

'Ik heb via de ambassade een briefje gekregen dat het goed met hem gaat.'

'Daar ben ik blij om. Als je me dat verhaal ooit nog eens kunt vertellen, zou ik het graag willen horen.'

'Wolf heeft flink in het zand gebeten bij die tocht.'

Ze glimlachte. 'Echt waar?'

'Ik denk dat ik het wel zie zitten om hem als zwager te hebben.'

'Hij bewondert je, Bruce.' Ze deed haar best om een onderwerp te vinden dat hem even kon afleiden. Ze wilde niets liever dan even bij hem zijn en hem de omhelzing geven waar hij zo'n behoefte aan had. 'Ik heb gehoord dat je opnieuw een kans krijgt om je bijnaam eer aan te doen. Ik heb de posters van het basketbalteam zien hangen.'

'Hebben ze weer met de teams zitten knoeien?'

'De PJ's moeten tegen de commando's in de vierde ronde.'

'Help me onthouden dat ik Wolfs schoenen inpik. Hij houdt wel van een glijpartij.' Opgelucht constateerde ze een zweem van een glimlach in zijn stem.

Het werd stil tussen hen.

'God is genadig', zei Bruce toen zacht.

'Heel genadig. Hij zal je helpen om goed te slapen, Bruce. Je hebt gedaan wat je kon.'

'Ik ben doodmoe.'

'Bedankt voor het bellen.'

'Ik had het bijna niet gedaan.'

Ook dat begreep ze. 'Ook in dat geval had je die knuffel gekregen.'

'Ik hou van je, Grace. Al was het alleen maar om de gratie waarmee je dit soort telefoontjes afhandelt.'

'Ik hou nog meer van jou. Wanneer je thuiskomt, zit ik op je te wachten.'

'God zegene je, lieverd.'

Ze legde de hoorn op de haak. Vijf doden. Hoevelen van hen zou Bruce nog op zijn netvlies zien, zodra hij zijn ogen dichtdeed? *Jezus, wilt U deze man, van wie ik zoveel houd, zegenen met uw troostende aanwezigheid die alle verstand te boven gaat. Hij heeft het nodig, Heer.*

Vóór in zijn bijbeltje vond Bruce de eerste brief die Grace hem tijdens deze uitzendingsperiode had geschreven. Liggend op bed las hij hem nog eens; de broodnodige slaap kon hij toch niet vatten. Het afgelopen jaar had zijn leven veranderd. Bij de brief zat een zelfgemaakte Valentijnskaart. Hij vouwde het rode karton open en glimlachte bij het zien van de vele kruisjes. Haar dichtkunst was al even belabberd als haar zangtalent.

Er lag nog een brief in zijn bijbel, een dun velletje schrijfpapier dat hij tot nu toe over het hoofd had gezien. Het was het briefje dat indertijd bij de doos met gesmolten bonbons had gezeten.

Beste majoor Stanton,

Ik schrijf u in verband met mijn neef Scott. Hij is tijdens de Golfoorlog neergeschoten in de buurt van Al-Kut en heeft het niet overleefd. Maar de wetenschap dat de PJ's naar hem toe zijn gegaan en geprobeerd hebben hem te redden, is een dagelijkse troost voor mij.

Bruce vouwde de brief weer op; het was te moeilijk om hem uit te lezen. Het was een vriendelijke brief, maar hij realiseerde zich er opnieuw door dat je het verlies van een geliefde tientallen jaren met je meedroeg.

Jezus, vannacht zijn er mensen gestorven, alleen omdat ze hier de vrede wilden dienen. Wilt U hun familie aan de wal troost bieden. Ik verlang naar Grace. Wilt U geven dat de situatie hier zich stabiliseert, zodat ik binnenkort naar huis kan. Ik ben aan het eind van mijn krachten.

Hij hield van Grace, maar zou hij van haar willen vragen het vliegen op te geven? In deze nacht voelde hij zich daar sterk toe geneigd. Hij wreef in zijn ogen, die brandden van emotie. Hij had te veel mannen bij de uitoefening van hun plicht om het leven zien komen en hij was te vaak te laat geweest om dat te voorkomen.

Als ze niet kon vliegen, zou de kant van Grace waar hij het meest van hield langzaam verwelken en sterven. Ze zou bereid zijn dat offer te brengen, als hij het haar vroeg; ze zou er vrede mee hebben en waarschijnlijk niet meer achterom kijken.

Hij wilde het haar niet aandoen. Het leven was goed. God was genadig. Sinds Ecuador had hij een lange weg afgelegd; hij onderkende dat de beslissingen die hij toen had genomen, nu op de proef werden gesteld.

Ik zal bij de dag leven, Heer. Ik zal genieten van elke dag die U mij geeft, want het leven is al veel te kort. Alstublieft, ik wil echt heel graag naar huis.

Grace,

Het REGENT!! Een heerlijke, zware, verkwikkende plensbui. Ik kom naar huis. Ik hoop dat deze scheiding de moeilijkste is geweest van ons hele leven.

God is genadig. Ik hou van je.

Bruce

Drieënveertig

'Waar zijn ze nou?' Grace klom op het achterste bankje en tuurde over het vliegveld. Er kwamen zoveel van die enorme transporttoestellen binnen, en sommige vervoerden zelfs complete helikopters. Manschappen stroomden bepakt en bezakt naar buiten. De informatie die Bruce en Wolf over hun aankomst hadden verstrekt, was frustrerend vaag geweest.

'Probeer deze eens.' Jill gaf haar een verrekijker.

'Bedankt.'

Grace kon niet meer wachten tot ze Bruce weer zag en hem de beloofde omhelzing kon geven. Vijf mannen keerden terug naar huis in een lijkenzak. De afgelopen week waren Pensacola en Norfolk in rouw gedompeld geweest, en het verlangen naar een vreugdevol welkomstfeest was nu enorm.

De prestatie van Bushman had haar met trots vervuld. Hoe meer ze over het ongeluk had gehoord, hoe meer het haar duidelijk was geworden dat hij inderdaad het uitmuntende niveau had bereikt dat voor een gevechtspiloot vereist was.

Zelf had ze regelmatig gevlogen, iedere dag getraind in het fitnesscentrum en om deze dag gebeden. 'Daar zijn ze!' Ze begon zo wild te zwaaien dat ze van het bankje tuimelde. Lachend ving Jill haar op. Grace deed een stap terug, trapte op Emily's staart en het dier jankte. 'Sorry Emily. Het is de C-141B Starlifter.'

'Welke?'

'Die grijze reus, het vijfde vliegtuig vanaf hier. Ze kwamen met hun spullen uit de achterklep.'

'Kunnen we erheen?'

'Let maar eens op. Kom mee, Emily.' Grace ging voorop naar een gat in het hek, waardoor ze op de standplaats konden komen. 'Kijk, daar is Rich.'

'Wolf! Hierheen!' loeide Jill die zwaaiend op en neer sprong. 'Naar links, Grace, ze zitten daar links.'

Het weerzien met Bruce deed alle emoties bij Grace tot een uitbarsting komen. Hij tilde haar op, zwierde haar in het rond en drukte haar stijf tegen zich aan. 'Ik hou van je', fluisterde hij. 'Ik barst er bijna van.'

Ze lachte en huilde tegelijk en hield hem stevig vast. 'Ik hou ook van jou.'

'Het spijt me dat ik de laatste drie maanden van je leven gemist heb. Is je schouder in orde?' vroeg hij bezorgd.

'Prima.' Ze sloeg haar armen om zijn hals en had absoluut geen haast om weer neergezet te worden. Zijn ogen waren echt ongelooflijk blauw. Ze keek hem aan en boog zich naar hem over voor een kus. 'Welkom thuis.'

'Dat is het mooiste wat ik in tijden gehoord heb.'

'Volgens mij heeft Wolf Jill gemist.' Grace lachte om haar vriendin die net als zij aan de invloed van de zwaartekracht was ontsnapt.

'We hebben een weddenschap wie zijn vriendin het langst in de lucht kan houden', zei Bruce.

Grace lachte opnieuw en legde haar hoofd tegen zijn schouder. Het was een beetje raar om hangend in de lucht tegen hem te praten, maar het had ook wel iets speciaals. Ze zoende hem op zijn oor, omdat ze daar het beste bij kon. 'Ga je me ten huwelijk vragen?' Ze wreef demonstratief over de kale ringvinger van haar linkerhand.

Hij kuste haar zo lang dat ze buiten adem raakte. 'Dat overweeg ik inderdaad.'

'Dan vergeef ik je je afwezigheid.' Ze wees. 'De bankjes zijn daar.'

Tot haar verrukking kantelde hij haar zo dat hij haar kon dragen. 'Pak mijn plunjezak eens.' Hij boog een beetje voorover en zij deed haar best, tot ze de plunjezak uiteindelijk te pakken had. 'Die is zwaar, zeg.'

'Vuile was', biechtte hij op.

Daar giechelde ze om.

'Heb ik al gezegd dat ik het een leuk shirt vind?' vroeg Bruce.

'Je had toch gezegd dat het een Hawaïshirt moest zijn?'

'Klopt. Waar zijn je naamplaatjes?'

'Je wilt ze echt per se hebben, geloof ik.'

'Yep.'

'Ze zitten in mijn broekzak. Misschien geef ik ze je later wel.'

'Daar houd ik je aan.'

'Ik ben blij dat je thuis bent.'

Hij keek met een glimlach op haar neer. 'Je valt in herhalingen.'

'Ik ben echt heel, heel blij dat je weer thuis bent.'

'Wat heb je uitgespookt? Je auto in de prak gereden? Of je appartement in de fik laten vliegen?'

Ze lachte. Hij zette haar op het achterste bankje neer en zoende haar op zijn gemak nog eens. 'Wat is er?'

'Ik heb een kat voor je op de kop getikt.'

Hij knipperde met zijn ogen en zij moest zo lachen dat ze haar armen om zijn hals moest slaan om niet van het bankje te vallen. 'Je zou je eigen gezicht eens moeten zien.' Ze streek de kraag van zijn uniform glad. 'Emily bracht haar mee uit het park. Ze had haar bij de nekplooi in haar bek, en de oogjes waren nog maar net open. We hebben de moeder dood gevonden; waarschijnlijk aangereden.' Even waagde ze een blik op zijn gezicht. 'Ik kon Emily's poes toch niet weggeven?'

'Natuurlijk niet.'

'Jill en ik hebben haar om het uur te eten gegeven.' Ze wees naar de doos onder het bankje waarop hun spullen stonden. Emily was erbij gekropen om de wacht te houden.

Bruce zuchtte, kuste haar neus en ging de doos pakken.

Met de doos op schoot ging hij zitten en Grace kroop naast hem. 'Het flesje melk zit in de koelbox.'

Het poesje was wakker en maakte zachte geluidjes, wat Emily aan het janken maakte en onrustig heen en weer deed lopen. 'Rustig maar, Em. Hoe heet ze?' Voorzichtig tilde Bruce het katje met handdoek en al uit de doos. Met haar kin op zijn schouder keek Grace toe. 'Francis Emily Hogess Burnett.'

'Francis lijkt me wel voldoende. Ik ben nog geen tien minuten thuis en ik zit al een baby te voeden, zeg. Is dit een voorproefje van wat er verder nog komt?'

'Dat is wel een leuk vooruitzicht.'

Hij zoende haar opnieuw. 'Je ziet er goed uit, Grace. Beter dan op je foto.'

'Ik heb mijn grijze haren geverfd.'

'Dat was me al opgevallen', glimlachte hij.

'Wolf vindt me oud.'

Haar neef stak zijn hand uit en woelde door haar haren. 'Jij hebt mij anders ook heel wat grijze haren bezorgd tijdens deze trip.'

Jill ging aan de andere kant naast Bruce zitten en omhelsde haar broer, die haar knuffel beantwoordde. 'Welkom thuis.'

'Wat zijn jouw plannen voor vanavond?' vroeg Bruce aan Jill.

'Niets ingewikkelds. We hebben in jouw huis het eten klaar staan.'

'Dat is alvast een goed begin.'

'Ik had gedacht Wolf zover te krijgen, dat hij me meeneemt naar de film.'

'Achterste rij, popcorn en alles wat er verder bij hoort?'

Jill leunde tegen zijn knie. 'Jij wordt ook nooit volwassen.'

'Dat was ik ook niet van plan.'

Grace wierp Bruce een blik toe. 'Hebben wij zin om mee te gaan?'

Bruce glimlachte. 'Wij blijven thuis om op de baby te passen.'

'Emily en ik vinden het best.'

'Ik was bang dat de gravin tijdens mijn afwezigheid van ouderdom zou sterven.'

Grace keek omlaag. Emily was met een genoeglijke zucht languit voor Bruce' voeten gaan liggen. 'Zij is ook blij dat je er weer bent.'

'Dat zie ik.'

'Echt waar. Zo kijkt ze altijd als ze tevreden is.'

'Kom eens hier.'

Ze leunde naar hem toe en hij kuste haar zacht. 'Ik heb een paar maanden goed te maken', zei hij glimlachend. 'En nu je naamplaatjes.'

Met een lach trok Grace ze uit haar zak. 'Ik heb ze aan een langere ketting gedaan, want die van mij had je gewurgd. Buk eens.' Ze hing hem de ketting om. 'Alsjeblieft.'

'Maar ze zijn roze', zei hij geschokt.

Ze giechelde. 'Ik zou ervan balen om als een van de jongens te worden beschouwd.'

Hij staarde er nog steeds naar.

'Oké, ik heb ze speciaal voor jou laten maken.'

Wolf barstte in lachen uit.

'Vind jij dit soms grappig?' vroeg Bruce hem en probeerde zijn gezicht in de plooi te houden.

'Nogal, ja.'

Bruce overhandigde Grace het katje. 'Houd jij Francis eens even vast.'

'Denk eraan, hij is mijn neef.'

'Dit is iets tussen de marine en de luchtmacht', antwoordde Bruce.

'O.'

Bruce stapte achteruit en nam Wolf met een onverhoedse beweging in de houdgreep. 'Waar is het babyflesje?' Grace begon te lachen en pakte in plaats daarvan de camera.

'Kom op, jongens, laten we gaan', zei Jill. 'Deze missie is voorbij.'

Na het avondeten nam Bruce Grace mee naar het strand. Alle brieven, telefoontjes en foto's van de wereld wogen niet op tegen dit moment. Wat had hij haar gemist, haar gezicht, haar glimlach, het geluid van haar schaterlach.

Zich bewust van zijn blik hield ze lachend haar hoofd een beetje schuin. 'Wat is er?'

'Ik geniet van het uitzicht.'

Ze sloeg haar ogen neer, maar haar glimlach bloeide nog verder op. Hij wreef met zijn duim over de rug van haar hand. 'We hebben een zware tijd gehad.'

'We hebben het overleefd.'

'Zou je het nog eens kunnen doorstaan?'

Haar hand klemde zich nog vaster om de zijne.

Hij had maanden op dit ogenblik gewacht en er zou nooit meer een beter moment komen. Hij bleef staan en sloeg zijn armen om haar heen. 'Wil je met me trouwen?'

Ze gaf geen antwoord en hij legde zijn kin op haar haren.

'Ja', zei ze toen gesmoord.

'Ik hou van je, Grace. Je bent sinds Ecuador niet uit mijn gedachten geweest.'

'Een hond, een huis, een vrouw. Het was een mooie lijst.'

'Ik heb me altijd afgevraagd of die twee laatste woorden inderdaad in de brief terechtgekomen waren.'

Ze leunde een beetje achterover. 'Ja dus.'

'Wat zou je er verder nog aan toe willen voegen?'

'Om te beginnen een kat. En een lange huwelijksreis.'

'Die tweede suggestie bevalt me wel.' Emily begon te blaffen en Bruce glimlachte. 'En de gravin vindt het ook een goed plan. Wanneer had je gedacht?'

Grace lachte. 'Gauw.'

Boven aan de trap naar het strand klonk een fluitje. Daar stonden Wolf en Jill; Wolf salueerde.

'Grace, ik wilde je eigenlijk vragen', begon Bruce, terwijl Wolf en Jill in hun richting begonnen te lopen. 'Wolf dacht aan zoiets als een dubbele bruiloft…'